HISTÓRICOS PARA TODOS

HISTÓRICOS PARA TODOS

1 e 2 REIS

JOHN GOLDINGAY

THOMAS NELSON
BRASIL®

Título original: *1 and 2 Kings for everyone*
Copyright © 2011 por John Goldingay
Edição original por Westminster John Knox Press, Louisville, Kentucky.
Todos os direitos reservados.
Copyright da tradução © Vida Melhor Editora S.A., 2022.

As citações bíblicas são traduções da versão do próprio autor, a menos que seja especificada outra versão da Bíblia Sagrada.

Os pontos de vista desta obra são de responsabilidade de seus autores e colaboradores diretos, não refletindo necessariamente a posição da Thomas Nelson Brasil, da HarperCollins Christian Publishing ou de sua equipe editorial.

Publisher	*Samuel Coto*
Editor	*André Lodos Tangerino*
Tradutor	*José Fernando Cristófalo*
Copidesque	*Josemar de Souza Pinto*
Revisão	*Carlos Augusto Pires Dias*
Diagramação	*Sonia Peticov*
Capa	*Rafael Brum*

DADOS INTERNACIONAIS DE CATALOGAÇÃO NA PUBLICAÇÃO (CIP)
(Benitez Catalogação Ass. Editorial, MS, Brasil))

G571h

Goldingay, John

Históricos para todos: 1 e 2 reis / John Goldingay; tradução José Fernando Cristófalo. — 1.ed. — Rio de Janeiro: Thomas Nelson Brasil, 2022.
272 p.; 12 x 18 cm.

Tradução de *1 and 2 kings for everyone*.
ISBN 978-65-5689-443-0

1. Bíblia — Antigo Testamento. 2. Bíblia — Ensinamentos. 3. Bíblia. A.T. Reis — História e interpretação. I. Cristófalo, José Fernando. II. Título.

11-2021/16   CDD: 222.506

Índice para catálogo sistemático:
1. Reis: Cristianismo   222.506

Aline Graziele Benitez — Bibliotecária — CRB-1/3129

Thomas Nelson Brasil é uma marca licenciada à Vida Melhor Editora LTDA.
Todos os direitos reservados à Vida Melhor Editora LTDA.
Rua da Quitanda, 86, sala 218 — Centro
Rio de Janeiro — RJ — CEP 20091-005
Tel.: (21) 3175-1030
www.thomasnelson.com.br

⌐SUMÁRIO⌐

Agradecimentos	9
Introdução	11
Mapas	16
1Reis 1:1-53 • Como manipular o velho homem para que as coisas sejam feitas	19
1Reis 2:1-46 • Lidando com as consequências	24
1Reis 3:1-15 • O que você mais deseja?	30
1Reis 3:16—4:19 • Duas mães, um bebê	35
1Reis 4:20—5:18 • Todos debaixo de suas vinhas e figueiras	40
1Reis 6:1-38 • Templos e igrejas	46
1Reis 7:1—8:9 • Templos e palácios	51
1Reis 8:10-30 • Deus realmente habitará na terra?	56
1Reis 8:31-40 • Umas poucas coisas pelas quais você pode orar	61
1Reis 8:41-66 • Algumas mais	66
1Reis 9:1-28 • Desejos e escolhas	71
1Reis 10:1-29 • Que entre a rainha de Sabá	77
1Reis 11:1-43 • Esposas e adversários	82
1Reis 12:1-32 • A oportunidade de ser um líder servil	87
1Reis 12:33—13:32 • Profetas e quando ignorá-los	92
1Reis 13:33—14:20 • Quando o filho do rei apóstata fica doente	97
1Reis 14:21—15:24 • Enquanto isso, em Judá	102
1Reis 15:25—16:34 • Duas semanas, três Reis em Efraim	107
1Reis 17:1-24 • O pessoal e o político	112

1Reis 18:1-18 • Sobre dar a César e dar a Deus	117
1Reis 18:19-46 • Há momentos em que você deve escolher	122
1Reis 19:1-21 • O murmúrio de uma brisa suave	127
1Reis 20:1—21:7 • No mundo e também do mundo	132
1Reis 21:8-29 • A capital da corrupção	137
1Reis 22:1-23 • Quem instigará o rei Acabe?	142
1Reis 22:24—2Reis 1:1 • Você pode se disfarçar, mas não se esconder	147
2Reis 1:2-18 • O Senhor das moscas	151
2Reis 2:1—3:3 • O manto e o poder de Elias	155
2Reis 3:4-27 • O sacrifício final	161
2Reis 4:1-44 • Um conto de duas mulheres	166
2Reis 5:1—6:7 • Uma doença de pele removida e imposta	171
2Reis 6:8-23 • Cavalos e carruagens de fogo ao redor de Eliseu	176
2Reis 6:24—7:20 • Atirem no mensageiro	180
2Reis 8:1-29 • Foi apenas uma coincidência	185
2Reis 9:1-37 • O homem que dirige como um louco	190
2Reis 10:1-35 • O grande sacrifício para Baal	195
2Reis 11:1-21 • Duas alianças incomuns	200
2Reis 12:1-21 • A vida apenas não é justa	204
2Reis 13:1—14:29 • O Deus que não consegue resistir à tentação de ser misericordioso	209
2Reis 15:1—16:20 • Como não dar a César	214
2Reis 17:1-41 • A queda do reino do Norte	219
2Reis 18:1-37 • O pássaro na gaiola	224
2Reis 19:1-37 • O que fazer com uma carta ardilosa	229
2Reis 20:1-21 • Como ganhar e perder a simpatia de Deus	234
2Reis 21:1-26 • Como ser o bandido	239

2Reis 22:1—23:24 • Última chance para levar a Torá e os profetas a sério	243
2Reis 23:25—24:16 • Como desfazer uma reforma	249
2Reis 24:17—25:30 • Este é o fim ou há esperança?	254
Glossário	259
Sobre o autor	270

┌ AGRADECIMENTOS ┘

A tradução no início de cada capítulo (e em outras citações bíblicas) é de minha autoria. Tentei me manter o mais próximo do texto hebraico original do que, em geral, as traduções modernas, destinadas à leitura na igreja, para que você possa ver, com mais precisão, o que o texto diz. Embora prefira utilizar a linguagem inclusiva de gênero, deixei a tradução com o uso universal do gênero masculino caso esse uso inclusivo implicasse em dúvidas quanto ao texto estar no singular ou no plural. Em outras palavras, a tradução, com frequência, usa "ele" onde em meu próprio texto eu diria "eles" ou "ele ou ela". A restrição de espaço não me permite incluir todo o texto bíblico neste volume; assim, quando não há espaço suficiente para o texto completo, faço alguns comentários gerais sobre o material que fui obrigado a suprimir. Ao final do livro, há um glossário dos termos-chave recorrentes no texto (termos geográficos, históricos e teológicos, em sua maioria). Em cada capítulo (exceto na introdução), a ocorrência inicial desses termos é destacada em **negrito**.

As histórias que seguem a tradução, em geral, envolvem meus amigos, assim como minha família. Todas elas ocorreram, de fato, mas foram fortemente dissimuladas para preservar as pessoas envolvidas, quando necessário. Por vezes, o disfarce utilizado foi tão eficiente que, ao relê-las, levo um tempo para identificar as pessoas descritas. Nas histórias, Ann, a minha esposa, aparece com frequência. Ela faleceu enquanto eu escrevia este volume, após negociar com a esclerose múltipla durante 43 anos. Compartilhar os cuidados e o desenvolvimento de sua enfermidade e crescente limitação, ao longo desses anos, influencia tudo o que escrevo, de maneiras facilmente perceptíveis ao leitor, mas também de formas menos óbvias. Agradeço a Deus por Ann e estou feliz por ela, mas não por mim, pois ela pode, agora, descansar até o dia da ressurreição.

Sou grato a Matt Sousa por ler o manuscrito e me indicar o que precisava corrigir ou esclarecer no texto. Igualmente, sou grato a Tom Bennett por conferir a prova de impressão.

┌ INTRODUÇÃO ┘

No tocante a Jesus e aos autores do Novo Testamento, as Escrituras hebraicas, que os cristãos denominam de Antigo Testamento, *eram* as Escrituras. Ao fazer essa observação, lanço mão de alguns atalhos, já que o Novo Testamento jamais apresenta uma lista dessas Escrituras, mas o conjunto de textos aceito pelo povo judeu é o mais próximo que podemos ir na identificação da coletânea de livros que Jesus e os escritores neotestamentários tiveram à disposição. A igreja também veio a aceitar alguns livros adicionais, os denominados **"apócrifos"** ou "textos deuterocanônicos", mas, com o intuito de atender aos propósitos desta série, que busca expor "o Antigo Testamento para todos", restringimos a sua abrangência às Escrituras aceitas pela comunidade judaica.

Elas não são "antigas" no sentido de antiquadas ou ultrapassadas; às vezes, gosto de me referir a elas como o "Primeiro Testamento" em vez de "Antigo Testamento", para não deixar dúvidas. Quanto a Jesus e os autores do Novo Testamento, as antigas Escrituras foram um recurso vívido na compreensão de Deus e dos caminhos divinos no mundo e conosco. Elas foram úteis "para o ensino, para a repreensão, para a correção e para a instrução na justiça, para que o homem de Deus seja apto e plenamente preparado para toda boa obra" (2Timóteo 3:16-17). De fato, foram para todos, de modo que é estranho que os cristãos pouco se dediquem à sua leitura. Meu objetivo, com esses volumes, é auxiliar você a fazer isso.

Meu receio é que você leia a minha obra, não as Escrituras. Não faça isso. Aprecio o fato de esta série incluir grande parte do texto bíblico, mas não ignore a leitura da Palavra de Deus. No fim, essa é a parte que realmente importa.

UM ESBOÇO DO ANTIGO TESTAMENTO

A comunidade judaica, em geral, refere-se a essas Escrituras como a Torá, os Profetas e os Escritos. Embora o Antigo Testamento contenha os mesmos livros, eles são apresentados em uma ordem diferente:

- Gênesis a Reis: Uma história que abrange desde a criação do mundo até o exílio dos judeus para a Babilônia.
- Crônicas a Ester: Uma segunda versão dessa história, prosseguindo até os anos posteriores ao exílio.
- Jó, Salmos, Provérbios, Eclesiastes, Cântico dos Cânticos: Alguns livros poéticos.
- Isaías a Malaquias: O ensino de alguns profetas.

A seguir, há um esboço da história subjacente a esses livros (não forneço datas para os eventos em Gênesis, o que envolve muito esforço de adivinhação).

1200 a.C. Moisés, o êxodo, Josué
1100 a.C. Os "juízes"
1000 a.C. Saul, Davi
 900 a.C. Salomão; a divisão da nação em dois reinos: Efraim e Judá
 800 a.C. Elias, Eliseu
 700 a.C. Amós, Oseias, Isaías, Miqueias; Assíria, a superpotência; a queda de Efraim
 600 a.C. Jeremias, o rei Josias; Babilônia, a superpotência

500 a.C. Ezequiel; a queda de Judá; Pérsia, a
superpotência; judeus livres para retornar ao lar
400 a.C. Esdras, Neemias
300 a.C. Grécia, a superpotência
200 a.C. Síria e Egito, os poderes regionais puxando Judá
de uma forma ou de outra
100 a.C. Judá rebela-se contra o poder da Síria e obtém a
independência.
0 a.C. Roma, a superpotência

PRIMEIRO E SEGUNDO REIS

Como o próprio nome sugere, 1 e 2Reis contam a história de Israel no período da monarquia, iniciando com a ascensão de Salomão e seguindo a narrativa até o término dos reinados, com o exílio. Os primeiros onze capítulos de 1Reis cobrem o reinado de Salomão. Após a sua morte, por volta de 970 a.C., a nação dividiu-se em dois Estados. A maioria dos doze clãs abandonou a sua ligação com a linhagem davídica e com Jerusalém e estabeleceu a sua própria monarquia ao norte. Pelo fato de formarem o maior Estado, eles herdaram o nome "Israel", o que pode ser confuso, pois esse também é o nome do povo como um todo. Contudo, o Estado do norte também pode ser referido pelo nome de "Efraim", por este ser um de seus principais clãs e, assim, uso esse termo na tentativa de minimizar a confusão. A outra nação ou reino abrange Judá, algumas vezes com Simeão e/ou Benjamim também. A história das duas nações ocupa de 1Reis 12 até 2Reis 17, com suas histórias sendo contadas de modo intercalado, reinado por reinado, até que os assírios invadem Efraim e colocam um ponto final à existência da nação do norte, em 722 a.C. Portanto, de 2Reis 18 até o capítulo 25, há apenas a história da nação de Judá para ser contada; a vida de

Judá, como nação, é interrompida em 587 a.C., com a invasão dos babilônios.

Embora nenhum dos livros que precedem 1 e 2Reis apresente um fim apropriado (isto é, eles são interrompidos em vez de concluídos e sempre incitam o leitor a abrir no livro seguinte), 2Reis apresenta uma conclusão no sentido de que não há mais o que contar dessa história específica. Quando o leitor chega à página final de 2Reis, descobre-se retornando ao início de toda a história novamente, em 1 e2Crônicas, que retomam a narrativa a partir de Adão. (Na ordem da Bíblia hebraica, o efeito é o mesmo, pois o leitor vira na página final de 2Reis e descobre-se na profecia de Isaías.) Isso não significa dizer que a história chega ao fim. Não é o que acontece. Afinal, os livros terminam com ambos os reinos derrotados e seus líderes levados ao exílio, deixando em aberto o que o futuro possa reservar.

Faz sentido concluir que os livros atingiram a sua forma final nas décadas subsequentes à queda de Jerusalém, em 587 a.C. Eles fazem menção a um evento posterior, isto é, à liberação da detenção do rei judaíta na Babilônia. Ele ainda está em exílio, mas talvez a sua liberação seja um sinal de que Deus ainda não terminou com a linhagem de Davi. A questão é: Que posição Israel assumirá em relação a Deus agora e que posição Deus assumirá em relação a Israel?

Os livros de 1 e 2Reis contam a história da vida de Israel desde Salomão até o exílio de forma a reconhecer como ambos os reinos falharam na fidelidade a *Yahweh*, o Deus deles. Algumas vezes, eles serviram a outros deuses; outras vezes, serviram a *Yahweh*, mas de formas abominadas por *Yahweh* (notadamente, pelo sacrifício de crianças a Deus). Eles convidam os leitores a reconhecer a veracidade dos relatos — não meramente no sentido de que os fatos históricos narrados são verdadeiros, mas no sentido de aceitarem a responsabilidade pelas transgressões ao longo das gerações. Na realidade, a história é uma espécie de confissão; ela admite: "Sim, esta é a maneira em que vivemos como povo." A única possibilidade de futuro para eles é, portanto, encarar os fatos e reconhecê-los diante de Deus. Não há como desfazer tais fatos ou *compelir* Deus a perdoá-los e conceder-lhes um recomeço. Tudo o que eles podem fazer é lançarem-se à misericórdia divina.

Embora os livros pressuponham um contexto no exílio, eles dificilmente foram escritos do zero naquele período. Os israelitas reuniram materiais de registros mais antigos, de histórias contadas pelo povo e julgamentos teológicos por parte dos autores. Às vezes, ao ler a história, tem-se a impressão de que o julgamento do exílio ainda não ocorreu, e isso pode indicar que a primeira edição dos livros tenha sido produzida antes da queda de Jerusalém diante dos babilônios, talvez no tempo do rei Josias (veja 2Reis 22—23). Naquele estágio, o futuro ainda estava aberto; se o povo realmente retornasse aos caminhos de *Yahweh* (como Josias os incitava a retornar), então o desastre poderia ser evitado. Assim, a primeira edição foi atualizada após o exílio ter, de fato, ocorrido.

No pensamento judaico, 1 e 2Reis (com Josué, Juízes e Samuel) formam os "Profetas Anteriores". Esse título pode ter inúmeras implicações. Os livros nos contam sobre profetas tais como Elias, Eliseu, Jonas e Isaías. Eles nos fornecem o pano de fundo histórico ao ministério de outros profetas, como Oseias, Amós, Miqueias, Jeremias, Habacuque, Naum, Sofonias e Ezequiel. Eles, igualmente, são uma espécie de história profética, pois não são meramente um relato de alguns eventos ocorridos na história e tampouco uma coletânea de boas histórias, mas uma narrativa que propicia ao leitor a perspectiva de Deus sobre a história, desde Salomão até o exílio.

© Karla Bohmbach

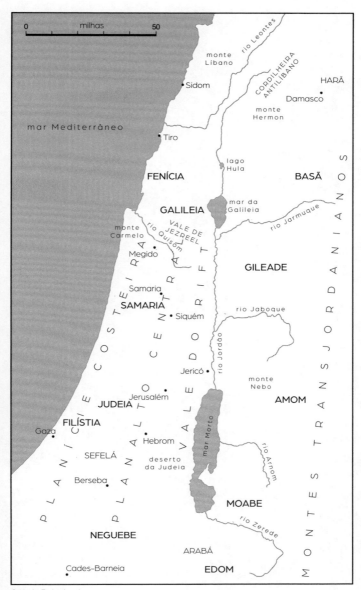

© Karla Bohmbach

1REIS

1REIS 1:1-53
COMO MANIPULAR O VELHO HOMEM PARA QUE AS COISAS SEJAM FEITAS

¹O rei Davi estava velho, avançado em anos. Eles o cobriram em roupas de cama, mas ele não se aquecia. **²**Seus servos lhe disseram: "Eles irão procurar uma jovem garota para o meu senhor, o rei, e ela permanecerá [na assistência] diante do rei e será a sua cuidadora. Ela pode se deitar em seus braços, e meu senhor, o rei, se aquecerá." **³**Então, procuraram por uma jovem bela, em todo o território de Israel, e encontraram Abisague, a sunamita, e a levaram ao rei. **⁴**A garota era muito bonita. Ela se tornou a cuidadora do rei e ministrava a ele, mas o rei não teve sexo com ela. **⁵**Ora, Adonias, filho de Hagite, colocou-se à frente, dizendo: "Eu serei o rei." Ele preparou para si mesmo carruagem, cavalos e cinquenta homens correndo adiante dele. **⁶**Seu pai jamais o contrariou, dizendo: "Por que você agiu assim?" Além disso, ele era muito bonito, e [sua mãe] lhe deu à luz [como o próximo filho de Davi] depois de Absalão. **⁷**Ele trocou palavras com Joabe, filho de Zeruia, e com Abiatar, o sacerdote. Eles apoiaram Adonias, **⁸**mas Zadoque, o sacerdote, Benaia, filho de Joiada, o profeta Natã, Simei, Reí e os guerreiros de Davi não ficaram com Adonias. **⁹**Adonias sacrificou ovelhas, bois e animais cevados junto à pedra de Zoelete, próximo a En-Rogel, e convidou todos os seus irmãos, os filhos do rei, e todos os homens de Judá, os servidores do rei, **¹⁰**mas não convidou o profeta Natã, os guerreiros e Salomão, seu irmão. **¹¹**Natã disse a Bate-Seba, mãe de Salomão: "Você deve ter ouvido que Adonias, filho de Hagite, tornou-se rei sem o reconhecimento de nosso senhor Davi. **¹²**Agora, vá (permita-me dar um conselho) e salve a sua vida e a vida de Salomão, seu filho. **¹³**Vá ao rei Davi e lhe diga: 'Meu senhor, o rei, certamente juraste à tua serva: "Salomão, seu filho — ele se tornará rei depois de mim. Ele é o que se assentará em meu trono." Então, por que Adonias tornou-se rei?' ¹⁴Ora, enquanto você ainda estiver falando ali ao rei, eu mesmo irei após você e confirmarei as suas palavras."

[Os versículos 15-49 relatam como eles implementaram esse plano e fizeram Davi ordenar que Salomão fosse ungido rei.]

⁵⁰Adonias, então, ficou com medo de Salomão. Ele saiu e foi agarrar-se às pontas do altar. ⁵¹Salomão foi informado: "Ora, Adonias está com medo do rei Salomão. Ele se agarrou às pontas do altar, dizendo: 'O rei Salomão deve jurar a mim, neste mesmo dia, que não matará este seu servo com a espada.'" ⁵²Salomão disse: "Se ele se tornar um homem de valor, nem um fio de cabelo sobre a sua cabeça cairá ao chão, mas, se um erro aparecer nele, ele morrerá." ⁵³O rei Salomão ordenou, e eles o desceram do altar. Ele veio e se curvou perante o rei Salomão, e o rei lhe disse: "Vá para casa."

Tenho alguns amigos no Quirguistão, onde, algumas semanas atrás, houve protestos contra o presidente e o governo, promovidos pelo partido de oposição e seus apoiadores, citando a corrupção governamental generalizada e o aumento excessivo de preços dos serviços públicos. Meus amigos consideraram sábio permanecer em casa durante as manifestações que se seguiram; houve muitos mortos. De modo progressivo, os manifestantes assumiram o controle sobre os quartéis de segurança e a sede da televisão estatal; o presidente e sua família deixaram o país, e a oposição anterior estabeleceu um novo governo. Na Grã-Bretanha, houve escândalos no ano passado por causa de questões similares, e, decerto, esses fatores afetarão o voto das pessoas na eleição a ser realizada amanhã. A corrupção política está, igualmente, presente nos Estados Unidos. Todavia, pelo menos nos dois contextos, os cidadãos dispõem de um sistema de mudança de governo que atua num intervalo pequeno de anos e, dessa forma, constitui uma ferramenta para "punir" os políticos. Embora o sistema de administração não seja imune a abusos e possa haver controvérsias quanto à validade dos resultados eleitorais, nenhuma dessas nações tem sido palco de golpes políticos ultimamente.

Pode-se dizer que Israel era mais parecido com o Quirguistão. A promessa de Deus a Davi, em 2Samuel, estabeleceu o princípio da sucessão dinástica. Deus está comprometido com a casa de Davi. Na monarquia britânica, o primogênito do rei é o próximo a ascender ao trono real e, ao que parece, Adonias presume que essa regra deveria ser aplicada. De seus irmãos mais velhos, mencionados em 2Samuel 3, sabemos que Amnom e Absalão estão mortos e, por implicação, Quileabe também morreu. Embora Adonias seja o próximo da lista, Deus não estabeleceu que o descendente mais velho de um rei deveria sucedê-lo (ou mesmo que deveria ser um descendente homem em vez de uma filha). Ainda, no Antigo Testamento, Deus frequentemente mostra uma inclinação para desafiar a regra regular pela qual o filho mais velho é o herdeiro principal; por exemplo, Deus preferiu Jacó em detrimento de Esaú. Desse modo, não há presunção prévia com respeito a quem deve suceder o rei.

Igualmente, Davi não adotou nenhuma ação com relação à sua sucessão. Trata-se de um aspecto do processo pelo qual o rei se torna cada vez mais irresponsável e débil à medida que os anos passam. O ponto é enfatizado pelo patético relato sobre a sua velhice, com o qual o livro de 1Reis começa. Parece melancólico, para dizer o mínimo, que um rei como Davi, com inúmeras esposas principais e **esposas secundárias**, não consiga ao menos uma para o manter aquecido e que os seus serviçais concluam que Davi necessita de uma garota adolescente para cuidar dele. O texto não esclarece se os servos presumem que ela será outra esposa secundária para Davi, de maneira que a informação de que ele não teve relações sexuais com ela pode ser considerada outro sinal de sua senilidade.

Adonias e seus apoiadores poderiam argumentar que, nessas circunstâncias, alguém precisa adotar uma ação decisiva em vez de largar a nação à mercê desse vácuo de liderança. Portanto, como o filho mais velho de Davi, Adonias é a pessoa certa para adotar essa posição, mas ele percorre o mesmo caminho de Absalão, acumulando as armadilhas externas da realeza. Ele possui a mesma aparência formosa de Davi e Absalão, e os líderes devem ser modelos de beleza. F. D. Roosevelt, em sua cadeira de rodas, jamais poderia ter chegado à presidência, caso tivesse sido mais óbvio à população que ele teria de fazer uso permanente da cadeira de rodas. Segundo Samuel retratou como Davi falhou com seus filhos ao não exercer qualquer disciplina em relação a eles, mas esse ponto é, aqui, expresso mais explicitamente: ele jamais contrariou Adonias quanto ao comportamento do filho. Davi era capaz de confrontar seus inimigos, mas não seus filhos (a exemplo dos comentários sobre esse assunto, presentes em outras passagens do Antigo Testamento, tais observações quanto à disciplina, provavelmente, dizem respeito a eles como filhos, à medida que crescem e se tornam adultos, não a crianças pequenas).

A liderança de Israel está totalmente dividida sobre quem deve suceder a Davi. Adonias obtém o apoio de um dos principais oficiais do exército davídico e um dos sacerdotes seniores. O outro sacerdote sênior, bem como outras figuras militares, além do profeta Natã, todos apoiam Salomão. Adonias promove um banquete para o qual ele convida os demais filhos de Davi e seu corpo de servidores, mas sugestivamente não convida Salomão e seus apoiadores. (Caso pareça estranho haver, aparentemente, dois sacerdotes principais, a explicação pode estar relacionada ao fato de Jerusalém ter se tornado o santuário central de Israel, após Davi capturar a cidade dos jebuseus (veja 2Samuel 5—6). Salmos 110 discorre sobre o próprio Davi como um sacerdote da ordem de Melquisedeque, que aparece em Gênesis 14. Em outras palavras, ele herda a posição de sacerdote e rei em Jerusalém, segundo o acordo na época em que os jebuseus ali viviam. Conectando alguns pontos, tudo indica que Abiatar pertence à linhagem sacerdotal por nascimento, enquanto Zadoque é um antigo sacerdote jebuseu que é aceito na linhagem sacerdotal de Israel.

O relato de Natã quanto a Adonias ter se declarado rei atribui ao banquete uma relevância mais concreta do que a simples informação sobre o evento. Certamente, Adonias estava planejando assumir o trono, mas o profeta toma atalhos na descrição do significado do evento. O texto não esclarece por que Natã apoia Salomão, embora a explicação possa estar ligada à história de seu nascimento, em 2Samuel 12:24-25. Deus havia permitido a morte do primeiro filho de Davi com Bate-Seba e enviara Natã para revelar a Davi que o segundo filho dele com Bate-Seba seria alguém amado pelo Senhor. Nessas narrativas, a palavra para "amor", com frequência, significa ser comprometido e leal ao ser amado. Portanto, Natã pode ter ligado algumas pontas soltas e concluído que o plano de Deus era que Salomão fosse rei. A disposição de chegar a essa conclusão e atribuir ao banquete um significado maior do que o evento realmente tinha justificaria o plano que o profeta apresenta a Bate-Seba. Seria algo natural a ela nutrir esperanças de que o filho viesse a ser rei, não apenas por motivos inerentes à maternidade. A transição de Saul a Davi ilustrava como os rivais pretendentes ao trono, e aqueles que os apoiam, em ambos os lados, colocam-se em uma posição sobremodo perigosa durante o processo de transição e mesmo após. Caso Adonias lograsse ascender ao trono, tanto Salomão quanto Bate-Seba correriam risco de morte. Desse modo, ela, de bom grado, estaria disposta a "refrescar a memória" do debilitado rei Davi quanto à promessa que (até onde sabemos) ele jamais tinha feito. Adonias, por seu turno, reconhecerá que o seu pescoço corre perigo quando Davi, por fim, toma a decisão que deveria ter tomado muito tempo atrás.

Logo após eu redigir aquela linha de abertura sobre meus amigos no Quirguistão, um deles me enviou um *e-mail* para contar que estivera ouvindo a gravação de uma de minhas aulas no iTunes. Alguém havia me perguntado por que Deus usa todas essas pessoas pecaminosas nos livros de Samuel e de Reis, ao que respondi: "Bem, na realidade, ele não tem muita margem de escolha, não é mesmo?" Meu amigo me disse que riu muito ao ouvir a minha resposta enquanto dirigia o carro. Deus opera por meio das manipulações e falhas das pessoas, de seus temores e conspirações. Isso não significa, necessariamente, que sairemos impunes desses atos.

1REIS **2:1–46**
LIDANDO COM AS CONSEQUÊNCIAS

¹À medida que se aproximava o dia em que Davi morreria, o rei ordenou a Salomão, seu filho: **²**"Devo seguir o caminho de toda a terra. Seja forte. Seja um homem. **³**Guarde os encargos de *Yahweh*, o seu Deus, andando em seus caminhos, obedecendo às suas leis, aos seus mandamentos, às suas regras e às suas declarações, como escrito no ensino de Moisés, para que você possa ter sucesso em tudo o que fizer e aonde quer que vá, **⁴**para que *Yahweh* estabeleça a palavra que ele me falou: 'Se os seus descendentes guardarem seus caminhos ao andarem diante de mim em verdade, de toda a mente e de todo o espírito, nunca cessará de haver um homem para você no trono de Israel.' ⁵Além disso, você mesmo sabe o que Joabe, filho de Zeruia, me fez, o que ele fez aos dois comandantes dos exércitos de Israel, Abner, filho de Ner, e Amasa, filho de Jéter — ele os matou e derramou o sangue de guerra quando havia paz, e colocou sangue de guerra no cinto em torno de sua cintura e nos calçados de seus pés. ⁶Aja de acordo com a sua sabedoria e não deixe que os cabelos brancos dele desçam ao Sheol em paz. ⁷Mas, aos filhos de Barzilai, o gileadita, mostre-lhes compromisso para que eles estejam entre as pessoas que comem à sua mesa, porque estiveram próximos a mim quando eu fugi de Absalão, seu irmão. ⁸Agora, Simei, filho de Gera, o benjamita de Baurim, está com você. Ele proferiu terríveis depreciações a mim, na época em que eu estava indo a Maanaim, mas, quando ele desceu para me encontrar no Jordão, jurei-lhe por *Yahweh*: 'Eu não o matarei pela espada.' ⁹Assim, agora, não o trate como inocente, porque você é um homem sábio e saberá como agir em relação a ele e permitirá que seus cabelos brancos desçam ao Sheol em sangue."

¹⁰Então, Davi dormiu com seus ancestrais e foi sepultado na cidade de Davi. ¹¹O tempo que Davi reinou sobre Israel foram quarenta anos. Em Hebrom, ele reinou por sete anos; em Jerusalém, ele reinou por trinta e três anos. ¹²Então, Salomão assentou-se no trono de Davi, seu pai, e seu governo foi firmemente estabelecido.

[Os versículos 13-46 relatam como Salomão ordenou a morte de Adonias quando este procurou Bate-Seba para pedir se podia se casar com Abisague; ele também dispensa Abiatar do sacerdócio; ordena a morte de Joabe, mesmo ele estando agarrado às pontas do altar, no santuário, e, por fim, manda matar Simei quando ele quebra os termos de sua liberdade condicional.]

1REIS 2:1-46 • LIDANDO COM AS CONSEQUÊNCIAS

Quando eu era aluno de graduação, costumeiramente eu passava pelo Memorial dos Mártires, onde Hugh Latimer, Nicholas Ridley e Thomas Cranmer foram queimados na estaca, em Oxford, nos anos 1555 e 1556, surpreendidos em meio ao conflito entre diferentes grupos cristãos. Há muitas histórias que relatam o martírio de cristãos por pagãos; mas as narrativas sobre cristãos sendo mortos por outros cristãos são ainda mais perturbadoras. Somos felizes por viver numa época em que defender ideias contrárias não custa a nossa vida, como era rotina alguns séculos atrás, mas, mesmo em nossos dias, assumir partido por um dos lados ainda envolve riscos. Ao longo do ano passado, dois conhecidos meus perderem o emprego porque disseram coisas sobre a Bíblia que colidiam com as posições teológicas defendidas pelos seminários para os quais eles trabalhavam. Advogar visões políticas consideradas erradas e apoiar candidatos perdedores em uma eleição, decerto, não colocarão a sua vida em perigo na Grã-Bretanha ou nos Estados Unidos, mas esse risco pode ser uma realidade em outras partes do planeta.

Assim era em Israel, quando Davi ascendeu ao trono e quando Salomão o sucedeu. Na verdade, parte da violência é resultante de eventos associados à ascensão de Davi. Joabe é um claro exemplo. Davi tinha uma irmã mais velha, chamada Zeruia, que teve três filhos: Abisai, Joabe e Asael. Joabe logrou chegar à posição de comandante do exército de Davi, embora a sua história o mostre como alguém que tinha ideias próprias sobre os fatos. No decorrer do conflito envolvendo a sucessão de Saul, Joabe assassinou Abner, o comandante das forças de Saul, que, por seu turno, havia matado Asael, o irmão de Joabe, durante esse conflito. Ainda, Joabe matou Absalão, contrariando ordens expressas de Davi, e confrontou o rei quanto às consequências de sua preocupação com a morte de Absalão. Com as tentativas de Davi para remediar as feridas latentes na nação, após a conspiração de Absalão, Joabe perdeu a posição de comando para Amasa, outro dos sobrinhos de Davi que havia apoiado Absalão, mas também ele foi morto por Joabe. Por fim, Joabe posicionou-se ao lado de Adonias.

Caso você esteja confuso(a), não se preocupe, há bons motivos para isso. De qualquer forma, Joabe tem inúmeros fatores contra si. Abiatar, o sacerdote, possui apenas um fator contrário, seu apoio a Adonias, mas essa posição é motivo suficiente para sua aposentadoria precoce do sacerdócio e, assim, simplifica a nova organização no santuário; dois sacerdotes seniores é um exagero. A exigência para que Salomão aja contra Simei pode parecer uma pequena maldade. A ação de Adonias ao buscar permissão para se casar com a atraente cuidadora de Davi parece, no mínimo, uma atitude pouco sábia. Ele não pode reclamar pelo fato de Salomão associar o seu pedido à ação de Absalão, que dormiu com as **esposas secundárias** de Davi. Isso equivale a anunciar que Adonias ainda aspira ao trono de Davi.

Desse modo, a sucessão dos fatos decorre da estupidez das pessoas que cercam Salomão, mas também resultam da própria sabedoria do rei — pelo menos, Davi incentiva o filho a usar a sua sabedoria ao lidar com as pessoas mencionadas por ele. Salomão precisa ser alguém que reage às ações das pessoas em derredor de modo reflexivo, fazendo os eventos trabalharem a seu favor, que aproveite as oportunidades, que faça as coisas acontecerem e que saiba como lograr isso. Ao agir assim, ele obtém o feliz resultado de eliminar todas as ameaças potenciais ao seu trono. Sim, o trono de Salomão foi firmemente estabelecido. Além disso, tudo isso ocorreu sem que o rei precisasse manchar as suas mãos de sangue.

Outras pessoas realizaram o seu trabalho sujo. A exemplo de Davi, seu pai, ele é o "mocinho".

Como Deus está envolvido em todos esses eventos? É possível que o propósito providencial de Deus esteja em ação, mas o silêncio da narrativa quanto a esse ponto é ensurdecedor. Isso é ainda mais verdadeiro quando o narrador relata muitas declarações de outras pessoas sobre Deus. O próprio Davi apela para a sabedoria de Salomão; ele não incentiva o filho a fazer o que Deus diz. Adonias comenta que a ascensão de Salomão ao trono é algo que Deus fez acontecer, mas ele é sincero ao afirmar isso? Salomão faz um juramento solene diante de Deus de que fará Adonias ser executado e pede a Deus que o puna caso ele falhe nessa missão; o que Deus pensa ao ouvir esse juramento? Salomão afirma que matar Joabe quando ele está diante do **altar** será o meio de Deus cobrar o pagamento pelo sangue que ele derramou; qual a opinião de Deus sobre isso? Ele também ora para que a **paz** de Deus possa repousar sobre os sucessores de Davi para todo o sempre. Deus responde afirmativamente? Quando Simei quebra a sua liberdade condicional para perseguir dois servos que fugiram para Gate, e Salomão afirma que a sua execução será o pagamento exigido por Deus pelas transgressões dele (a saber, o seu insulto a Davi), o rei está certo? O mais próximo que o narrador chega de associar Deus a tudo o que acontece é comentar que a dispensa de Abiatar do sacerdócio, por Salomão, era para cumprir a advertência de Deus quanto aos descendentes de Eli perderem a posição como sacerdotes (1Samuel 3).

Existe um contraste entre o corpo principal desse capítulo, com seu relato dos lembretes de Davi quanto à ação que necessita ser adotada e a ação que, de fato, é realizada, e as palavras de abertura do capítulo (e o retrato anterior de

Davi em sua debilidade). A instrução de abertura de Davi a Salomão evoca as instruções de Moisés a Israel pouco antes de sua morte (Deuteronômio 31); as cobranças de Deus a Josué, quando ele se torna líder (Josué 1); e a própria cobrança de Josué aos israelitas antes de sua morte (Josué 23—24). Uma vez mais, nesse momento crucial de transição para o povo e para o próprio líder, ele recebe uma comissão de ser forte e confiante, uma exortação a guardar o ensino de Moisés e uma promessa de que Deus será fiel e que ele será bem-sucedido. As quatro cobranças, na realidade, resumem temas que percorrem o relato, desde Deuteronômio até 2Reis, e fornecem chaves para a compreensão da história como um todo. Nesse contexto, a expressão "o ensino de Moisés" é uma referência particular a Deuteronômio, que apresenta a chave para compreender a história que se desenrola ao longo dos livros de Josué, Juízes, Samuel e Reis; daí a história poder ser chamada de "história deuteronômica", uma narrativa que mostra como o ensino de Deuteronômio funciona por si só.

Havia outro encargo do qual Salomão era herdeiro, isto é, o compromisso expresso por Deus a Davi em 2Samuel 7. Isso coloca mais ênfase sobre as promessas de Deus a Davi e ao(s) seu(s) sucessor(es) do que sobre o desafio de Deus à obediência; não há menção ao ensino de Moisés. Ali, embora permita o castigo ao sucessor de Davi, mas não a sua expulsão, Deus declarou que a casa de Davi e a monarquia existiriam eternamente. Aqui, Davi observa que essa continuidade dependerá de seu sucessor "caminhar diante de Deus em verdade". Os líderes e o povo, de alguma forma, devem se apegar a ambas as maneiras de enxergar como Deus se relaciona conosco. Ele é absolutamente comprometido conosco, como os pais com os seus filhos. Quando os filhos os desafiam, os pais não os rejeitam. Não obstante, a capacidade de resposta dos filhos é indispensável à continuidade do relacionamento. Os filhos não podem achar que a relação prosseguirá satisfatoriamente caso desprezem as expectativas de seus pais; isso coloca em risco o relacionamento. Os pais e seus filhos vivem na permanente tensão entre esses dois fatos (o mesmo ocorre entre os cônjuges, mas a ênfase ocidental sobre a natureza igualitária do relacionamento conjugal torna o casamento uma imagem menos adequada para a compreensão de nosso relacionamento com Deus). Eis como a relação entre Deus e os reis ou entre Deus e Israel será.

1REIS **3:1–15**
O QUE VOCÊ MAIS DESEJA?

¹Salomão fez uma aliança de casamento com o faraó, rei do Egito; ele se casou com a filha do faraó e a trouxe para a cidade de Davi até terminar a construção de sua casa, da casa de *Yahweh* e dos muros ao redor de Jerusalém. ²Embora o povo, contudo, estivesse sacrificando nos lugares altos porque a casa para o nome de *Yahweh* ainda não estava construída naquele tempo, ³Salomão foi leal a *Yahweh* ao caminhar pelas leis de Davi, seu pai. Todavia, dado que ele estava sacrificando e queimando incenso nos lugares altos, ⁴o rei foi a Gibeom para sacrificar ali, por ser o lugar alto maior. Salomão apresentou mil ofertas queimadas naquele altar. ⁵Em Gibeom, *Yahweh* apareceu a Salomão, em um sonho, à noite. Deus disse: "Peça pelo que eu deveria lhe dar." ⁶Salomão disse: "Mostraste grande compromisso com teu servo Davi, meu pai, pois ele andou diante de ti em verdade e fidelidade, e em retidão de mente contigo. Tu mantiveste esse grande compromisso por ele e lhe deste um filho assentado em seu trono neste mesmo dia. ⁷Mas, agora, *Yahweh*, meu Deus, tu mesmo fizeste o teu servo rei em lugar de Davi, meu pai, quando sou um pequeno rapaz que não sabe como sair e retornar [para fazer as coisas]. ⁸O teu servo

está no meio deste povo que escolheste, um grande povo que não pode ser numerado ou contado por causa de seu tamanho. ⁹Assim, deves dar ao teu servo uma mente ouvinte para exercer autoridade e para que teu povo possa discernir entre o bem e o mal, pois quem pode exercer autoridade a este teu grande povo?" ¹⁰A coisa foi boa aos olhos do Senhor, por Salomão haver pedido isso. ¹¹Deus lhe disse: "Porque você pediu isso e não pediu uma vida longa nem riqueza, nem pediu a morte de seus inimigos, mas discernimento ao ouvir julgamento, ¹²certo, agirei de acordo com as suas palavras. Está bem, estou dando a você uma mente sábia e discernente de modo que nunca houve antes, nem haverá depois alguém como você. ¹³Também lhe darei o que você não me pediu, tanto riqueza quanto honra em toda a sua vida, de forma que não haverá ninguém como você entre os reis. ¹⁴Se você andar em meus caminhos, guardando as minhas leis e os meus mandamentos, como Davi, seu pai, andou, lhe darei uma vida longa." ¹⁵Salomão acordou. Certo: um sonho. Ele foi a Jerusalém e colocou-se diante do baú da aliança do Senhor e apresentou ofertas inteiras e sacrificou ofertas de comunhão e deu um banquete a todos os seus servidores.

De tempos em tempos, eu costumava perguntar a uma amiga: "O que você gostaria de fazer?" Em geral, a pergunta era relacionada a concertos de música; eu listava as possibilidades, e, normalmente, ela deixava a decisão final para mim. Todavia, na semana passada ela protestou, dizendo que agia assim por não ter conhecimento suficiente para uma tomada de decisão. Ela me disse: "Seria como se eu lhe contasse algo sobre o Antigo Testamento." Compreendi o que ela quis dizer, mas a sua hesitação me privou do prazer de fazermos algo que ela desejava. Certa feita, ouvi um pregador declarar que a pergunta de Jesus a Bartimeu em Marcos 10:51, "O que você quer que eu lhe faça?", é a mais desafiadora que se pode fazer a uma pessoa. Bartimeu poderia, de modo razoável, ter pedido algum trocado (afinal, era o motivo de ele estar ali, ao lado da estrada, como um pedinte, nos Estados Unidos, estrategicamente posicionado nos faróis de trânsito, onde os carros são obrigados a parar), mas ele ousa pedir por sua visão, obtendo não apenas essa dádiva da cura, mas o presente de seguir a Jesus. Apenas alguns versículos antes, Jesus havia feito essa mesma pergunta a dois de seus discípulos, e eles pediram para se assentarem à direita e à esquerda de Jesus, em sua glória. Os discípulos podem ter menos discernimento que novos convertidos.

A mesma pergunta é feita a Salomão: "O que você quer que eu lhe faça?", e o que ele responde constitui um verdadeiro modelo de resposta no sentido de ser a resposta certa, considerando a posição em que ele está; a resposta certa para pessoas em outras circunstâncias (como Bartimeu) pode ser diferente.

No entanto, o relato da aparição de Deus a Salomão e o seu pedido surge em meio a um contexto que agrega certa ironia. A primeira informação que nos é dada sobre Salomão, uma vez que ele está seguro em seu trono, é que ele se casou com a filha do faraó para estabelecer uma aliança com o rei do Egito. Há inúmeros motivos para considerar essa declaração problemática. Na cultura ocidental, com a nossa visão romântica sobre o casamento, podemos nos ofender ao saber que o casamento pode servir a objetivos políticos, embora duvidemos que haja evidências de que os casamentos sujeitos a fins políticos sejam menos felizes que os matrimônios estáveis subordinados ao romantismo. No cenário do Antigo Testamento, haveria mais preocupação caso Salomão estivesse sendo obrigado a alianças políticas para assegurar a estabilidade e a segurança da nação; a julgar pelos Profetas, confiar em alianças políticas mais do que confiar em Deus será o principal problema, ao longo do período coberto por 1 e 2Reis. Nesses livros, a questão crucial será a adoração a deuses de outros povos, ou o culto a **Yahweh** usando práticas de outros povos (por exemplo, utilizando imagens ou sacrificando crianças). Trazer esposas estrangeiras para viver na cidade de Davi significará possibilitar o culto de seus deuses ali, próximo ao próprio santuário de *Yahweh*. Ainda, esse desenvolvimento também encoraja um processo pelo qual a própria adoração dos israelitas será influenciada por essa prática de culto estrangeira.

Os versículos subsequentes indicam que não há um problema imediato, mas dão a entender que será um transtorno no devido tempo. O povo estava sacrificando nos **lugares altos**, o que seria problemático nos anos posteriores, mas que seria aceitável caso significasse o culto adequado a *Yahweh*, o que era feito pelo próprio Salomão. Apesar de Jerusalém já ter possuído o seu próprio santuário, antes dos dias de Davi, e de este ter levado o **baú da aliança** para lá, e já haver uma espécie de santuário ali, aparentemente o santuário em Gibeom, logo na estrada, impressionava mais e, portanto, era o preferido para um evento importante. (Imagina-se que ficava situado em uma vila, atualmente chamada Nebi Samwil, isto é, "Profeta Samuel", que é visível de Jerusalém.)

É como se esse ato de adoração, com seu gigantesco sacrifício (embora a contagem possa ser exagerada), fosse uma ocasião especial pelo início do reinado de Salomão; daí a aparição de Deus ao rei com aquela pergunta. Os termos da resposta de Salomão são, por si sós, reveladores. Ele está preocupado com o fato de que seu trabalho é exercer **autoridade** sobre o povo. Trata-se da responsabilidade que Davi aceitou quando ele estava no auge de suas conquistas (2Samuel 8:15), antes de tudo desmoronar. Não existe separação de poderes em

Israel, de maneira que isso significa exercer responsabilidade política, militar e judicial. Em todas essas conexões, Salomão sabe que necessita ser capaz de discernir entre o bem e o mal.

É possível que você se surpreenda pela ousadia de Salomão em pedir isso, porque lá, no início, Deus havia instruído aos primeiros seres humanos que evitassem a árvore do conhecimento do bem e do mal. Parece que a questão, lá no princípio, não significava que Deus era contra as pessoas possuírem esse conhecimento, mas que Deus desejava definir os termos pelos quais as pessoas tinham acesso a ele. O problema foi a indisposição dos primeiros seres humanos em permitir que Deus fosse soberano a respeito disso; em outras passagens, o Antigo Testamento reconhece que esse discernimento é necessário e adequado aos seres humanos, especialmente os reis. No sonho em questão, Salomão reconhece a necessidade de ter uma "mente ouvinte". Adão e Eva tinham "ouvido" a voz da serpente; Salomão sabe que precisa estar atento ao que Deus diz, mas também sabe que necessita do auxílio divino para fazer isso, pois esse não é o instinto natural dos humanos. (Talvez Salomão também saiba que precisa ter ouvidos abertos ao povo sob seu governo e em relação ao qual deve tomar decisões e ter discernimento.)

As palavras de Salomão, portanto, esclarecem o que ele e Deus querem expressar com sabedoria. A chave para a sabedoria ou o discernimento reside em possuir uma mente ouvinte, em submeter o próprio pensamento ao modo de pensar divino. O modo pelo qual os "livros de Sabedoria", no Antigo Testamento, tais como Provérbios e Jó, expressam isso é que a reverência a Deus é o princípio da sabedoria, e que a reverência a Deus, no Antigo Testamento, significa ouvi-lo e fazer o que ele diz, significa prestar atenção à **Torá** e fazer o que ela diz. Não é por mera coincidência que Salomão tenha se tornado o santo padroeiro da sabedoria, no Antigo Testamento. A comparação do retrato de Salomão, nesse capítulo, com o retrato nos capítulos inaugurais de 1Reis, bem como com aquele retratado por alguns capítulos posteriores, sugere que a descrição, aqui, é idealizada. Assim, isso apresenta às pessoas (especialmente aos reis posteriores) uma visão do que um rei deve ser. Se eles desejam governar bem, devem ser como Salomão em sua atitude com respeito ao conhecimento do bem e do mal, não como Adão e Eva.

Portanto, Salomão despertou e percebeu que tudo não passara de um sonho. Na cultura do Ocidente, isso seria "apenas mais um sonho". Caso fôssemos questionados sobre o seu significado, decerto responderíamos em termos dos desejos e temores do subconsciente de Salomão. As culturas tradicionais reconhecem nos sonhos um meio de Deus nos falar. Afirmar que foi um sonho é abrir a possibilidade de ter sido uma revelação divina, como sugeriu a abertura da história.

1REIS **3:16—4:19**
DUAS MÃES, UM BEBÊ

[16]Posteriormente, duas prostitutas foram ao rei e compareceram diante dele. [17]Uma das mulheres disse: "Por favor, meu senhor, esta mulher e eu vivemos na mesma casa. Eu tive um bebê com ela na casa. [18]No terceiro dia, após ter tido o bebê, esta mulher também teve um filho. Nós estávamos juntas. Não havia ninguém de fora da casa conosco, somente nós duas na casa. [19]O filho desta mulher morreu, durante a noite, porque ela se deitou sobre ele, [20]e ela levantou-se no meio da noite e pegou o meu filho, que estava ao meu lado, enquanto a tua serva dormia, e colocou o meu filho em seus braços e o filho dela, morto, em meus braços. [21]Então, levantei-me de manhã para cuidar de meu filho, e eis que estava morto. Mas eu olhei bem para ele, de manhã, e vi — ele não era o filho

ao qual eu dera à luz." **²²**A outra mulher disse: "Não, o que vive é meu filho, e o que está morto é o seu filho", enquanto a primeira mulher ficava dizendo: "Não, o que está morto é o seu filho, e o que está vivo é o meu filho." Enquanto elas falavam diante do rei, **²³**ele disse: "Uma mulher está dizendo: 'Este é meu filho, o vivo, e o morto é o seu', enquanto a outra está dizendo: 'Não, o morto é o seu, e o vivo é o meu.'" **²⁴**Assim, o rei disse: "Tragam-me uma espada." Eles trouxeram uma espada diante do rei. **²⁵**O rei disse: "Corte o bebê vivo em dois e dê metade a uma e metade a outra." **²⁶**Então, a mulher cujo filho estava vivo disse ao rei (porque a sua compaixão cresceu por seu filho) — ela disse: "Por favor, meu senhor, dê a ela o bebê vivo. Não o mate", enquanto a outra dizia: "Não será meu nem seu — corte-o em dois." **²⁷**O rei respondeu: "Dê o bebê vivo a ela. Na realidade, não o mate. Ela é a mãe dele." **²⁸**Quando todo o Israel ouviu o veredicto do rei, ficou maravilhado diante do rei, porque viu que havia sabedoria divina nele para exercer autoridade.

CAPÍTULO 4

¹O rei Salomão era rei sobre todo o Israel, **²**e estes eram os seus oficiais: Azarias, filho de Zadoque (o sacerdote), **³**Eliorefe e Aías, filhos de Sisa (secretários), Josafá, filho de Ailude (o registrador), **⁴**Benaia, filho de Joiada (comandante do exército), Zadoque e Abiatar (sacerdotes), **⁵**Azarias, filho de Natã (responsável pelos prefeitos), Zabude, filho de Natã (sacerdote e conselheiro do rei), **⁶**Aisar (responsável pela casa) e Adonirão, filho de Abda (responsável pelo trabalho recrutado). **⁷**Salomão tinha doze prefeitos sobre todo o Israel; eles forneciam provisões ao rei e à sua casa (uma vez por mês, a provisão seria incumbência de cada um deles).

[Os versículos 8-19 fornecem os nomes desses prefeitos e suas respectivas regiões.]

Ontem comemorou-se o Dia das Mães, e eu li, no jornal, a história de duas mães com um bebê. Sua mãe biológica havia engravidado enquanto era apenas uma estudante, e ela havia decidido que não queria ficar com a criança, mas que não realizaria um aborto. Embora ela e o pai do bebê houvessem se separado, antes disso eles já tinham decidido dar o filho em adoção para um casal que não podia gerar filhos. Quando a criança nasceu, todos os instintos maternais afloraram, e a mãe não conseguia imaginar como poderia abrir mão do filho e continuar vivendo, mas cumpriu a palavra. Entretanto, trata-se de uma "adoção aberta", isto é, as duas mães permanecem em contato e, de tempos em tempos, a mãe pode ver a criança que gerou. Algumas vezes, quando ela o tem nos braços, todo o seu corpo estremece.

Não consigo imaginar como essa experiência de maternidade é, muito menos a experiência vivida por aquelas duas mães, no relato de 1Reis 3. Por serem prostitutas, aquela gravidez teria ocorrido por puro acidente ou seria algo desejado? O que elas pensavam em fazer quando os seus filhos nascessem? Teriam combinado ajudar uma à outra, revezando-se no cuidado aos filhos, dentro da casa que compartilhavam, e para continuarem em seu ganha-pão? Em um contexto ocidental, poderiam ter se submetido a abortos ou não ter muito entusiasmo quanto ao futuro e até medo pelas complicações que a maternidade poderia lhes trazer? Quando os bebês nasceram, descobriram que tinham sentimentos diferentes em relação aos seus filhos? Quão profunda era a dor no coração da mãe que perdeu o seu bebê enquanto dormia? E quão intenso era o medo da mãe que corria o risco de perder o seu filho ou de vê-lo ser assassinado? Não obstante, os seus instintos maternos determinaram a sua salvação e a de seu filho. A palavra em hebraico para "compaixão" é, na realidade, o plural da palavra para "ventre". Assim, compaixão é o sentimento que uma mãe tem pelo filho de seu ventre. A genuína compaixão materna salvou o seu bebê.

Como inúmeras outras grandes reflexões, a solução de Salomão para aquele impasse tornou-se óbvia assim que o rei a enunciou, sem esconder o toque de genialidade. Trata-se de uma expressão de sabedoria, pois ela é proferida dentro do exercício de sua **autoridade** para a comunidade. A tarefa do rei é assegurar que as decisões sejam tomadas de modo adequado ao povo. Sua vocação não deve focar-se em economia ou nas relações internacionais, mas em garantir que o certo prevaleça.

Podemos nos sentir um pouco confusos pela história retratar duas prostitutas e que o texto não faça nenhum comentário quanto às questões que o ofício delas suscita, assim como não há nenhuma observação sobre o plano fraudulento da mulher que perdeu o seu bebê. O Antigo Testamento, em geral, não sente nenhuma compulsão a exibir a obviedade de pontos morais; ele presume que os próprios leitores sejam capazes de fazer isso (embora a dinâmica extra nesse relato resida no foco sobre Salomão e a sua sabedoria). Quase sempre as mulheres são levadas ao comércio sexual por pressões de ordem econômica, e, provavelmente, as duas mães são mulheres que, por algum motivo, não possuem família e, portanto, nenhum outro meio de subsistência. É possível que elas estejam numa situação similar à de Noemi, Rute e Orfa e sejam viúvas, mas (ao contrário daquelas três) não vão ou não podem voltar às suas famílias ou localidades de origem. Elas sabem que há homens que pagarão por sexo, e, por mais desagradável que seja servi-los, pelo menos isso garantirá o sustento e a sobrevivência delas. Dada a inexistência dos métodos anticoncepcionais modernos, não constitui nenhuma surpresa que acabem engravidando. A questão perturbadora levantada pela história diz respeito à forma pela qual a sociedade israelita tem se desenvolvido. Como em muitas sociedades tradicionais, especialmente com o crescimento da urbanização, ou como ocorre em muitas sociedades ocidentais contemporâneas, o exercício de autoridade por parte de Davi ou de Salomão não tem produzido uma sociedade saudável.

A ambiguidade da liderança de Salomão reaparece no relato de sua organização de governo. À medida que Israel se desenvolve em um Estado cada vez mais complexo, a sua organização é outro sinal do discernimento e habilidade do rei. A exemplo de Davi, ele possui pessoas responsáveis pelo culto, pelos assuntos militares, pela administração, pelo trabalho e pela provisão das necessidades de seu palácio. Na realidade, a lista dos ofícios e de seus respectivos responsáveis sobrepõe-se substancialmente à lista do reino de Davi, em 2Samuel 20. No que tange a Davi e Salomão, a lista suscita algumas questões. Quando os israelitas primeiro consideraram a ideia de possuírem um rei, Samuel os instou a pensarem no que isso lhes custaria, pois o rei demandaria os serviços de seu povo para conduzir os seus carros de guerra, arar os seus campos e cozinhar em seu palácio. Além disso, decerto, o rei introduziria um sistema de coleta de impostos para pagar o seu corpo de servidores na corte (veja 1Samuel 8). De certa forma, as suas advertências se tornaram realidade nos dias de Saul e, de maneira mais significativa, durante o reinado de Davi. Todavia, o reinado de Salomão incorpora o alerta de Samuel de modo ainda mais notável. O departamento de Adonirão é, particularmente, preocupante. A palavra original para trabalho conscrito ou recrutado é, com frequência, traduzida por "trabalho forçado", e isso pode ser enganoso. Não há motivos para presumir que estamos falando sobre homens com chicotes oprimindo trabalhadores em correntes. Parte desse trabalho recrutado poderia envolver o equivalente na Antiguidade a sentar-se em frente a uma tela de computador. O ponto é que estamos três estágios distantes da visão do Antigo Testamento quanto ao trabalho. Idealmente, o trabalho não envolve uma relação de empregador e empregado, de vender a sua mão de obra. O trabalho constitui um negócio familiar; a família trabalha unida a fim de produzir tudo o que ela necessita para subsistir. Se uma família enfrenta dificuldades para fazer frente às suas despesas por causa da baixa produção de sua terra, por um motivo ou outro, então seus membros podem ser obrigados a trabalhar temporariamente como servos na propriedade de outra família até que consigam se reerguer financeiramente. Repetindo, isso não envolve necessariamente a venda de sua mão de obra, embora isso possa ocorrer, caso, por algum motivo, você se torne um diarista, um empregado. Todavia, o Antigo Testamento considera essa relação empregatícia uma exceção. O quarto estágio é quando a pessoa é forçada a fazer isso, queira ela ou não. Essa era a posição dos israelitas no Egito (da qual Deus os havia libertado!) e a posição imposta pelos israelitas a alguns **cananeus** (embora, para estes, fosse preferível às demais opções de morte ou de vida errante). Primeiro Reis deixa claro que Salomão sente-se livre tanto para escolher israelitas quanto para determinar o trabalho que eles devem fazer.

1REIS **4:20—5:18**
TODOS DEBAIXO DE SUAS VINHAS E FIGUEIRAS

[20]Judá e Israel eram tão numerosos quanto a areia do mar, comendo, bebendo e desfrutando a si mesmos. [21]Salomão governava sobre todos os reinos, desde o Rio [Eufrates] até o território dos filisteus e a fronteira do Egito, trazendo

contribuições e servindo Salomão todos os dias de sua vida. [...] ²⁵Judá e Israel viveram em segurança, cada qual debaixo de sua videira e de sua figueira, desde Dã até Berseba, todos os dias de Salomão. [...] ²⁹Deus deu a Salomão sabedoria e discernimento em grande medida e amplitude de mente como a areia à beira-mar. ³⁰A sabedoria de Salomão era maior que a sabedoria de todos os quedemitas e toda a sabedoria dos egípcios. ³¹Ele era mais sábio que qualquer outro, mais que Etã, o ezraíta, Hemã, Calcol e Darda, os filhos de Maol. Seu nome se espalhou por todas as nações. ³²Ele falou três mil provérbios, e suas canções chegaram a mil e cinco. ³³Ele falou sobre as árvores, desde o cedro, no Líbano, ao hissopo que cresce sobre um muro. Ele falou sobre animais, pássaros, coisas que se movem e peixes. ³⁴Eles vinham de todos os povos para ouvir a sabedoria de Salomão, de todos os reis da terra que tinham ouvido de sua sabedoria.

CAPÍTULO 5

¹Hirão, rei de Tiro, enviou sua comitiva a Salomão, porque ouvira que eles o tinham ungido como rei em lugar de seu pai, e Hirão sempre tinha sido leal a Davi. ²Então, Salomão mandou dizer a Hirão: "Tu mesmo sabes de Davi, meu pai, que ele não foi capaz de construir uma casa para o nome de *Yahweh*, seu Deus, por causa da guerra que o cercava. [...] ⁶Assim, agora, ordena pessoas para cortar cedros para mim do Líbano. Meus servidores estarão com os teus, e os salários deles eu os darei a ti de acordo com o que disseres, porque tu mesmo sabes que não há ninguém entre nós que saiba sobre cortar toras como os sidônios." ⁷Quando Hirão ouviu as palavras de Salomão, ele ficou muito contente. Ele disse: "*Yahweh* seja adorado hoje, pois deu a Davi um filho sábio sobre o seu grande povo." ⁸Hirão mandou dizer a Salomão: "Ouvi a mensagem que me enviaste. Farei tudo o que queres por meio de toras de cedros e de ciprestes. ⁹Os meus servidores as levarão para o Líbano, até o mar. Eu serei aquele que as tornarei em balsas pelo mar

até o lugar que especificares a mim e as dividirei ali. Tu serás aquele que as pegará e farás o que eu quero, fornecendo comida para a minha casa." [...] **¹³**O rei Salomão recrutou mão de obra de todo o Israel; os recrutados chegaram a trinta mil homens. **¹⁴**Ele os enviou ao Líbano em grupos de dez mil por mês, em turnos. Eles ficavam um mês no Líbano e dois meses em casa. Adonirão era o responsável pelo trabalho recrutado. **¹⁵**Salomão tinha setenta mil carregadores e oitenta mil cortadores de pedra nas montanhas, **¹⁶**sem contar os diretores dos prefeitos de Salomão que eram responsáveis pelo trabalho, três mil e trezentos, supervisionando o trabalho feito pela companhia. **¹⁷**O rei lhes ordenou que transportassem pedras grandes, de excelente qualidade, para alicerçar a casa com pedras lavradas. **¹⁸**Os construtores de Salomão, os construtores de Hirão e os homens de Biblos moldaram e prepararam as toras e as pedras para construir a casa.

Algumas semanas atrás, meu filho e sua família vieram me visitar, e passamos bons períodos na parte externa da casa, assentados à sombra, saboreando pão e queijo e bebendo vinho, enquanto as crianças brincavam na piscina. A erupção de um vulcão na Islândia levou à suspensão de voos para a Europa e confinou os meus visitantes à Califórnia por cinco dias a mais que o previsto, o que não os incomodou muito e nos proporcionou refeições inesperadas, relaxantes e não programadas como aquela. Essas experiências me lembraram dos momentos que desfrutamos em família, quase trinta anos atrás, quando meus filhos eram as crianças, minha esposa e eu éramos os pais e minha mãe e minha sogra eram as avós. Assentávamos à sombra de uma árvore no jardim de uma casa rural (como dizem os franceses) ou chalé (como denominam os britânicos) ou uma cabana (como nos Estados Unidos), comíamos pão e queijo e saboreávamos um bom vinho, embora não houvesse uma piscina para divertir as crianças. Para mim, é como ter uma visão do paraíso na terra, ou, pelo menos, um retrato de tempos antigos: sentar-se debaixo de sua videira ou figueira, comer, beber e desfrutar desses momentos.

Não obstante, há algo enigmático nessa história de Judá e Israel sob o governo de Salomão. Pode-se dizer que isso completa a natureza enigmática de toda a história envolvendo os três reis que governaram Israel antes de a nação se dividir em dois reinos. No relato de Saul, a forma de Deus lidar com Saul constitui o mistério. Na história de Davi, o mistério reside no próprio rei. Por fim, na história de Salomão, Israel é o mistério, embora o narrador seja um tanto misterioso também.

Por um lado, há esse retrato idílico de um grande povo relaxando sob a sombra de suas videiras e figueiras. Um de seus significados é que, nos dias de Salomão, as promessas de Deus a Abraão e a Israel foram maravilhosamente cumpridas. Israel é, de fato, tão numeroso quanto a areia da praia (veja Gênesis 22:17). O reino de Salomão se estende desde o Eufrates até o Egito (veja Gênesis 15:18). Isso não significa, exatamente, que aquela vasta área a nordeste, que cobre grande parte da moderna Síria e do Iraque, seja parte de Israel (ainda há "reinos" separados ali), mas que Israel conseguiu dominar parte de um império naquela direção, controlando o destino e a economia de toda aquela região.

Então, há a sabedoria de Salomão. Certamente, ele precisa ser um homem astuto para administrar e controlar aquele pequeno império. No Oriente Médio, o tipo de sabedoria da qual a narrativa discorre (grande parte da sabedoria encontrada em Provérbios) era um complemento indispensável a tamanha liderança política e econômica, e os povos em derredor possuíam escolas da corte para treinar pessoas na área administrativa. Seria quase imperativo que a sabedoria de Salomão excedesse o discernimento daqueles outros povos para que seu extenso governo fosse efetivo como era. Nada conhecemos sobre os quedemitas ou sobre os demais povos sábios mencionados. O que sabemos é que sociedades como a dos egípcios produziram coletâneas de reflexão comparáveis a Provérbios. Caso perguntassem como Israel era superior, então poder-se-ia responder que era em sua forma mais sistemática de entrelaçar a preocupação com a justiça ao interesse de Deus em seu bom funcionamento. Presume-se que a contribuição feita por Salomão não resida tanto na composição de provérbios (os presidentes não escrevem os seus próprios discursos), mas na promoção e no apoio a tal esforço.

Uma aplicação da sabedoria de Salomão, portanto, consiste em conceber um sistema por meio do qual os povos súditos, nas áreas controladas por Salomão, pagassem impostos (para usar termos contemporâneos em lugar de "trazer contribuições"). A passagem de 1Reis 4:22-28 descreve as quantidades de provisões requeridas pela administração de Salomão, tais como cem ovelhas e bodes *por dia*. O rei, os conselheiros e servidores públicos vivem bem às custas de povos estrangeiros, embora o mesmo seja verdadeiro em relação às pessoas comuns. Será que os israelitas que desfrutavam da sombra de suas videiras e figueiras pensavam no preço pago por esses outros povos para custear a sua agradável vida? Quando me acomodo à sombra com minha garrafa de vinho de dois dólares (meus prazeres são baratos), não me detenho a pensar no vasto exército de trabalhadores imigrantes nas vinhas, cuja mão de obra barata me permite desfrutar desse vinho. Na realidade, jamais refleti sobre isso antes de escrever estas linhas.

O preço era pago não apenas por esses povos economicamente subordinados. Os próprios israelitas pagavam impostos. Cada um dos doze prefeitos designados por Salomão era responsável por levantar proventos suficientes da área sob seu controle a fim de assegurar a provisão mensal para o rei e sua casa. A história acrescenta que o rei possuía milhares e milhares de carros de guerra e cavalos e que aqueles impostos é que custeavam a manutenção deles. Será que os israelitas, assentados à sombra de suas videiras e figueiras, pensavam no preço que pagavam pela sua segurança mais do que, normalmente, fazemos? Ou apenas davam de ombros quando lembravam disso? Será que questionavam a participação estrangeira nisso? Quando Deuteronômio 17 define algumas regras para os reis, o texto inclui que eles não devem acumular cavalos, nem riquezas. O capítulo também declara que eles não devem ter muitas esposas, o que é um sinal de posição social (de modo que ambos, Davi e Salomão, estão em apuros). No tempo de Salomão, o livro de Deuteronômio ainda não havia sido escrito, e, talvez, essa proibição indique que os teólogos de Israel devem ter refletido sobre o estilo de liderança de Salomão e concluíram que nele havia algo não adequado a um israelita.

Os planos de Salomão para a construção do templo contêm mais ambiguidades. Deus tinha aprovado o plano de Davi para a edificação de um templo, embora com certa relutância. Agora, Salomão está em posição de fazê-lo e capacitado a obter vantagem do relacionamento mutuamente benéfico com Hirão, como rei do império vizinho, a nordeste; na realidade, era do interesse de Hirão manter relações amistosas com o rei de Israel. Uma vez mais, isso envolve um elevado preço aos dois povos, de Hirão e de Salomão, que não tiveram escolha, a não ser providenciar a mão de obra para o trabalho e, assim, negligenciar suas próprias fazendas, que mal atendiam às suas próprias necessidades. Talvez estivessem contentes com a empreitada. Quando olho para um magnífico edifício como a Catedral de Lincoln ou de Durham, questiono-me quanto ao custo para as pessoas comuns, envolvido na sua construção. Talvez elas tenham pago de bom grado por estarem contribuindo para algo belo em honra a Deus.

1REIS **6:1-38**
TEMPLOS E IGREJAS

¹No quadringentésimo octogésimo ano em relação à saída dos israelitas do Egito, no quarto ano do mês de zive (isto é, o segundo mês) em relação ao reinado de Salomão sobre Israel, ele construiu a casa para *Yahweh*. ²A casa que o rei Salomão construiu para *Yahweh* tinha sessenta côvados de comprimento, vinte côvados de largura e trinta côvados de altura. ³O pórtico em frente do salão da casa tinha vinte côvados de comprimento (no sentido da largura da casa), dez côvados de largura (em relação à frente da casa). ⁴Ele fez janelas de treliça estreitas para a casa. ⁵Contra as paredes da casa (as paredes da casa rodeavam o salão e o santuário interno), ele construiu um pavimento inferior em redor e fez aposentos laterais. [...] ⁷Quando a casa foi construída, foram usadas somente pedras lavradas na pedreira. Martelo, cinzel ou qualquer outra ferramenta de ferro não se fizeram ouvir na casa enquanto ela estava sendo construída. [...] ¹¹A palavra de *Yahweh* veio a Salomão: ¹²"Esta casa que você está construindo: se você andar por minhas leis e agir por minhas regras e guardar os meus mandamentos, caminhando por eles, eu confirmarei com você a palavra que falei a Davi, seu pai. ¹³Habitarei no meio dos israelitas e não abandonarei o meu povo, Israel." ¹⁴Assim, Salomão construiu a casa e a terminou. [...] ¹⁶Ele construiu vinte côvados dos lados da casa com tábuas de cipreste, do chão às paredes — construiu dentro da casa uma sala interna, para ele, o Lugar Santíssimo. [...] ¹⁹Portanto, ele preparou uma sala interna no meio da casa, no lado de dentro, para colocar

> ali o baú da aliança de *Yahweh*. [...] ²²A casa toda ele cobriu de ouro, até que toda a casa estivesse completa, e todo o altar pertencente ao aposento interno ele cobriu de ouro. ²³Na sala interna, ele fez dois querubins de madeira de oliveira, com dez côvados de altura. [...] ³⁷No quarto ano, a fundação da casa de *Yahweh* foi colocada, no mês de zive, ³⁸e no décimo primeiro ano, no mês de bul (isto é, o oitavo mês), a casa estava completa em relação a todas as suas instruções e decisões. Assim, ele a construiu ao longo de sete anos.

O prédio da pequena igreja na qual eu adoro a cada domingo abriga apenas cinquenta ou sessenta pessoas, mas ela possui três divisões. A congregação se assenta no salão principal da igreja; há um pequeno degrau que leva aos bancos do coral; por fim, há um outro pequeno degrau e uma grade separando a área onde o altar ou o púlpito está. Essa não é a única forma tradicional de construir uma igreja; algumas possuem um plano mais amplo. Todavia, é o padrão seguido pela maioria das igrejas maiores na Inglaterra, com as quais estou familiarizado e nas quais fui pastor. Lembro-me de uma senhora idosa, numa dessas igrejas, que pensava que seu lugar era no corpo principal da igreja e que, certamente, não ousava ir além daquele segundo degrau, na área cercada pelo gradil. Era como se aquele fosse um lugar sagrado demais para ela. Pode-se dizer que aquela senhora reagia de acordo com a mensagem que a arquitetura da igreja lhe transmitia.

Trata-se de uma mensagem que remonta ao templo construído por Salomão. O corpo principal da igreja, onde a congregação se reúne, é equivalente ao pátio do templo, no qual os israelitas se reuniam. Os bancos do coral equivalem à primeira parte da estrutura de pedra, o salão, também referido como o Lugar Santo, com um pórtico. Somente os sacerdotes entram nesse local. A área, na qual está a mesa sagrada, equivale ao aposento interno, o Lugar Santíssimo ou Santo dos Santos. O formato básico corresponde ao de muitos santuários e palácios reais **cananeus**. Em parte, isso ocorre por seguir a lógica de qualquer casa ou, nesse caso, de um palácio. Há uma área pública na qual as pessoas são recebidas na presença do rei, o equivalente a um pátio ou salão amplo; há o aposento no qual o rei se encontra com sua equipe de servidores; e, por fim, há os aposentos privativos do rei. Ainda que sejam os reis os responsáveis pela construção do templo, eles não possuem mais direitos lá do que as pessoas comuns do povo. A disposição do templo, portanto, mantém o rei em seu devido lugar. Não se trata de uma capela real.

A exemplo da ideia de haver um templo, os planos para a sua construção não vieram de Deus. Tipicamente, Deus aquiesce ao que parece natural ao povo que deseja se relacionar com ele. O projeto do templo, portanto, é comparável aos projetos de muitos templos cananeus. É uma construção de dimensões reduzidas. Um côvado corresponde a meia jarda ou pouco menos de meio metro, de maneira que o seu tamanho não difere muito da nossa pequena igreja com capacidade para cinquenta ou sessenta pessoas. Isso não representa qualquer problema para nós, pois é o tamanho normal de nossa congregação. Isso seria, de fato, um problema para *o* templo em Jerusalém, até perceber que o templo não era destinado a ser um local para acomodar toda a congregação de adoradores. O prédio do templo não era um local de encontro para toda a comunidade, mas uma casa para Deus. Às vezes, parece incorreto usarmos a palavra "igreja" para denotar tanto um edifício quanto um grupo de pessoas, mas há certa adequação em fazer isso. O prédio físico da igreja é um local de reunião para o corpo de membros da igreja.

No Antigo Testamento, o prédio do templo não constitui um local no qual a congregação se reúne para adorar e cultuar. Pode-se dizer que é uma espécie de santuário, embora o Antigo Testamento não use essa palavra ou similares para descrever esse local; nem mesmo o chama de templo. Quando a palavra "templo" aparece nas traduções, ela expressa tanto a palavra comum hebraica para uma casa ou aquela para um palácio, o termo que seria usado em relação a uma residência real magnífica. O templo é uma casa para Deus, um palácio para o Rei divino. É uma casa por ser uma habitação. É um palácio porque é revestido de cedro, decorado com esculturas e recoberto de ouro (pode-se presumir algum exagero aqui). Aquela mesma palavra para "palácio" é igualmente usada para o "salão" principal do edifício.

Em torno do salão principal do templo, há aposentos laterais que seriam utilizados para armazenamento, preparação, e assim por diante. Na parte externa ao templo, há uma grande área aberta, que compensa as dimensões reduzidas do templo em si. As narrativas no Antigo Testamento e nos Evangelhos descrevem quão grandes multidões se reuniam na área do templo. Como resultado de sua ampliação por Herodes, o Grande, na época do Novo Testamento, ele era tão amplo quanto um campo de futebol, como é hoje. Só não era tão amplo na época do Antigo Testamento, mas, ainda assim, grande o suficiente para abrigar qualquer assembleia imaginável. Pelo fato de o clima em Jerusalém ser mais parecido com o clima do sul da Califórnia do que o da Grã-Bretanha, no período do ano em que a dedicação do templo ocorreu, ou seja, entre setembro e outubro, era possível planejar eventos sem a preocupação quanto à chuva, embora fosse possível ser surpreendido por ela, caso uma grande reunião ocorresse em janeiro (veja a história de Esdras 10).

No relato sobre a construção do templo, há três outras observações dignas de nota. Uma é relativa à data, isto é, quatrocentos e oitenta anos após o êxodo. Isso soa como uma data simbólica. Uma geração corresponde a quarenta anos; o período total equivale, portanto, a doze gerações; e o valor é aproximadamente aquele obtido pela contagem das datas no Antigo Testamento desde o tempo de Moisés até Salomão, embora, historicamente, aquelas datas se sobreponham. Desse modo, não se trata de uma data que se possa tomar como referência ao escrever nosso tipo de história (não se pode concluir com base na data de Salomão, cerca de 960 a.C., que o êxodo ocorreu por volta de 1440 a.C.). É similar ao relato da genealogia de Jesus, no início de Mateus, que nos revela catorze gerações, de Abraão a Davi, catorze gerações de Davi ao **exílio**, e mais catorze, do exílio até Jesus. Você pode comparar aquele relato com as listas de gerações no Antigo Testamento que Mateus estava usando e ver que a versão dele funciona apenas porque ele é seletivo quanto ao que inclui, a fim de elaborar uma narrativa que simbolize a forma cuidadosa pela qual a soberania de Deus opera na história. A datação, em 1Reis, é similar. Do mesmo modo que estabelece uma conexão com o êxodo, a narrativa também pode fazer uma ligação com a destruição do templo e/ou a sua restauração, o que ocorreu cerca de quatrocentos e oitenta anos mais tarde. Dessa forma, a estruturação de Mateus da história de Israel é muito semelhante àquela adotada em 1Reis, na qual ambos enfatizam o mesmo ponto, ou seja, que a soberania de Deus estava em ação nos eventos presentes no relato.

O segundo comentário diz respeito ao silêncio. De modo geral, o Antigo Testamento mostra-se muito mais interessado no som do que no silêncio. O som torna possível louvar a Deus e orar, e o som da parte de Deus é uma indicação de que ele está agindo em resposta à oração e de uma forma que merece louvor. Portanto, é notável quando, ocasionalmente, o Antigo Testamento recomenda o silêncio como uma expressão de admiração, respeito e antecipação (compare Sofonias 1:7; Habacuque 2:20; Zacarias 2:13).

O terceiro comentário é quanto ao lembrete sobre os termos da habitação de Deus entre os israelitas. Isso parece levantar questões metafísicas; como pode o Deus criador viver em uma pequena casa construída por mãos humanas? Ao considerar aquela questão, Deus está mais interessado em algumas considerações morais ou relacionais. Deus não vê problemas em habitar no meio dos israelitas, desde que eles vivam da forma esperada por Deus. Isso é simbolizado pela presença do **baú da aliança** na sala interna, o Lugar Santíssimo.

1REIS 7:1—8:9
TEMPLOS E PALÁCIOS

¹A sua casa, ele a construiu ao longo de treze anos, e completou toda a sua casa. **²**Ele construiu a casa da Floresta do Líbano, com cem côvados de comprimento, cinquenta côvados de largura e trinta côvados de altura, [com] quatro fileiras de colunas de cedro e vigas de cedro sobre as colunas. [...] **⁷**Ele fez o pórtico para o trono onde iria emitir julgamento [o Pórtico do Julgamento]. Ele foi revestido de cedro, do chão até o teto. **⁸**A casa onde vivia, [no] pátio dentro do pórtico, foi feita da mesma maneira. Ele fez também uma casa para a filha do faraó, com quem Salomão se casou, como este pórtico. [...] **²¹**Ele levantou as colunas no pórtico do salão. Levantou a coluna direita e a chamou "Ele estabelece" e levantou a coluna esquerda e a chamou "Nele está a força". **²²**No topo das colunas estava a obra de lírios. Assim, a manufatura das colunas foi completada. **²³**Ele fez o Mar, fundido, dez côvados de borda a borda, circular em toda a volta, cinco côvados de altura; uma linha de trinta côvados dava toda a volta. [...] **⁵¹**Quando todo o trabalho que Salomão fizera para a casa de *Yahweh* estava terminado, Salomão trouxe todas as coisas sagradas de Davi, seu pai. Ele colocou a prata, o ouro e os utensílios na tesouraria da casa de *Yahweh*.

CAPÍTULO 8

¹Então, Salomão reuniu os anciãos de Israel, todos os cabeças dos clãs e os líderes ancestrais dos israelitas, diante do rei Salomão, em Jerusalém, para trazer o baú da aliança de *Yahweh* da Cidade de Davi (isto é, Sião). [...] **⁶**Os sacerdotes levaram o baú da aliança de *Yahweh* para o seu lugar, na sala interna da casa, o Lugar Santíssimo, debaixo das asas dos querubins, **⁷**porque os querubins estendem suas asas em direção ao lugar do baú, e os querubins cobrem o baú e suas varas do alto. **⁸**As varas se estendiam tanto que as extremidades das varas eram visíveis do Lugar Santo, em frente à sala interna, mas não eram visíveis do lado de fora. Elas estão lá até este dia. **⁹**Não havia nada no interior do baú, exceto as duas tábuas de pedra que Moisés colocara ali em Horebe, quando *Yahweh* selou [a aliança] com os israelitas, quando eles deixaram o Egito.

Joe, que está reformando o meu banheiro, acabou de chegar ao meu apartamento. Na realidade, não havia nada errado em meu banheiro que demandasse uma reforma, pelo menos não mais do que era necessário na cozinha, quando a reformei no outono, mas, em geral, as reformas não se justificam pela necessidade. Alguns anos atrás, meu filho olhou um pouco contrariado em direção ao meu banheiro e virou os olhos daquele jeito que as crianças normalmente fazem quando censuram os pais. Ele comentou que eu necessitava fazer algo a respeito do banheiro para manter o valor da propriedade (bem, não acho que ele estivesse apenas preocupado em preservar o valor da herança). Lembrei-me agora que, enquanto crescia, eu achava um pouco patético meus pais ainda usarem a mobília e os utensílios de cozinha que compraram quando se casaram; agora, percebo-me fazendo a mesma coisa. Como definir o nível de atualização, conforto e luxo adequados quando muitas pessoas no mundo não dispõem nem mesmo de um banheiro? Questões similares, mas menos pessoais, surgem à mente. No contexto de um enorme déficit financeiro estatal, nesta semana o nosso governador propôs um orçamento que corta o auxílio aos mais carentes, bem como diminui os gastos com os centros de saúde das comunidades mais pobres. Como equilibramos essas necessidades com os gastos em edifícios imponentes ou projetos simbólicos?

Intrigantemente entremeado com a história sobre a construção do templo é o breve relato de que Salomão investiu treze anos na construção de sua própria residência real; e demorou sete anos para concluir a casa de Deus. Será isso um sinal de que a casa de Deus tinha prioridade, de que ele focou o trabalho a ser feito e o fez, ou que deu mais atenção à sua casa? O palácio de Salomão é muito maior que a casa de Deus. E quanto aos demais edifícios estatais impressionantes que ele também construiu? A Casa da Floresta do Líbano é, aparentemente, assim chamada pelos seus muitos pilares de cedro daquele país, de maneira a dar-lhe um aspecto de floresta; era um salão para ser usado em ocasiões oficiais de Estado. E o que dizer da residência de sua esposa egípcia? Alguém pode lembrar, uma vez mais, que esses projetos são financiados pelos cidadãos comuns. Igualmente importantes são, pelo menos, as questões levantadas pela forma contígua com que o templo, o palácio real e os prédios oficiais foram construídos. Isso dá margem à positiva possibilidade de a fé celebrada no templo ser levada a sério pelo rei e incorporada à maneira de as áreas política e econômica funcionarem. Todavia, também sugere a possibilidade de a fé celebrada no templo se tornar subordinada ao poder do rei e à sua visão quanto às demandas políticas econômicas governamentais. Assim, com o passar do tempo, não haverá apenas uma rainha estrangeira vivendo nas proximidades do templo e santuários a deuses estrangeiros ali instalados, mas também santuários a outros deuses dentro do complexo do templo porque a política assim exige.

Com a referência ao salão, retornamos ao relato do templo em si. Na área externa, há dois pilares especialmente imponentes. Eles não fazem parte da estrutura, nem têm função de sustentação, mas parecem simbolizar o que seus nomes indicam, ou seja, o fato de Deus estabelecer o mundo por sua força; portanto, é seguro. Caso alguém pensasse que o seu mundo parecia inseguro, ao olhar para o templo seria lembrado de um aspecto das boas-novas relativas ao Deus cujo nome habitava ali.

Ao olhar em torno dos dois pilares, a pessoa veria "o Mar", um enorme tanque (cinco metros de diâmetro, dois metros e meio de altura e cerca de quinze metros de circunferência) A sua imponência era intensificada pelo fato de o tanque ser sustentado por doze touros feitos de bronze. Associadas ao tanque, havia dez pias de bronze. O fornecimento de água para encher o Mar representava um enorme desafio logístico; o templo está situado no topo de uma colina, e o suprimento de água, próximo ao pé da colina. Portanto, é possível que as bacias cumprissem uma função em relação a isso. Alternativamente, elas podem ter sido usadas para transportar a água do tanque a pontos da corte onde isso era necessário. De um ponto de vista prático, presume-se que a função do Mar era fornecer água para os muitos atos de purificação requeridos pela adoração no templo. Êxodo 30 é muito específico quanto ao fato de o reservatório para o tabernáculo no deserto, equivalente ao Mar no templo fixo, ser apenas para os sacerdotes purificarem suas mãos e seus pés a fim de cumprirem as suas obrigações sacerdotais. Todavia, a água também seria necessária para outros ritos de lavagem em conexão com os sacrifícios.

Não obstante, a altura do Mar dificultaria o uso nesse contexto, e o estranho nome do tanque também poderia sugerir um significado simbólico, não menos importante que o significado de ser sustentado por aqueles pilares. Para os povos do Oriente Médio, com frequência, o mar era a personificação de um poder dinâmico e ameaçador; o mar podia engolir a terra se assim desejasse. Desse modo, havia histórias sobre a criação que envolviam a obtenção de controle sobre o mar. Esse Mar constituía um lembrete visual da afirmação sobre os pilares, de que o mundo é estabelecido pela força de Deus. Embora o Antigo Testamento, às vezes, fale da criação nesses termos, ele também relata a vitória de Deus sobre o mar de Juncos, uma vitória que confirmou o poder de Deus sobre tudo o que ameaçava subjugar Israel. Assim, o tanque continha o mar em mais de um sentido. Ele armazenava uma vasta quantidade de água, o que igualmente sugeria que o mar estava sob controle.

O Mar era situado no pátio, junto ao **altar** principal no qual os animais eram queimados e oferecidos a Deus, de modo que as pessoas podiam participar da apresentação das ofertas. No interior do salão, ao qual as pessoas não tinham acesso, ficava o altar no qual os sacerdotes queimavam incenso, a mesa com os "pães da Presença", que simbolizavam as ofertas de grãos das pessoas e/ou a provisão divina para o povo, além das dez lâmpadas.

Ao fundo do salão, ficava a sala interna, o Lugar Santíssimo, no qual o sacerdote acessava uma vez ao ano pela necessidade de purificá-lo. No interior, havia dois **querubins** revestidos de ouro, figuras imaginárias que transportavam o trono de Deus pelos céus e pela terra. Eles, portanto, indicavam a presença do Deus invisível, entronizado acima deles. Por seu turno, eles permaneciam sobre o **baú da aliança** e o protegiam, constituindo o único artefato no interior daquele aposento. A sua presença ali sublinha questões quanto à relação de aliança que remonta ao Sinai e a forma pela qual Israel se tornou um Estado como outro qualquer. Estará o Estado disposto a moldar a sua vida de acordo com o que está gravado nas duas tábuas de pedra (os Dez Mandamentos)? Resposta: na verdade, não.

1REIS **8:10–30**
DEUS REALMENTE HABITARÁ NA TERRA?

¹⁰Quando os sacerdotes saíram do santuário (a nuvem estava enchendo a casa de *Yahweh* **¹¹**e os sacerdotes não foram capazes de permanecer ali e ministrar por causa da nuvem, pois o esplendor de *Yahweh* enchia a casa de *Yahweh*), **¹²**então Salomão disse: "*Yahweh* disse que iria habitar na nuvem de tempestade. **¹³**Eu, de fato, construí uma casa imponente para ti, um lugar para viveres eternamente." **¹⁴**O rei virou o seu rosto e abençoou toda a congregação de Israel enquanto toda a congregação de Israel estava em pé. **¹⁵**Ele disse: "*Yahweh* seja adorado, o Deus de Israel que falou por sua própria boca com Davi, meu pai, e por sua mão o cumpriu: **¹⁶**'Desde o dia em que trouxe o meu povo, Israel, do Egito, não escolhi uma cidade de todos os clãs de Israel para edificar uma casa ao meu nome ali, mas escolhi Davi para estar sobre meu povo, Israel.' **¹⁷**Estava na mente de Davi, meu pai, construir uma casa para o nome de *Yahweh*, o Deus de Israel, **¹⁸**mas *Yahweh* disse a Davi, meu pai: 'Porque você teve em sua mente construir uma casa para o meu nome, fez bem quando isso estava em sua mente. **¹⁹**No entanto, você mesmo não construirá a casa. Em vez disso, o seu filho, que saiu de seus lombos, ele construirá a casa para o meu nome.' **²⁰***Yahweh* estabeleceu a sua palavra, a qual falou. Eu ascendi ao lugar de Davi, meu pai. Assentei-me no trono de Israel, conforme *Yahweh* falou, e construí a casa para o nome de *Yahweh*, o Deus de Israel. **²¹**Estabeleci um lugar ali para o baú no qual a aliança de *Yahweh* está, a qual ele selou com nossos ancestrais quando os tirou do Egito." **²²**Salomão postou-se diante do altar de *Yahweh* na presença de toda a congregação de Israel, estendeu as palmas das mãos em direção aos céus **²³**e disse: "*Yahweh*, Deus de Israel, não há Deus como tu nos céus acima e na terra embaixo, que guardas o compromisso de aliança com teus servos que andam diante de ti com toda a sua mente. [...] **²⁷**No entanto, Deus realmente viverá na terra? Os céus, os altos céus, não te contêm, muito menos esta casa que construí. **²⁸**Mas volta teu rosto ao apelo e à oração de teu servo por graça, *Yahweh*, meu Deus, ouvindo o lamento e a súplica que teu servo faz hoje diante de ti, **²⁹**de modo que teus olhos estejam abertos e voltados para esta casa, noite e dia, em direção ao lugar sobre o qual disseste: 'Meu nome estará ali', para que ouças o apelo que o teu servo faz voltado para este lugar. **³⁰**Quando ouvires a oração por graça deste teu servo e de teu povo, Israel, que eles fazem voltados para este lugar, e quando ouvires no lugar onde tu te assentas, nos céus, ouve e perdoa."

Cerca de uma ou duas horas atrás, eu não estava sentado à minha escrivaninha, como estou agora, mas em minha cadeira reclinável, na qual começo o meu dia, saboreando meu café, lendo a Bíblia para o meu próprio benefício e orando pelas pessoas. Nesses momentos, eu, às vezes, imagino Deus sentado no sofá do outro lado daquele aposento; foi o que fiz, hoje de manhã, para me lembrar de que Deus estava comigo. Trata-se de um exercício de minha imaginação, mas a presença é uma realidade. Ontem, na igreja, enquanto entoava hinos ou declarava o credo ou distribuía às pessoas o pão e o vinho, não senti que deveria convocar essa realidade; ela estava inserida no que eu estava fazendo ("Pois onde se reunirem dois ou três em meu nome, ali eu estou no meio deles", disse Jesus, em Mateus 18:20). Enquanto o meu café fervia nesta manhã, eu preparava a massa para o pão que assarei mais tarde, e Deus estava lá também, pelo menos fazendo a massa crescer (acabei de verificar isso). Eu não pensei na presença de Deus, então, mas isso não impede de ela ser uma realidade. Aqui, em minha mesa de trabalho, é melhor que Deus esteja presente também, caso contrário o que estou escrevendo não lhe será de grande utilidade. Obviamente, penso em Deus, embora mais como uma terceira pessoa do que quando estou em minha cadeira reclinável. Não costumo falar com muita frequência com Deus, exceto para agradecer quando algo bom acontece.

Em outras palavras, o que significa Deus estar presente conosco pode variar muito. Primeiramente, isso varia da parte de Deus. Há uma grande diferença entre Deus estar presente com as pessoas quando elas estão enfermas; Deus está lá para confortá-las ou para operar a melhora delas. Igualmente, há variações de nossa parte; necessitamos distinguir nosso senso subjetivo da presença divina da realidade objetiva dessa presença. Somos propensos a falar como se a "presença de Deus" significasse apenas "o nosso sentido da presença de Deus". Na verdade, a presença divina pode ser real mesmo quando não a sentimos, e podemos sentir que Deus está presente quando, na realidade, Deus não apareceu ou já se retirou.

A oração de Salomão lida com parte do mistério e do paradoxo envolvido em pensar sobre a presença de Deus conosco. Ela principia-se com algo que é apresentado como realidade objetiva: uma nuvem que encheu a casa. A nuvem é um símbolo comum e útil da presença de Deus, pois, além de sinalizar que Deus está presente (no interior, acima ou atrás da nuvem), ela também é um meio prático de proteger as pessoas do efeito esmagador, cegante e eletrizante de estar na presença de Deus (em Los Angeles, às vezes, há uma névoa que, similarmente, nos protege e possibilita olharmos para o sol enquanto ele se põe). As palavras para nuvem e nuvem de tempestade são as mesmas que podem ser usadas para nuvens comuns, porém o mais frequente é serem uma referência à classe de nuvem que tanto sinaliza quanto esconde a presença de Deus. O idioma hebraico possui outras palavras mais assiduamente usadas para uma nuvem comum.

Êxodo e Deuteronômio discorrem sobre uma coluna de nuvem que acompanha o povo em sua jornada para fora do Egito, sobre Deus estar em uma nuvem de tempestade (isto é, uma nuvem ainda mais espessa e impressionante) no Sinai, falando ao povo lá do alto, e, por fim, sobre uma nuvem que cobre a habitação que Deus instruiu os israelitas a construírem para ele. Aquela mesma nuvem normal ou de tempestade está presente no templo, para significar que a presença de Deus continuará a acompanhar o povo. Não sei quão literalmente a história deseja que consideremos essa imagem. Talvez devamos imaginar os sacerdotes se retirando do templo por saberem que Deus estava indo ocupá-lo, de tal modo que falar da nuvem seja uma metáfora. No entanto, devemos compreender essa linguagem e que, certamente, Deus tornou-se presente ali. Doravante, Israel poderia ter a certeza de ir ao pátio do templo para ali oferecer os seus sacrifícios e saber que o faziam diante do Deus que estava presente no santuário.

Falar do templo como um lugar no qual Deus vive poderia sugerir que os israelitas tinham ideias muito simplórias sobre Deus. No entanto, o próprio Salomão, mais tarde, explicita a sua consciência de que a ideia de Deus habitando em uma casa terrena é tola. Muito menos os israelitas inocentemente pensavam que Deus vivia no céu, como se fosse possível encontrar Deus caso lançássemos um foguete alto o suficiente — ou, caso assim pensassem, estariam ignorando o que as suas próprias Escrituras lhes diziam. Mesmo o céu, em toda a sua totalidade, não poderia abrigar Deus, Salomão comenta. Eis por que a ideia de construir uma habitação para Deus é tola.

Então, por que Salomão está construindo uma? Ele fala sobre construir uma casa em honra ao nome de Deus. Trata-se de uma forma frequente de o Antigo Testamento tentar enquadrar o círculo pela afirmação de que Deus estava realmente presente no meio de Israel, embora reconhecendo ser esta uma noção ingênua. O nome de uma pessoa representa a pessoa. Quando os que me conhecem dizem "John Goldingay", isso evoca uma impressão de quem eu sou; lembra-lhe de minhas características e de minha natureza. É quase como se eu estivesse presente ali. Quando os cristãos sussurram ou gritam "Jesus", isso lhes traz a realidade de sua presença. Isso é especialmente verdadeiro em relação ao nome de Deus, *Yahweh*, e ao nome de Jesus, porque o nome expressa algo da natureza da pessoa. Jesus significa "salvador". O nome de *Yahweh* sugere "o Deus que estará lá com você" (veja Êxodo 3:11-15). O templo será o lugar no qual Israel proclama o nome de *Yahweh* e clama por ele. Israel conhecerá que a proclamação desse nome significa que, em todos os sentidos, o grande Deus dos céus e da terra pode estar em um edifício construído por mãos humanas, que o grande Deus está, de fato, ali, que recebe o louvor e as ofertas ali, bem como ouve as suas orações e responde a elas ali.

Segue sendo uma resposta que suscita questões. Em seu ato de louvor, Salomão observa que, após tirar os israelitas do Egito, Deus jamais escolheu uma cidade na qual Israel poderia construir uma casa para o nome de Deus. Ao ler isso, ficamos na expectativa de a sentença prosseguir: "mas, agora, Deus escolheu uma cidade", Jerusalém, mas ele jamais faz tal declaração. Em vez disso, ele faz menção da escolha de Davi por Deus. Talvez ele esteja sendo sábio, porque a escolha de Jerusalém é creditada a Davi, não a Deus. Este escolheu Davi e, evidentemente, estava de acordo com a escolha dessa cidade por Davi, da mesma forma que concordou com a ideia de Davi quanto à construção de um templo. A cidade, portanto, passou a ser escolha de Deus, e trechos subsequentes da história de Israel citarão Jerusalém como a cidade escolhida por Deus. Todavia, as próprias palavras de Salomão preservam a ambiguidade de todo o projeto de edificação do templo. Originariamente, Deus não escolheu nem a cidade nem o templo.

1REIS 8:31–40
UMAS POUCAS COISAS PELAS QUAIS VOCÊ PODE ORAR

31Quando uma pessoa errar com seu próximo e [o próximo] fizer um juramento contra ela, para ela jurar, e o juramento vier diante do teu altar nesta casa, **32**ouve dos céus e age. Julga os teus servos, declarando a pessoa culpada como culpada, trazendo sua conduta sobre sua cabeça, e declarando a pessoa inocente como inocente, dando-lhe de acordo com a sua inocência.

33Quando Israel, o teu povo, sofrer uma derrota diante de um inimigo porque erraram contigo, mas se voltarem para ti e confessarem o teu nome e implorarem e pedirem por tua graça nesta casa, **34**ouve dos céus e perdoa a transgressão de Israel, teu povo, e o restaure à terra que deste aos seus ancestrais.

35Quando os céus se fecharem e não houver chuva porque erraram contigo, mas eles suplicarem voltados para este lugar, confessarem o teu nome e abandonarem os seus delitos porque os afligiste, ³⁶ouve dos céus e perdoa a transgressão de teus servos, de Israel, teu povo. Ensina-lhes o caminho bom no qual eles devem andar e envia chuva sobre a terra que deste ao teu povo para possuir.

³⁷Quando a fome ocorrer na terra, quando a epidemia acontecer, ferrugem, mofo, gafanhotos, lagartas; quando os inimigos os cercarem na terra, em seus assentamentos; ³⁸qualquer súplica, qualquer oração por graça que houver de qualquer pessoa de todo o teu povo, Israel, que reconhecer, cada um, o problema de seu próprio espírito e estender as mãos em direção à tua casa, ³⁹ouve dos céus, o lugar onde vives. Perdoa e age; dê à pessoa de acordo com todos os seus caminhos, pois conheces o seu espírito (porque somente tu conheces o espírito de todos os seres humanos), ⁴⁰para que eles possam te reverenciar todos os dias em que viverem na face da terra que deste aos nossos ancestrais.

Acabei de conversar, por telefone, com a reitora da igreja na qual irei pregar no próximo domingo. Será Pentecoste, e, assim, pensei que estivessem me chamando por desejarem um pregador convidado para aquele festival, mas, aparentemente, ela se esqueceu de me informar que a igreja também estava celebrando o centésimo aniversário, desde que deixaram de ser uma missão e passaram a ser, oficialmente, uma paróquia (ocasião na qual eles prescindiram do apoio financeiro da diocese, tornando-se capazes de subsistir com sua própria arrecadação). Em certo sentido, ela deseja agora que a igreja deixe de ser apenas uma igreja e atue como uma missão — isto é, que passe a ter um olhar missionário para o mundo exterior. Esse alvo (ela me contou) será o tema das orações da igreja neste domingo. Decerto, é um grande tema para qualquer celebração de aniversário de uma igreja e dificilmente uma oração a que Deus não responda.

Essa é a minha dica para voltar à oração de Salomão. Sobre o que você pode orar e ter a certeza da resposta de Deus?

Pode-se orar para que Deus assegure que a justiça seja feita e que os conflitos se resolvam de modo justo. A primeira oração relaciona-se a uma situação na qual uma pessoa reivindica ter sido prejudicada por outra (talvez a sua plantação de trigo tenha sido consumida pelo fogo, e ela acredita que a outra é que provocou o incêndio), e não há testemunhas que ajudem a decidir sobre quem está em seu direito. Uma das pessoas pode lançar um juramento sobre a outra — isto é, obrigá-la a jurar que não cometeu mal algum. Superficialmente, isso lembra o juramento convencional requerido pelos tribunais do Ocidente, mas Salomão assume o envolvimento de Deus com mais seriedade. O templo passa a ser o local onde o juramento é feito, ou seja, diante de Deus, para enfatizar ainda mais o seu sentido. Obviamente, isso representa uma pressão psicológica sobre as pessoas envolvidas, mas Salomão pressupõe algo ainda maior. Ele pede a Deus que está nos céus para prestar atenção ao juramento que é expresso na divina habitação sobre a terra, pressupondo que Deus, então, agirá. A resposta virá, não na forma de uma voz dos céus ou de uma convicção da parte de um sacerdote ou de uma visão perspicaz vinda do rei (como ocorreu no caso das duas mulheres e um bebê), mas na maneira pela qual Deus traz dificuldades à pessoa culpada e bênção à pessoa inocente.

Inúmeras orações dizem respeito a tribulações que atingem o povo de Deus. Talvez seja uma experiência de derrota, a ausência de chuva, uma situação de pobreza e fome ou uma epidemia. Como é típico no Antigo Testamento, Salomão não presume que todo revés ou dificuldade seja consequência de pecado ou transgressão, mas considera que isso é verdadeiro em alguns casos. Portanto, quando as pessoas passam por essas experiências, é apropriado questionar se a dificuldade não é proveniente de uma disciplina divina e evitar concluir, de imediato, que "coisas assim acontecem". A oração de Salomão parte da premissa de que Deus está envolvido no mundo e que não é um senhorio ausente. Pode ser que a experiência os faça encarar atitudes e ações contrárias a Deus (talvez estejam orando a outros deuses, fazendo imagens de Deus, associando o nome de Deus a coisas que não têm nenhuma relação com ele ou, ainda, ignorando o descanso sabático — apenas para citar os quatro primeiros mandamentos). Uma vez que essas pessoas se desviaram de Deus, a tarefa delas é, então, retornarem a ele — o significado literal do verbo que é, normalmente, traduzido por "arrepender". Caso não estejam reconhecendo que *Yahweh* é Deus, a missão delas é "confessar" o nome de Deus novamente. Somente então tais pessoas podem "suplicar" a Deus. Trata-se de uma palavra comum para oração, implicando que compareçamos diante do juiz e imploramos por nosso caso. Claro que, como transgressores, não temos direito algum; não podemos pedir por justiça. Tudo o que podemos fazer é suplicar por misericórdia. Isso está implícito na expressão "pedir por graça" que acompanha o verbo "suplicar", porque falar em termos de "graça" também pressupõe que não temos direito a nada, mas sabemos que Deus é gracioso.

Então, as pessoas que oram diante do templo terreno podem ter a esperança de que Deus ouvirá no templo celestial e aguardar pelo possível "indulto" de Deus. Embora o "perdão" seja algo que pessoas iguais concedem uma à outra, o "indulto" é concedido por um rei ou presidente a um indivíduo. O uso dessa palavra não apenas constitui um reconhecimento de que não temos direito a nada e que não estamos apresentando nenhuma desculpa. Ela reconhece o poder diferencial entre nós e Deus, além de admitir o dever, por parte de quem está no poder, de não prejudicar os padrões de justiça ou dar a impressão de que é possível escapar impune dos delitos ou mesmo insinuar que os erros não trazem consequências. Apesar de reconhecer tudo isso, ainda há esperança quanto ao perdão. As pessoas podem também esperar pela restauração de sua terra. Em certo sentido, Deus "removeu" a transgressão de Davi (embora o texto não diga que Deus o perdoou ou o anistiou), mas não restaurou as coisas ao modo como elas eram antes. Salomão convida as pessoas a acreditarem que Deus restaura e também perdoa.

A oração com relação ao que podemos chamar de desastres naturais faz uma mudança inesperada para falar sobre como esses eventos afetam os indivíduos. Algumas vezes, trata-se apenas de uma família que sofre com a falta de alimentos ou somente uma pessoa que experimenta uma enfermidade. Como os salmos, a oração de Salomão mantém um equilíbrio entre o coletivo e o individual. Às vezes, os salmos constituem orações para serem feitas pela comunidade, quando ela enfrenta problemas e vai ao templo apresentar as suas adversidades diante de Deus. Outras vezes, os salmos são individuais, quando ele ou ela sofre com tribulações; quando isso ocorre, a pessoa busca a Deus (talvez com membros da família) para apresentar o seu problema a Deus. Israel sabia que Deus envolvia-se tanto na vida comunitária quanto na vida individual. Salomão cita como Deus sabe que o problema está relacionado ao espírito (lit., ao "coração") da pessoa, o que possui inúmeras implicações. Deus pode revelar como os nossos problemas afetam o nosso espírito e, igualmente, revelar se há algo errado com a nossa atitude em relação a ele ou a qualquer outra pessoa que esteja por trás das dificuldades que nos afligem. O fato de Deus conhecer o nosso espírito ou coração constitui tanto notícias boas quanto solenes.

Ambos, o lado bom e o solene, estão ligados ao fato de o objetivo e o resultado do envolvimento divino na resposta às orações serem a reverência a Deus durante todos os seus dias. Embora seja enganoso pensar que isso leve a um temor negativo de Deus, tanto o Antigo quanto o Novo Testamentos assumem que a reverência a Deus reconhece a seriedade do fato de ele ser Deus e nós não sermos nada, bem como reforçam que esse reconhecimento afeta as nossas atitudes e, por consequência, a nossa vida. A reverência a Deus resulta em cumprir o que ele diz. Igualmente, relaciona-se ao fato de Deus poder esquadrinhar o nosso espírito. Deus não está limitado ao que verbalizamos ou fazemos. Não obstante, a oração de Salomão implica outro aspecto da dinâmica pela qual somos conduzidos à reverência e à obediência. Deus sonda o que há em nosso coração, no sentido de que ele conhece as pressões e as dores com as quais vivemos; e, mesmo quando Deus vê o pecado em nosso íntimo, ele é que perdoa. Isso poderia nos levar a considerar o perdão divino como garantido, mas a oração de Salomão expressa a crença em uma dinâmica diferente; que a apreciação pelo amor e a graça de Deus resulta nessa reverência.

1REIS **8:41-66**
ALGUMAS MAIS

⁴¹"Ainda, ao estrangeiro que não pertence a Israel, o teu povo, que vem de uma terra distante por causa do teu nome (**⁴²**porque eles ouvirão acerca do teu grande nome e da tua mão poderosa e do teu braço estendido) e vier suplicar voltado para esta casa, **⁴³**ouve dos céus, o lugar onde vives, e age de acordo com tudo o que o estrangeiro clamar a ti, para que todos os povos da terra possam reconhecer o teu nome, para que te reverenciem como Israel, o teu povo, e reconheçam que o teu nome é proclamado nesta casa que eu construí.

⁴⁴Quando o teu povo sair à batalha contra os seus inimigos, por onde quer que os envies, e eles suplicarem a Deus na direção da cidade que escolheste e da casa que construí para o teu nome, **⁴⁵**ouve dos céus a sua súplica e a sua oração por graça e exercita autoridade por eles.

⁴⁶Quando eles errarem contigo (porque não há ser humano que não erre) e estiveres irado com eles e os entregar diante de um inimigo e seus captores os levarem cativos à terra do inimigo, distante ou perto, **⁴⁷**e eles voltarem o seu espírito na terra na qual se tornaram cativos e buscarem e orarem por tua graça na terra de seus captores [...] **⁴⁹**ouve dos céus, o lugar onde vives, a sua súplica e a sua oração por graça, exercite autoridade por eles **⁵⁰**e perdoa o teu povo que errou contigo, por todos os atos de rebelião que eles cometeram contra ti, e lhes dê compaixão diante de seus captores para que possam ter compaixão por eles, **⁵¹**porque eles são teu povo, a tua posse, que tiraste do Egito, do interior da fornalha de ferro.**⁵²**Que teus olhos estejam abertos à oração por graça de teus servos e à oração por graça de Israel, o teu povo, e que os ouça toda vez que eles clamarem a ti, **⁵³**porque tu os separaste para ti mesmo como uma posse, dentre todos os povos da terra, como declaraste por meio de Moisés, teu servo, quanto tiraste nossos ancestrais do Egito, Senhor *Yahweh*."

⁵⁴Quando Salomão terminou de fazer a *Yahweh* toda esta súplica e oração por graça, ele levantou-se de diante do altar, de ajoelhar-se com suas mãos estendidas aos **⁵⁵**céus, e, de pé, abençoou toda a congregação de Israel:

⁵⁶"*Yahweh* seja louvado, pois deu um lugar de descanso a Israel, o seu povo, de acordo com tudo o que falou. Nem uma única palavra falhou de toda a sua boa declaração que fez por meio de Moisés, seu servo. **⁵⁷**Que *Yahweh*, nosso Deus, esteja conosco como esteve com nossos ancestrais e que ele não nos abandone, **⁵⁸**pela inclinação de nosso espírito a ele, de modo que caminhemos em todos os seus caminhos e guardemos os seus mandamentos, leis e regras que ele ordenou aos nossos ancestrais. **⁵⁹**Que essas minhas palavras de súplica diante de *Yahweh* estejam próximas a *Yahweh*, o nosso Deus, dia e noite, para que ele exerça autoridade por seu servo e por Israel, o seu povo, de acordo com a necessidade de cada dia, **⁶⁰**para que todos os povos da terra reconheçam que *Yahweh* é Deus; não há outro. **⁶¹**E que o seu espírito seja sincero com *Yahweh*, o seu Deus, para andar em suas leis e guardar os seus mandamentos, neste mesmo dia."

⁶²O rei e todo o Israel com ele ficaram oferecendo sacrifícios diante de *Yahweh*. **⁶³**Salomão ofereceu sacrifícios de comunhão, os quais ele ofereceu a *Yahweh*: vinte e dois mil bois e cento e vinte mil ovelhas. Assim, o rei e todos os israelitas dedicaram a casa de *Yahweh*. **⁶⁴**Naquele dia, o rei consagrou a parte central do pátio que ficava na frente da casa de *Yahweh*, porque ali ele apresentou a oferta queimada, a oferta de cereal e as partes gordas dos sacrifícios de comunhão, porque o altar de bronze diante de *Yahweh* era pequeno demais para comportar a oferta queimada, a oferta de cereal e as partes gordas dos sacrifícios de comunhão. **⁶⁵**Assim, naquela época, Salomão e todo o Israel com ele guardaram o festival (uma grande congregação, desde Lebo-Hamate até o ribeiro do Egito) diante de *Yahweh*, o nosso Deus, durante sete dias, então sete dias mais, por catorze dias. **⁶⁶**No oitavo dia, ele deixou o povo ir, e eles louvaram o rei. Eles foram às suas tendas, celebrando e em grande espírito, por causa de todo o bem que *Yahweh* tinha feito a Davi, o seu servo, e a Israel, o seu povo.

Ainda consigo me imaginar sentado na escola dominical, como um garotinho de nove ou dez anos, e também sou capaz de ouvir a voz do austero superintendente da escola dominical nos exortando a abaixar a cabeça, juntar as mãos e fechar os olhos para orar. Suspeito que ainda consigo lembrar de tudo isso por estar, na época, em apuros com algum aspecto dessas instruções ou, talvez, porque estivesse falando com outro amigo enquanto essas instruções eram transmitidas, e, por conseguinte, meti-me em encrenca. Isso, por si só, comprova que as instruções eram mais do que necessárias.

O encerramento da oração de Salomão indica que a sua atitude era muito distinta, com a sua própria racionalidade. Orar envolve deitar-se totalmente no chão. Às vezes, o Antigo Testamento fala de lamber a poeira, significando que aquele que ora deve estar com o rosto rente ao chão, como se estivesse tentando comer o pó da terra. Essa é a atitude adequada na presença de um rei, a quem a pessoa está pedindo favores; essa é, portanto, uma atitude reveladora de alguém que é o próprio rei. Todavia, isso não implica ficar prostrado o tempo todo, porque, aparentemente, o texto também permite estender as mãos a Deus nos céus, com as palmas abertas, pois, por estarem vazias, elas demonstram a sua necessidade pela provisão divina. Isso, igualmente, seria uma atitude a ser adotada por um suplicante diante de um rei. Após curvar-se, denotando reverência, o suplicante também olharia para o rei e, em oração, os seus olhos estariam abertos em apelo a Deus, como um servo que olha para o seu senhor (Salmos 123).

A oração de Salomão envolve alguns pedidos ousados, de maneira que a dramaticidade de sua atitude é apropriada. Suas primeiras petições incluem duas relativas à experiência de ser derrotado por inimigos, e, num instante, ele aborda um pedido relacionado ao próprio povo de Israel enfrentando os inimigos. Ele, então, cita a experiência de ser levado ao cativeiro pelos inimigos. Portanto, seria fácil ver a oração como um todo com um foco exclusivista, ou seja, não direcionada a ninguém fora de Israel. Todavia, o Antigo Testamento não pode ser assim por mais de umas poucas páginas por vez. O texto reconhece que **Yahweh** é o Deus de todo o mundo, não apenas de Israel. Desse modo, o quarto pedido de Salomão, aquele que ocupa o centro de sua oração, principia-se com a suposição de que estrangeiros virão à casa construída por Salomão, por eles terem ouvido sobre *Yahweh*. Ele pede para tratar esses estrangeiros da mesma forma que os israelitas, para que o mundo como um todo possa vir a reverenciar *Yahweh* do mesmo modo que os israelitas. A sua bênção de encerramento expressa o anseio mais amplo de que todas as nações venham a reconhecer *Yahweh*.

A oração de Salomão termina com o que parece ser, no contexto, outro ato implausível e inicialmente desagradável, de imaginação. Aqui, estamos no ponto alto de toda a história do Antigo Testamento, e Salomão começa falando sobre o povo agir errado em sua relação com Deus e desagradá-lo o suficiente para Deus permitir que eles sejam levados para o **exílio**. Como assim?

Esse é um daqueles pontos na narrativa em que é útil lembrar que a história como um todo é contada não apenas como um relato parcial, mas como uma mensagem para algumas pessoas; e as pessoas às quais a história é contada são exatamente aquelas que passaram pela experiência do exílio. Os livros de Reis contam a história até o exílio e, portanto, eles a contam a pessoas em meio ao exílio. Claro que, pelas circunstâncias, é um tempo no qual elas poderiam facilmente se sentir deprimidas. A história convida essas pessoas a encararem alguns fatos, mas também a ouvirem algumas boas-novas. A má notícia é que elas estão naquela situação em consequência de confiarem em seu próprio discernimento político e religioso em vez de confiarem em *Yahweh* e responderem a ele. A boa notícia é que a história não precisa terminar assim. Elas podem retornar a Deus e pedir por graça.

Repetindo, é importante que essa palavra de oração parta do pressuposto de que não temos direitos ou reivindicações a Deus em situações como as vividas pelos exilados. Na realidade (afirma a oração), vamos encarar o fato de que não existe ser humano capaz de evitar o erro. Às vezes, o Antigo Testamento retrata Deus como surpreso pela transgressão de Israel; sim, Deus se entristece com isso e não é o que ele esperava. Em contextos como aqueles, é um tanto realista sobre nós, como povo de Deus (o texto não está falando sobre as pessoas em geral, apesar de essa verdade também se aplicar nessa conexão). Contudo, isso não é o fim do mundo. Deus é gracioso, de modo que Israel pode apelar ao próprio caráter divino e pedir que ele exerça **autoridade** em seu nome, que aja de modo decisivo por eles, ainda que não tenham direito algum de pedir tal ação. Israel pode pedir por perdão mesmo não tendo esse direito (mas, então, ninguém tem esse direito). Ou, com uma ousadia ainda maior, Israel pode apelar aos próprios interesses e compromissos de Deus. Deus está inserido em uma associação com os israelitas e os constituiu em uma posse pessoal, tirando-os do Egito. Como Moisés, Salomão argumenta que dificilmente Deus desistirá agora de trabalhar neles.

Um elemento concreto nessa oração é para que seus captores demonstrem compaixão por eles. Pode parecer mais um daqueles pedidos particularmente implausíveis. No entanto, é divertido descobrir Daniel 1:9 reportando que Deus fez exatamente isso por Daniel, quando ele foi levado cativo para a **Babilônia**; bem como ler em Neemias 1:11 que Neemias também orou por benevolência na **Pérsia** e que isso, igualmente, se cumpriu para ele.

1REIS 9:1-28
DESEJOS E ESCOLHAS

¹Quando Salomão terminou de construir a casa de *Yahweh* e a casa do rei e cada fantasia que ele desejou realizar, ²*Yahweh* apareceu a Salomão uma segunda vez, como lhe tinha aparecido em Gibeom. ³*Yahweh* lhe disse: "Ouvi a sua súplica e a sua

oração por graça que você fez diante de mim. Consagrei esta casa que você construiu ao colocar o meu nome ali para sempre. Meus olhos e a minha mente estarão sempre ali. ⁴Quanto a você: se você andar diante de mim como Davi, o seu pai, andou, com toda a sua mente e com toda a sua retidão, agindo de acordo com tudo o que eu lhe ordenei, você guardará as minhas leis e as minhas regras, ⁵e eu estabelecerei o seu trono real sobre Israel para sempre, como falei a Davi, o seu pai, dizendo: 'Nunca cessará de haver um homem para você no trono de Israel.' ⁶Se você e todos os seus descendentes deixarem de me seguir e não guardarem os meus mandamentos, as minhas leis, que coloquei diante de vocês, e irem e servirem outros deuses e se curvarem perante eles, ⁷cortarei Israel da face da terra que lhes dei, e a casa que eu consagrei ao meu nome lançarei para longe de minha presença. Israel se tornará objeto de escárnio e de insulto entre todos os povos. ⁸Essa casa será uma ruína. Qualquer um que passar por ela ficará chocado, assobiará e dirá: 'Por que *Yahweh* agiu assim com esta terra e esta casa?' ⁹e a resposta será: 'Porque eles abandonaram *Yahweh*, o seu Deus, que tirou os seus ancestrais do Egito, e se apegaram a outros deuses, curvaram-se perante eles e os serviram. Eis por que *Yahweh* trouxe sobre eles todo esse problema.'"

¹⁰Ao fim dos vinte anos, durante os quais Salomão construiu as duas casas, a casa de *Yahweh* e a casa do rei, ¹¹uma vez que Hirão, rei de Tiro, tinha auxiliado Salomão com madeira de cedro e de cipreste e com ouro, tudo o que ele desejou, o rei Salomão, então, deu a Hirão vinte cidades na Galileia. ¹²Hirão veio de Tiro para ver as cidades que Salomão lhe dera, mas elas não foram substanciais aos seus olhos, ¹³e ele disse: "O que são essas cidades que tu me deste?" Ele as chamou de Cabul, como elas têm sido chamadas até este dia. ¹⁴(Hirão tinha enviado ao rei cento e vinte talentos de ouro.)

¹⁵Este é o relato da força conscrita que o rei Salomão levantou para construir a casa de *Yahweh* e a sua própria casa, o Milo, o

muro de Jerusalém, e Hazor, Megido e Gezer, **¹⁶**quando o faraó, rei do Egito, tinha subido e capturado Gezer, incendiando-a e matando os cananeus que viviam na cidade, dando-a como um dote à sua filha, esposa de Salomão. **¹⁷**Assim, Salomão construiu Gezer, Bete-Horom Baixa, **¹⁸**Baalate e Tamar, no deserto, no interior da terra, **¹⁹**bem como todas as cidades-armazéns que Salomão possuía, as cidades para as carruagens e as cidades de cavalaria e as fantasias que Salomão desejava construir em Jerusalém, no Líbano e em todas as terras que ele governava. **²⁰**Todos os que sobreviveram dos amorreus, dos hititas, dos ferezeus, dos heveus e dos jebuseus, aqueles que não tinham nascido dos israelitas (**²¹**seus descendentes que sobreviveram na terra, a quem os israelitas não foram capazes de "devotar"), Salomão levantou como força servil conscrita, como é até este dia. **²²**Dos israelitas, Salomão não fez ninguém de servo, porque eles eram soldados, seus servidores, seus comandantes, seus oficiais, seus comandantes de carruagens e sua cavalaria.

[Os versículos 23-28 acrescentam alguns detalhes, incluindo a construção da frota de Salomão, em Elate.]

Em meu comentário sobre 1 Reis 7, mencionei a reforma que Joe está realizando em meu banheiro. Ontem ele terminou o serviço. Os acessórios parecem ter sido projetados no século XXI em vez de em séculos anteriores; os armários enferrujados foram removidos, as portas fecham adequadamente, o ralo da pia funciona à perfeição; o ventilador trabalha em silêncio, não de modo ensurdecedor, e, por fim, a minha banheira está imaculadamente branca em vez de manchada, como outrora. Agora, só preciso comprar um trilho novo para a cortina do chuveiro e um tapete de banho. Sou capaz de ir à porta do banheiro, olhar para dentro e me sentir um pouco como Deus, em Gênesis 1, e dizer: "Ficou bom." Joe fez o mesmo, com mais propriedade ainda que eu, de se sentir como o Criador. Todavia, como a pessoa que usará o banheiro diariamente, esse encantamento logo me deixará. É como comprar uma roupa nova; depois de algum tempo, você necessita de outra dose de novidade. Nossos desejos jamais são totalmente satisfeitos de maneira a dispensar mais desejos.

Salomão, agora, realizou todas as fantasias nas quais colocou o seu desejo. A palavra "fantasia" aparece na Escritura, pela primeira vez, para descrever a fantasia de Siquém por Diná (Gênesis 34); ela pode ser usada para coisas que Deus imagina também, de modo que não é uma palavra que não pode ser redimida, mas, ainda assim, é um termo preocupante. A narrativa a usa, novamente, em conexão com alguns outros projetos de construção fora de Jerusalém que envolveram transformar os **cananeus** em força de trabalho conscrito. Já observamos em nosso comentário sobre 1Reis 4 que "trabalho conscrito" não significa "trabalho forçado", no sentido de homens acorrentados sob a supervisão de capatazes com chicote nas mãos, mas, de qualquer modo, igualmente é uma expressão preocupante. Ela é acompanhada pela palavra "desejo", outro termo que pode ser usado para Deus, mas que preocupa (foi a palavra que Joabe, general de Davi, utilizou em 2Samuel 24 com relação à intenção de Davi de realizar um censo). Mais tarde, no Antigo Testamento, o livro de Eclesiastes usará Salomão como seu garoto-propaganda na discussão sobre o vazio das coisas que as pessoas presumem que farão a vida valer a pena. Ele é o homem que poderia realizar todas as suas fantasias e todos os seus desejos; mas o que isso fez com o seu relacionamento com Deus e com as demais pessoas, não levando-o a lugar nenhum? Não é por mero acaso que o livro de Eclesiastes imagina Salomão refletindo sobre as suas realizações, como arquiteto e construtor, e concluindo: "Tudo é inútil, é correr atrás do vento!"

Portanto, aquele versículo de abertura começa a levantar tais questões em nossa mente, mas ele não apresenta respostas. Em vez disso, o texto segue com o relato de uma espécie de sermão que Deus prega a Salomão, desafiando-o quanto ao seu compromisso com Deus. Ele necessita ter seu pai, Davi, como modelo a seguir. Essa pode parecer uma ideia surpreendente. Decerto, Salomão sabe da confusão na qual Davi se meteu na segunda metade de seu reinado. Todavia, houve algo crucial que Davi manteve inalterado; ele sempre se manteve fiel a **Yahweh**, não a outros deuses. Essa será uma conexão na qual a história explicita que Salomão se desviou. Esse será o seu equivalente ao caso de Davi-Bate-Seba-Urias.

Refiro-me à mensagem de Deus como uma espécie de sermão na presunção de que seja uma contribuição por parte dos compiladores do livro de Reis; isso nos conta o tipo de desafio que eles acreditam que esteja diante de alguém como Salomão, na condição em que ele está, e a espécie de desafio enfrentado pelos líderes e pelas pessoas em suas respectivas vidas. Não imagino que corresponda a qualquer coisa que Deus tenha realmente dito a Salomão, mas presumo que Deus ficou satisfeito com o fato de os compiladores expressarem o desafio dessa maneira. É algo que Deus tipicamente poderia ter dito, a espécie de desafio que Salomão enfrentou, bem como foi enfrentado pelas pessoas de seus dias. (Caso você não creia que Deus poderia ter agido dessa maneira, na inspiração da Escritura, então lembre-se de que, a exemplo de outros elementos neste comentário, trata-se apenas de uma observação acadêmica e, claro, você pode discordar dela.)

Por sua vez, o sermão dá lugar a alguns comentários pitorescos sobre a relação entre Salomão e Hirão, o rei de Tiro, o outro grande jogador no Levante, nesse período, e com respeito às relações de Salomão com os povos nativos de Canaã.

Assim, o que Salomão está fazendo ao abrir mão de cidades na terra prometida, pelo amor de Deus? Também pode ser surpreendente descobrir que há inúmeros desses povos nativos com os quais lidar, considerando que Josué deveria ter **devotado** todos eles, mas a leitura nas entrelinhas do livro de Josué deixa claro que ele não fez isso, e o mesmo ocorre no presente capítulo. No curto prazo, os israelitas tiveram que coexistir com os cananeus, que eram maiores que eles próprios. Com o passar do tempo, a relação de poder mudou e os israelitas, agora, são grandes o suficiente para fazer os cananeus trabalharem para eles. Isso está certo? Ainda que nos sintamos felizes por eles não terem aniquilado os cananeus, não há algo fora de lugar nesse retrato?

Primeiro Reis deixa essa questão para nós elaborarmos. Algumas vezes, a história do Antigo Testamento fornece uma avaliação explícita das ações perpetradas pelas pessoas e a vida que elas vivem; por exemplo, após Davi obter a morte de Urias, o texto comenta que a ação de Davi desagradou a Deus (veja 2Samuel 12:1). Em outras, o relato deixa a reflexão para o leitor; o presente capítulo é um exemplo. O motivo prático é a forma pela qual um livro como 1Reis foi composto, à medida que os seus autores ou compiladores reuniam o material coletado de inúmeras fontes, tais como os registros estatais, as histórias contadas pela população e o material interpretativo que criaram. Surpreendentemente, pode-se pensar que eles tiveram pouco esforço para transformar o material num todo organizado e, aparentemente, Deus ficou feliz com isso porque significa que nós, leitores, é que temos de trabalhar na compreensão do significado que Deus quer transmitir com a história que os livros nos apresentam. É possível que Deus esteja considerando o fato de aprendermos mais eficientemente dessa forma do que se, simplesmente, recebêssemos todas as respostas prontas. Talvez não consigamos ser necessariamente claros quanto aos julgamentos que deveriam ser proferidos sobre Salomão, mas isso tem pouca importância; essas questões são entre Deus e Salomão. Somos as pessoas cujo julgamento devemos considerar à luz de sua história.

1REIS **10:1–29**
QUE ENTRE A RAINHA DE SABÁ

¹Ora, a rainha de Sabá ouviu relatos sobre Salomão em conexão com o nome de *Yahweh*, e ela veio testá-lo com questões difíceis. ²Ela foi a Jerusalém com bens muito substanciosos, camelos carregando especiarias, muito ouro e pedras preciosas. Quando chegou a Salomão, ela lhe relatou tudo o que estava em sua mente, ³e Salomão lhe falou sobre todos os assuntos levantados por ela. Não houve nenhum assunto oculto do rei sobre o qual ele não lhe falou. ⁴Quando a rainha de Sabá viu toda a sabedoria de Salomão, a casa que ele tinha construído, ⁵a comida sobre a sua mesa, as acomodações de seus servidores, a apresentação de seus ministros e suas vestes, suas bebidas e as ofertas queimadas que ele costumava fazer na casa de *Yahweh*, não havia mais fôlego nela. ⁶Ela disse ao rei: "O relato que ouvi em meu país sobre as tuas realizações e a tua sabedoria era verdadeiro, ⁷mas eu não acreditei nos relatos até vir e ver com meus olhos. Agora, não me tinham contado a metade disso. Tens mais sabedoria e bens que o relatório que ouvi. ⁸Que boa sorte do teu povo! Que boa sorte de teus servidores, que permanecem continuamente diante de ti, ouvindo a tua sabedoria! ⁹Que *Yahweh*, o teu Deus, seja adorado, aquele que se agradou de ti, colocando-te no trono de Israel, pelo amor de *Yahweh* por Israel em perpetuidade. Ele te fez rei para exercer autoridade de acordo com o que é certo."

[Os versículos 10-22 relatam os presentes que a rainha trouxe a Salomão, bem como os que ele deu a ela. O texto segue discriminando a renda de Salomão em termos de ouro e

descrevendo como ele fez escudos de ouro, um trono revestido de ouro puro e taças.]

²³O rei Salomão excedia todos os reis da terra em riqueza e sabedoria. ²⁴Toda a terra buscava audiência com Salomão para ouvir a sabedoria que Deus havia colocado em sua mente, ²⁵e cada qual trazia o seu presente: objetos de ouro e de prata, mantos, armas e especiarias, cavalos e mulas, a quantia especificada devida a cada ano. ²⁶Salomão reuniu carruagens e cavalaria. Ele tinha mil e quatrocentas carruagens e doze mil cavalos. Ele os colocava em cidades para as carruagens e com o rei em Jerusalém. ²⁷O rei tornou a prata [tão comum] quanto pedras em Jerusalém, e os cedros [tão comuns] quanto os sicômoros nas encostas. ²⁸Os cavalos de Salomão eram importados do Egito e de Keve; os mercadores do rei os traziam de Keve por um [certo] preço. ²⁹Quando uma carruagem vinha, ela era importada do Egito por seiscentos [siclos] de prata, um cavalo por cento e cinquenta, e, portanto, eles seriam exportados por meio dos [mercadores] a todos os reis hititas e arameus.

O noticiário de ontem falou sobre uma das regras inquebráveis do capitalismo: sejam quais forem as regulações colocadas em vigência para controlar o capitalismo, as pessoas descobrirão um meio de burlá-las. Interessantemente, um de seus exemplos era a proibição, no Antigo Testamento, do empréstimo a juros, que a igreja por muito tempo incentivou. Na Idade Média, os comerciantes descobriram uma forma de contornar essa proibição, negociando para que o empréstimo fosse restituído em uma moeda diferente daquela com a qual o empréstimo fora feito. Na década que levou à grande recessão em meio à qual estou escrevendo estas linhas, os financistas descobriram a sua própria forma de contornar as regulações vigentes (que é um dos motivos pelos quais entramos nessa ciranda confusa), e podemos estar certos de que, quando os governantes introduzirem novos controles no rescaldo de uma recessão, eles os burlarão novamente. Em certo sentido, não existem regras de economia; em outro, essa é uma delas.

Pelo fato de Salomão ser um governante como outros, ele trabalha pelas mesmas regras que os demais. Evidentemente, Sabá junta-se a Tiro e a Israel como um dos grandes poderes comerciais daquela época. Tiro localiza-se na costa do mar Mediterrâneo, tendo Beirute ao norte, possuindo um grande porto. Assim, coloca-se em uma posição de liderança no controle do comércio marítimo para o Ocidente e do negócio madeireiro libanês. Sabá era tradicionalmente identificado com a Etiópia, o que, pelo menos, fornece a perspectiva geográfica correta; trata-se de outro poder marítimo ao sul, próximo ao mar Vermelho, de onde consegue comercializar ouro, prata e especiarias entre a Ásia e a África, nas direções leste e sul, respectivamente, bem como com os países ao norte. Desse modo, os monarcas de Tiro e Sabá são cuidadosos em manter boas relações mútuas, seladas por "presentes" impressionantes. À semelhança de presentes pessoais dados no Natal e em casamentos, esses presentes são simbólicos e também substanciais, são consequências das relações e as expressam (ai de você se errar na troca de presentes). A passagem não sugere uma relação amorosa entre o rei de Israel e a rainha de Sabá; de ambos os lados, as conversações mostram cifrões, não flechas de cupidos flutuando sobre a cabeça dos monarcas.

Em certo sentido, constitui um mistério como Salomão pertence a esse grupo. Jerusalém está situada no topo de uma região montanhosa, não ao lado de uma rota comercial importante (considere a localização do aeroporto de Israel), e também não possui recursos naturais. Na realidade, não seria surpresa caso todo o retrato de Salomão e de seu império incluísse certo exagero. Quando Barack Obama decidiu ser candidato à presidência dos Estados Unidos, todos consideraram não haver qualquer possibilidade de a sua candidatura ser bem-sucedida, mas ele foi eleito por ter sabedoria, discernimento e perspicácia. Pode-se suspeitar que qualquer império construído por Salomão resultasse do exercício de um atributo enfatizado por sua história — sabedoria, discernimento ou perspicácia. Quer saber como construir um império? A resposta para questões econômicas complexas? Como desenvolver relações comerciais mutuamente vantajosas? Como organizar a sua casa de maneira a ter um sofisticado sistema de arrecadação de impostos e bases militares organizadas? Salomão é o seu homem.

Ao ser eleito presidente, tornou-se claro a Barack Obama que, apesar de todo o seu compromisso com uma nova política, ele precisava ser capaz de reconhecer as regras da antiga política. Não ficamos com a impressão de que Salomão sentia alguma tensão pela política que empregava em sua casa, Israel, e a política vigente na casa de outras nações. Ao fim de seus elogios, a rainha de Sabá comenta que Deus havia colocado Salomão no trono para exercer autoridade de acordo com o que é certo. Segundo Samuel 8 comenta que Davi, seu pai, exerceu autoridade dessa forma, mas 1Reis jamais tece esse comentário sobre Salomão. Comentamos anteriormente que Eclesiastes adota Salomão como garoto-propaganda ao retratar o homem que possui tudo e que, por isso mesmo, está em posição de testificar sobre o absoluto vazio e a falta de sentido de todas as coisas. Salmos 72 adota Salomão como modelo em sua oração para que Deus torne o rei comprometido em exercer autoridade dessa maneira (e promete que ele, então, receberá o reconhecimento de outros monarcas, como ocorre com Salomão nesse texto), mas, então, apresenta uma grande ironia. Essa não é uma oração que Deus conferiu a Salomão, como foi o caso com a maioria dos reis.

Uma vez mais, o julgamento da história não é declarado ou está nas entrelinhas; com o comentário sobre a maneira de exercer autoridade, recordamos a proibição explícita da **Torá** quanto à importação de cavalos do Egito (Keve, na Turquia, ao norte, seria, na realidade, o principal local do qual os cavalos eram importados; as carruagens é que seriam provenientes do Egito). E, novamente, há uma grande diferença entre inúmeros elementos na história. O capítulo 9 apresentou uma mensagem de Deus a Salomão, uma anedota, bem como uma lista de conquistas e de povos, e características similares aparecem aqui. Ao observar as diferenças entre esses relatos, não quero apenas enfatizar que há uma diferença no ensino das diferentes partes, mas que existe uma distinção na espécie de texto que eles são. É um pouco como a diferença entre novos itens, entrevistas com indivíduos e trechos de opinião na televisão. Todos eles podem ser verdadeiros, mas ainda são diferentes na espécie de declaração que fazem e no processo que os gera. Antes de se tornarem parte do mesmo programa de televisão, eles tiveram origens e posições distintas.

Em nosso comentário sobre a oração de Salomão, observamos que, em geral, é útil ter em mente que a primeira audiência dos livros de Reis, na forma como os temos hoje, viviam no período do **exílio**, quando os livros foram reunidos. Eles não foram escritos do nada, naquela época. Na verdade, caso tivessem sido, eles deveriam fluir melhor do que fluem. Eles foram reunidos um pouco como um noticiário da TV, uma revista ou um documentário, com a mescla de inúmeros tipos de material de arquivo e um comentário contemporâneo. Quando as pessoas no mundo antigo escreviam história, elas ficavam satisfeitas por poderem combinar materiais de origens variadas dessa forma, e não estavam dispostas a sacrificar material útil de arquivo ou narrativas contadas durante longa data na comunidade com expressões de sua própria perspectiva, às vezes colocadas na boca dos personagens principais. Quando Deus inspirou os escritores da história israelita, ele os inspirou a escrever um grande exemplo do tipo de história que a cultura deles abrigava. Então, ela seria comunicada como a palavra de Deus às pessoas para as quais foi escrita.

1REIS **11:1-43**
ESPOSAS E ADVERSÁRIOS

¹Ora, o rei Salomão amou muitas mulheres estrangeiras (e a filha do faraó), moabitas, amonitas, edomitas, fenícias e hititas, ²das nações sobre as quais *Yahweh* tinha dito aos israelitas: "Vocês não terão sexo com elas, e elas não terão sexo com vocês, pois voltarão o seu espírito para seguir os deuses delas." A elas, Salomão apegou-se em amor. ³Ele teve setecentas consortes e trezentas esposas secundárias, e as suas esposas desviaram o seu espírito. ⁴Na velhice de Salomão, suas esposas desviaram o seu espírito para outros deuses. O seu espírito não era um com *Yahweh*, o seu Deus, como o espírito de Davi, o seu pai. ⁵Salomão seguiu Astarote, a deusa dos fenícios, e Milcom, a abominação dos amonitas. ⁶Salomão fez o que era desagradável aos olhos de *Yahweh* e não seguiu *Yahweh* completamente, como Davi, o seu pai. ⁷Naquele tempo, Salomão construiu um lugar alto para Camos, a abominação de Moabe, sobre um monte, de frente para Jerusalém, e para Moloque, a abominação dos amonitas. ⁸Ele fez assim para todas as suas esposas estrangeiras que queimavam incenso e sacrificavam aos seus deuses. ⁹*Yahweh* irou-se com Salomão porque o seu espírito se desviara de *Yahweh*, o Deus de Israel, que lhe aparecera duas vezes ¹⁰e lhe havia ordenado sobre esse assunto,

para não seguir outros deuses. Ele não observou o que *Yahweh* ordenara. **¹¹***Yahweh* disse a Salomão: "Por esta ser a sua atitude e não haver observado a minha aliança e as minhas leis, que ordenei a você, arrancarei o reinado imediatamente de você e o darei ao seu servo. **¹²**No entanto, em seus dias não farei isso, por amor a Davi, o meu servo; da mão de seu filho eu o arrancarei. **¹³**Todavia, não arrancarei todo o reinado; darei um clã a seu filho, por amor a Davi, o meu servo, e pelo bem de Jerusalém, que eu escolhi."

¹⁴*Yahweh* levantou um adversário para Salomão, Hadade, o edomita; ele era da família real edomita. [...] **²³**E Deus levantou para ele, como um adversário, Rezom, filho de Eliada, que tinha fugido de seu senhor, Hadadezer, rei de Zobá. [...] **²⁶**Ora, Jeroboão, filho de Nebate, um efraimita de Zeredá, cujo nome da mãe era Zerua (ela era uma viúva), um servo de Salomão, levantou a mão contra o rei. **²⁷**Essa foi a maneira pela qual ele levantou a mão contra o rei. Quando Salomão construiu o Milo, ele fechou a abertura na cidade de Davi, o seu pai. **²⁸**Esse Jeroboão era um homem capaz, e Salomão viu o trabalho que o jovem rapaz estava fazendo, e o indicou sobre todo o trabalho conscrito na casa de José. **²⁹**Naquele tempo, ele saiu de Jerusalém, e Aías, o profeta de Siló, encontrou-o na estrada. [Jeroboão] estava vestindo um casaco novo. Os dois estavam sozinhos em campo aberto. **³⁰**Aías agarrou o casaco novo que [Jeroboão] vestia e o rasgou em doze pedaços. **³¹**Ele disse a Jeroboão: "Pegue para você doze pedaços, porque *Yahweh*, o Deus de Israel, disse isto: 'Bem, arrancarei o reinado da mão de Salomão e darei dez clãs a você. [...] **³⁶**Ao seu filho, darei um clã, para que Davi, o meu servo, tenha controle permanentemente diante de mim, em Jerusalém [...].'" **⁴⁰**Salomão procurou matar Jeroboão, mas Jeroboão partiu e fugiu para o Egito, para Sisaque, rei do Egito, e ficou no Egito até a morte de Salomão. [...] **⁴³ᵇ**Então, Roboão, o seu filho, reinou como rei em lugar dele.

Quando a minha irmã foi abandonada pelo marido, logo após o nascimento do filho deles, ela voltou a viver com nossos pais por um tempo, enquanto buscava colocar a sua vida nos eixos novamente. Ocorre que, eventualmente, ela conheceu um bom rapaz (também chamado John, como seu filho, só para complicar um pouco as reuniões familiares). O único senão é que ele não frequentava nenhuma igreja. Ora, fomos criados na igreja e nos comprometido a viver segundo a exortação de Paulo em 2Coríntios 6 a não nos colocarmos em jugo desigual com os descrentes. É como colocar uma mula e um touro para puxar uma carroça; a parelha não funcionará direito. Desse modo, algumas sobrancelhas se levantaram por esse relacionamento, incluindo a minha, embora tivesse em mente o fato de que o primeiro marido de minha irmã tinha crescido na mesma igreja que nós e, portanto, esse jugo, supostamente igual, também não funcionou muito bem. Seja como for, os dois se casaram (se não me engano, fui até padrinho). John veio conhecer Cristo, e eles viveram felizes por trinta ou quarenta anos. Minha irmã e eu estamos conspirando para que John cuide de nós em nossa velhice (ele é mais jovem que nós); assim, espero que ele não leia este livro antes disso.

O raciocínio nessa regra aprendida em nossa adolescência sobrepõe-se ao raciocínio em 1Reis, embora aqui somem-se algumas outras considerações, tornando a desobediência a essa regra algo problemático. À primeira vista, uma regra proibindo desposar alguém que não seja israelita soa como um preconceito étnico, e, sem dúvida, no antigo Oriente Médio, a norma era casar-se dentro de seu grupo étnico, como é o caso na sociedade ocidental. Ao mesmo tempo, há muitos exemplos de pessoas que não seguiram essa regra, tais como Rute, a moabita, e Urias, o hitita, a exemplo do que também ocorre no Ocidente, e ninguém em Israel parece se importar com isso. A consideração crucial, em Israel, não é de ordem étnica, mas religiosa. O texto explicita que Rute comprometeu-se com **Yahweh** e deixa implícito que Urias tenha feito o mesmo (seu nome significa *"Yahweh* é minha luz"). Durante um período posterior, no qual Esdras instrui os homens israelitas a romperem o casamento com mulheres estrangeiras, os motivos foram religiosos, não étnicos, e são considerações igualmente religiosas que tornam questionáveis os casamentos de Salomão.

Há um segundo fator que, normalmente, influencia as considerações sobre com quem nos casamos. Na cultura do Ocidente, assumimos, simplesmente, que as pessoas se casam movidas pelo amor que as une e nada mais. Logicamente, então, quando o amor acaba, os casais se divorciam. Embora as Escrituras, ocasionalmente, permitam uma ligação entre amor e matrimônio, notadamente em Cântico dos Cânticos, o texto bíblico reconhece que o casamento é sobre muitas outras coisas, além do amor. Uma delas é que o matrimônio estabelece um vínculo entre famílias ou grupos maiores. Salomão se casa com todas essas mulheres para consolidar relacionamentos com os povos dos quais elas são provenientes. E é possível pensar que esse seja um motivo esplêndido para se casar. Imaginar que meu casamento pode significar o fim das guerras entre, digamos, o meu povo e os moabitas, ou os amonitas, ou os edomitas... Todavia, não há motivos pelos quais tais uniões não poderiam desenvolver um relacionamento romântico; isso ocorre em casamentos arranjados.

Não que haja muitas chances de isso acontecer no caso de Salomão, diante do grande número de esposas envolvidas. Há uma grande ironia na ligação do nome de Salomão ao Cântico dos Cânticos, uma vez que ele foi sábio o suficiente para incentivar e dar o seu nome a eles, como expressões de sabedoria, mas, dificilmente, ele teve qualquer pista pessoal sobre o tipo de relacionamento do qual o livro discorre. Na verdade, Salomão "as amava" e até mesmo "apegou-se em amor por elas", mas esse sentimento não tem nada a ver com o que, em nossa cultura, expressaríamos por amor. Ele firmou um compromisso com elas e o cumpriu. Os relacionamentos eram polígamos, mas não envolviam adultério. As relações sexuais com inúmeras esposas e **esposas secundárias** inseriam-se em uma estrutura social e moral. Reconhecidamente, é difícil imaginá-lo tendo sexo com todas as mil esposas, pelo menos não com frequência. Isso também demonstra que o casamento não se restringe somente ao sexo, como, em geral, os casais comentam (talvez com certo pesar).

Infelizmente, parte do compromisso incluía possibilitar que elas adorassem os seus próprios deuses, o que significava erigir lugares para tal adoração no campo de visão do santuário central para o culto a *Yahweh*, a casa que Salomão construíra para *Yahweh*. Isso, por si só, já constituía uma abominação. Talvez fosse parte do acordo que ele, às vezes, participasse da adoração a esses deuses com as esposas, como parte da estratégia de consolidação das relações com os povos por elas representados. Contudo, não era um comportamento que *Yahweh* poderia ignorar. Assim, enquanto 1Reis, em sua maior parte, deixa o julgamento com respeito às práticas políticas e sociais de Salomão a cargo de seus leitores, ele não deixa margem de avaliação quanto às suas políticas religiosas. Essas práticas são fundamentais ao relato sobre os motivos que levaram ao **exílio**, e Salomão é considerado responsável pelos primeiros e enormes saltos rumo ao desastre (ainda que a sua oração, no capítulo 8, abra a possibilidade de voltar para Deus quando isso ocorre). Astarote e Moloque parecem retrabalhos deliberados dos nomes da deusa Astarte e do deus Milcom ou Malique (a palavra para "rei"), combinando as suas consoantes com as vogais da palavra hebraica para "vergonha". Milcom, Camos e Moloque são mais explicitamente identificados como abominações. Eles eram, de fato, abomináveis quando cultuados por estrangeiros (as pessoas sacrificavam crianças a Milcom), mas ainda mais abomináveis quando israelitas davam as costas a *Yahweh* para adorá-los.

Como Davi, Salomão é, possivelmente, um personagem muito pior que Saul, mas, repetindo, Deus está preso a compromissos dos quais é impossível retroceder e, por isso, deve cumpri-los. Embora as dificuldades tenham começado para Salomão ainda enquanto ele vivia, e sua política matrimonial se mostrado pouco eficiente, o pecado do pai será visitado de uma forma mais abrangente sobre o filho (embora, como é de praxe, isso ocorra apenas porque o filho também seja merecedor).

1REIS 12:1-32
A OPORTUNIDADE DE SER UM LÍDER SERVIL

¹Roboão foi a Siquém, porque todo o Israel foi a Siquém para coroá-lo rei. **²**Quando Jeroboão, filho de Nebate, ouviu isso, enquanto ainda estava no Egito, para onde tinha fugido do rei Salomão (Jeroboão tinha se estabelecido no Egito), **³**eles mandaram convocá-lo. Ele foi até Roboão com toda a assembleia de Israel e declarou a Roboão: "**⁴**Teu pai fez nosso jugo pesado. Alivia, agora, a dura servidão de teu pai e o jugo pesado que ele colocou sobre nós, e te serviremos." **⁵**Ele lhes disse: "Vão embora por três dias; então, voltem a mim." Assim, o povo foi embora. **⁶**O rei Roboão tomou conselho com os anciãos que estiveram presentes na assistência a Salomão, seu pai, enquanto ele estava vivo: "Como vocês me aconselham a dar uma resposta a essa companhia?" **⁷**Eles lhe declararam: "Se hoje fores um servo a este povo, responder e lhes falar coisas boas, eles serão teus servos todos os teus dias." [...] **¹⁰**Mas os jovens, que tinham crescido com ele, lhe declararam [...]: "Fale a eles dessa maneira: 'Meu dedo mindinho é mais grosso que a cintura de meu pai; eu mesmo acrescentarei ao seu jugo. **¹¹**Então, agora, se meu pai os açoitou com chicotes, eu mesmo os açoitarei com escorpiões [...].'" **¹⁵**O rei não ouviu a companhia [de anciãos] porque era uma reviravolta da parte de *Yahweh* para cumprir a palavra que *Yahweh* tinha falado por meio de Aías, o silonita, a Jeroboão, filho de Nebate. **¹⁶**Quando todo o Israel viu que o rei não os tinha escutado, o povo respondeu ao rei: "Que participação nós temos com Davi? Não temos parte nenhuma com o filho de Jessé. Às suas tendas, Israel. Agora, olhe para a sua própria casa, Davi." E Israel foi para as suas tendas, **¹⁷**enquanto os israelitas que viviam nas cidades em Judá — Roboão reinou sobre eles. [...] **¹⁹**Assim, Israel rebelou-se contra a casa de Davi, como tem feito até este dia. **²⁰**Quando todo o Israel ouviu que Jeroboão tinha retornado, eles mandaram convocá-lo para a assembleia e o fizeram rei sobre todo o Israel. Ninguém seguiu a casa de Davi, exceto o clã de Judá.

[Os versículos 21-24 relatam como Roboão fez planos para atacar os clãs rebeldes, mas Deus envia um profeta para avisá-los de não fazer isso.]

²⁵Jeroboão construiu Siquém nas montanhas de Efraim e viveu ali; ele saiu de lá e construiu Penuel. **²⁶**Jeroboão disse a si mesmo: "O reinado, agora, retornará para a casa de Davi; **²⁷**se este povo subir para oferecer sacrifícios na casa de *Yahweh*, em Jerusalém, o espírito desse povo voltará ao seu senhor, a Roboão, rei de Judá." **²⁸**Então, o rei tomou conselho e fez dois bezerros de ouro, e disse ao [povo]: "É demasiado para vocês subirem a Jerusalém. Israel, estes são os seus deuses que tiraram vocês do Egito." **²⁹**Ele colocou um em Betel e o outro em Dã, **³⁰**e essa coisa se tornou uma ofensa.

[os versículos 30b-32 reportam como Jeroboão também estabeleceu o restante de um sistema de culto alternativo, incluindo um sacerdócio e um festival de outono.]

1REIS 12:1-32 • A OPORTUNIDADE DE SER UM LÍDER SERVIL

Uma de minhas colegas de faculdade foi convidada para ser a diretora da capela no seminário e ela amou relatar como precisou ir e falar com o reitor do seminário sobre o seu papel, e as primeiras palavras dele foram: "Como posso servi-la?" Quando o meu reitor tratou da substituição do quadro de avisos na área externa da igreja, junto aos nomes dos ministros ele não colocou títulos, como "reitor", mas "servo". Ambas são grandes ideias e jamais devem ser esquecidas pelos líderes. Vivemos numa cultura excessivamente preocupada com a natureza da liderança, e um dos lugares--comuns que usamos para nos salvaguardar da toxidade desse interesse é falar em termos de "liderança servil". Alegar que apenas queremos servir às pessoas pode constituir outra desculpa para o exercício de poder sobre elas, mas não precisa ser assim.

As Escrituras, normalmente, falam mais sobre líderes como servos de Deus do que como servos das pessoas que eles lideram, mas a história de Roboão fornece um exemplo formidável dessa segunda fala, embora, no fim, ela seja triste. Trata-se de uma ideia que surge do nada. Não temos visto evidências de que Saul, Davi ou Salomão estavam preocupados em servir ao povo, e temos visto que Salomão estava ocupado demais na construção de prédios imponentes e na coleta do dinheiro necessário para financiar essas obras. Não havia tempo para preocupações comuns com o povo.

O início de um novo reinado (ou a inauguração de uma nova administração ou a instituição de um novo parlamento) é uma ocasião na qual as pessoas no poder devem ganhar a confiança de seu povo. No Oriente Médio, houve um tempo no qual era frequente os reis emitirem editais oficializando as políticas sociais com as quais eles estavam comprometidos. Em Israel, o princípio da dinastia estava estabelecido (isto é, o rei deveria ser um descendente de Davi), mas essa regra não significa que o rei tem de ser filho do último monarca ou mesmo que deveria ser o filho mais velho. Salomão não era o filho mais velho de Davi ainda vivo, e, nos anos posteriores, nem sempre as sucessões reais funcionaram dessa maneira. Assim, Roboão não poderia considerar a sua posição totalmente assegurada.

Sua ida a Siquém liga-se ao fato de que a união entre o norte e o sul, em Israel, sempre foi frágil. Davi havia sido aceito no sul muito antes de ser aceito como rei pelos israelitas do norte. Salomão havia se mostrado propenso a explorar mais os recursos do norte. Roboão poderia, talvez, imaginar que seu reinado no sul não corria riscos e que precisaria se esforçar mais para ganhar a confiança do norte. É sempre tentador aos que estão na liderança confiar no poder e tentar alcançar os objetivos pela força, pensar que precisam mostrar quem é que manda. No entanto, na presente situação, de um ângulo puramente pragmático, apresentar-se como servo do povo era uma boa ideia. Como é possível explicar a falta de visão de Roboão? Posso ver Deus nos bastidores, diz o narrador da história. A estupidez de Roboão concorrerá para o cumprimento do plano de Deus. A situação traça um paralelo com aquela do Egito, na qual a atitude do faraó em relação a Moisés foi de teimosia, quando o próprio faraó escolheu a obstinação e quando Deus o encorajou a ser inflexível. É possível olhar para o que ocorre de ângulos distintos e ver tanto a realidade da liberdade humana de decidir quanto a soberania divina e o cumprimento da vontade de Deus. Pode-se ver Deus operando de modo intervencionista, como também usando as decisões que as pessoas tomam por si mesmas. Assim, quando necessário, Deus envia um profeta para manter Roboão no curso desejado por Deus, caso ele mostre alguma propensão a agir de modo contrário aos planos divinos.

1REIS 12:1-32 • A OPORTUNIDADE DE SER UM LÍDER SERVIL

A ação de Jeroboão também faz lembrar uma das histórias da saída do Egito. Quando o livro de Êxodo foi escrito e passou a relatar a história do bezerro de ouro feito por Arão, parece que a intenção do autor era provocar o leitor a ver o paralelo com a ação de Jeroboão. Naquela ocasião, o povo como um todo sentiu a necessidade de ter algo visível que representasse a presença de Deus em seu meio e levaram Arão a confeccionar o bezerro para cumprir essa função. Os israelitas não estavam, necessariamente, dando as costas para *Yahweh*, mas sentiam falta de algo que sugerisse a presença dele. Jeroboão sente a mesma necessidade e usa exatamente as mesmas palavras, proferidas pelos lábios de Arão: "Israel, estes são os seus deuses [ou o seu Deus] que tiraram vocês do Egito." A diferença é que o motivo de Jeroboão é de ordem política. Ele percebe que seu Estado, provavelmente, jamais terá um sentido próprio de independência caso o seu povo tenha sempre que peregrinar até Jerusalém para algum festival, e a adição de algumas imagens do gênero, concebidas por ele, compensará a novidade de seus santuários face ao esplêndido templo de Salomão (em grande parte, construído com mão de obra e recursos **efraimitas**). Há dois problemas aqui: o primeiro, ele compartilha com os israelitas da época de Arão. Mesmo que ele e Arão descrevam as suas imagens como sendo de *Yahweh*, a visão de *Yahweh* é que uma imagem é algo tão silencioso e estático que não pode, na verdade, representá-lo (que fala e está sempre em ação). Com efeito, ela está fadada a ser uma imagem de um deus diferente. Esse é um motivo pelo qual "essa coisa se tornou uma ofensa". O outro problema, ele compartilha com Davi e Salomão. No reinado de todos esses reis, a religião se tornou servil ao Estado, atuando para fortalecer a posição governamental. Há muito a ser dito sobre a separação entre igreja e Estado; não para proteger o Estado, mas para proteger a igreja.

A construção de Siquém faz sentido, pois é o lugar mais óbvio para ser a capital, num entroncamento de estradas entre o norte e o sul, leste e oeste, bem como o lugar ao qual Roboão tinha ido para ser coroado em Efraim. Nablus, no centro da região norte da Cisjordânia atual, fica nas proximidades. Penuel está a leste do Jordão, de modo que a construção dessa cidade por ele também é coerente, porque lhe dá um grande centro naquela região.

1REIS 12:33—13:32
PROFETAS E QUANDO IGNORÁ-LOS

³³No décimo quinto dia do oitavo mês, [Jeroboão] subiu ao altar que ele tinha feito em Betel, o qual ele concebeu em sua própria mente, e realizou o festival para os israelitas. Mas, quando ele subiu ao altar para queimar uma oferta, ¹³:¹um homem de Deus veio de Judá, pela palavra de *Yahweh*, a Betel, quando Jeroboão estava em pé no altar para queimar uma oferta. ²Ele clamou contra o altar pela palavra de *Yahweh*: "Altar, altar, *Yahweh* disse isto: 'Ora, um filho está para nascer na casa de Davi, por nome Josias. Ele sacrificará sobre você os sacerdotes dos lugares altos que queimam ofertas sobre você. As pessoas queimarão ossos humanos sobre você.'" ³Naquele dia, ele deu um sinal: "Este é o sinal que *Yahweh* falou: 'Ora, este altar se dividirá, e a cinza sobre ele se derramará.'" ⁴Quando o rei ouviu a mensagem do homem de Deus, que ele clamou contra o altar em Betel, Jeroboão estendeu a mão sobre o altar, dizendo: "Agarrem-no!", mas a sua mão, que ele estendeu contra o homem, enrugou, e ele não a pôde recolher, ⁵enquanto o altar se dividia e a cinza do altar se derramava, de acordo com o sinal que o homem de Deus deu, pela palavra de *Yahweh*. ⁶O rei falou e disse ao homem de Deus: "Implore o favor de *Yahweh*, o seu Deus, e suplique por mim, para que eu possa recolher a minha mão." O homem de Deus implorou o favor de *Yahweh*, e a mão do rei recolheu e voltou a ser como antes.

7O rei falou ao homem de Deus: "Venha comigo à minha casa e coma algo, e eu lhe darei um presente." **8**O homem de Deus disse ao rei: "Ainda que me desse metade de sua casa, eu não iria com você; não comerei pão nem beberei água neste lugar, **9**porque assim fui ordenado pela palavra de *Yahweh* [...]."

11Mas um antigo profeta estava vivendo em Betel. [...] **14**Ele foi atrás do homem de Deus e o encontrou debaixo de um terebinto. [...] **15**Ele lhe disse: "Venha comigo à minha casa, e eu lhe darei comida [...]." **18**[O profeta] lhe disse: "Eu também sou um profeta, como você, e um ajudante me falou pela palavra de *Yahweh*, dizendo: 'Traga-o de volta com você à sua casa, para que ele possa comer algo e beber um pouco de água.'" Ele estava mentindo ao homem. [...] **20**Enquanto estavam sentados à mesa, a palavra de Deus veio ao profeta que o tinha trazido de volta, **21**e ele clamou ao homem de Deus, que tinha vindo de Judá: "*Yahweh* disse isto: 'Porque você se rebelou contra a palavra de *Yahweh* e não observou o mandamento que *Yahweh*, o seu Deus, lhe deu, [...] **22**[b]o seu cadáver não virá para o túmulo de seus ancestrais [...].'" **24**Quando ele foi, um leão o encontrou na estrada e o matou. [...] **28**[O profeta] foi e encontrou o seu cadáver jogado na estrada, com o jumento e o leão ao lado do corpo. O leão não tinha comido o cadáver, nem maltratado o jumento. **29**O profeta levantou o corpo do homem de Deus, o deitou sobre o jumento e o levou de volta. Assim, o corpo chegou à cidade do antigo profeta para ser lamentado e enterrado. **30**Ele colocou o corpo em seu próprio túmulo, e eles lamentaram por ele: "Ah, meu irmão!" **31**Após enterrá-lo, ele disse aos seus filhos: "Quando eu morrer, enterrem-me no túmulo onde o homem de Deus está enterrado; coloquem os meus ossos sobre os seus ossos, **32**porque o que ele declarou pela palavra de *Yahweh*, contra o altar em Betel e contra todas as casas [de Deus] pertencentes aos lugares altos nas cidades de Samaria, definitivamente se tornará realidade."

Ao olhar para trás, relembrando a liderança dos inúmeros chefes que já tive (com exceção do atual, caso ele venha a ler isto), e reflito sobre o meu próprio período como chefe, consigo ver várias formas pelas quais a comprovada habilidade e a orientação divina desempenharam um papel importante na atuação deles e posso reconhecer maneiras pelas quais a liderança deles foi bem-sucedida ou não. Certo chefe provou o seu valor em determinado contexto, mas não se saiu tão bem no nosso; outro, provou a sua valia tanto no exercício de um cargo de menor responsabilidade quanto no mais elevado. Ainda outro liderou bem num cargo inferior, mas mostrou não estar à altura de um cargo mais alto. Em todos os casos, os selecionadores buscaram a orientação de Deus, mas, às vezes, as promoções foram equivocadas. Deus não estava envolvido no processo? A voz de Deus não recebeu a devida atenção? A ação de Deus foi limitada pelo talento disponível?

Os profetas são, de fato, cansativos, e o destino deles é serem ignorados. Na história de Israel, eles começam a mostrar independência com relação à monarquia. Para Saul e Davi, eles são figuras ambíguas, pois iniciam o processo por meio do qual Saul e Davi se tornam reis e os confrontam por não estarem cumprindo o papel que lhes cabe. Eles possuem a mesma função em relação a Jeroboão. Foi um profeta que começou o processo pelo qual Jeroboão tornou-se rei, embora seja possível presumir que isso ocorreria de qualquer maneira. Ao contrário de Saul e Davi, antes da designação por Aías, Jeroboão já havia mostrado do que é feita a verdadeira liderança, bem como a espécie de pessoa que pode ter aspirações ao reinado ou que é selecionável a esse posto por seu povo. A tentativa de assassiná-lo, por parte de Salomão, demonstra que ele era visto como um rival em potencial. Assim, às vezes, Deus escolhe alguém sem nenhuma habilidade de liderança e o transforma em um líder, como aconteceu com Saul e com os líderes anteriores; Deus não precisa usar pessoas dotadas de competências na arte de liderar, porque não depende delas. Há circunstâncias nas quais Deus usa alguém jovem demais, que ainda não teve a chance de mostrar capacidade de liderança, e aguarda para ver no que isso vai dar, como ocorreu com Davi. Os resultados são, então, ambíguos. Algumas vezes, Deus permite que a obstinação e a conspiração do ser humano sigam o seu curso natural, como no caso de Salomão. Os resultados, então, são igualmente ambíguos, embora com um perfil distinto.

Outras vezes, Deus explora a capacidade humana existente, como acontece com Jeroboão. É notável como a história não tece nenhum comentário sobre se Deus desejava Roboão como rei, a exemplo de Salomão, embora ambos tenham a qualificação ausente em Jeroboão, qual seja, os dois eram descendentes de Davi. Talvez seja tudo o que eles necessitam; para Deus, tanto faz qual dos descendentes de Davi esteja assentado no trono. Para haver um rei que não fosse descendente de Davi, seria necessário haver uma palavra profética paralela àquela que designou Salomão e, então, Davi. Não obstante, o motivo para recontar a palavra profética lá atrás, no capítulo 11 (e aquela em 12:21-24), não estava relacionado à necessidade de **Efraim,** mas à necessidade dos leitores. Isso nos mostra que o ocorrido em Efraim é o cumprimento da palavra de juízo de Deus à luz do reinado de Salomão. No tocante à redução da opressão em Efraim, o reinado de Jeroboão constitui um avanço em relação ao que Salomão fez e ao que Roboão planejava. Todavia, em termos do relacionamento com Deus, por ironia, o reinado de Jeroboão dificilmente pode ser considerado melhor que o de Salomão.

Portanto, um homem de Deus confronta Jeroboão com uma profecia, pois foi uma profecia que iniciou o seu reinado.

Bem, não estou certo sobre quão literalmente podemos considerar o relato do que ocorreu em Betel. Não tenho dúvidas de que Deus poderia ter agido conforme descrito, mas a revelação do nome do rei que, no devido tempo, matará os profetas que ministram naquele santuário (o que ocorrerá três séculos mais tarde) parece particularmente estranha à luz da maneira usual de o Antigo Testamento descrever a ação de Deus. Todavia, como ocorre, na maioria das vezes, o significado da história não é muito afetado por concluirmos certo ou não quanto a ser mais um pedaço da história ou apenas "mais uma história". Ela declara que Jeroboão pode ser o meio pelo qual o juízo de Deus é exercido sobre a linhagem de Davi, além de ele ser passível do julgamento divino pela maneira com que sujeitou a religião ao interesse político e em sua política religiosa ter ignorado a verdade sobre quem Deus é.

Os acontecimentos envolvendo os dois profetas anônimos, mais adiante na narrativa, suscitam questões similares sobre a sua veracidade. Ambos os profetas são figuras ambíguas, tal como aqueles reis. Pode-se imaginar que um profeta de Betel seja um personagem suspeito. Que posição ele tem adotado em relação a Jeroboão e seus atos? Ele tem apoiado o regime ou, pelo menos, é conivente com suas políticas? Será este o motivo pelo qual Deus envia um profeta de Judá (não havendo ninguém em Efraim para ser usado)? Se for assim, a história implica que, pelo menos, ele aprende uma coisa ou duas com tudo o que acontece. Um contraste também emerge da consideração do próprio profeta judaíta. Ele arrisca a sua vida para confrontar Jeroboão e, não obstante, a perde por relaxar e não duvidar o suficiente de alguém que diz possuir uma palavra de Deus, afirmando que um **ajudante** lhe apareceu. Seria inapropriado deduzir que sempre deveríamos confiar naquilo que imaginamos ter recebido de Deus em vez daquilo que alguém diz ser uma palavra de Deus (um dos significados de expressar algo em uma história é descrever uma ocorrência sem implicar que isso acontece com regularidade). Na verdade, quase sempre, será o oposto. Mas a credulidade não compensa.

1REIS **13:33—14:20**
QUANDO O FILHO DO REI APÓSTATA FICA DOENTE

³³Após esse ato, Jeroboão não saiu de seu caminho errado, mas, novamente, constituiu sacerdotes para os lugares altos de todas as partes do povo. Qualquer um que desejasse, ele indicava para se tornar sacerdote dos lugares altos. **³⁴**Por esse ato, a casa de Jeroboão tornou-se uma ofensa, para a sua ruína e destruição da face da terra. **¹⁴:¹**Naquela época, Abias, filho de Jeroboão, ficou doente. **²**Jeroboão disse à sua esposa: "Você irá partir, disfarçar-se para que o povo não reconheça que é a esposa de Jeroboão, e vá a Siló. Ora, o profeta Aías está lá. Foi ele que declarou sobre mim que eu seria o rei sobre este povo. **³**Leve dez pães em suas mãos, alguns biscoitos e um pote de mel, e vá até ele. Ele irá lhe contar o que acontecerá ao menino." **⁴**A esposa de Jeroboão assim fez. Ela partiu e foi a Siló, e chegou à casa de Aías. Aías não podia ver, porque seus olhos tinham ido embora, por causa de sua velhice, **⁵**mas *Yahweh* tinha dito a Aías: "A esposa de Jeroboão está vindo para inquirir algo de você em relação ao filho dela, porque ele está doente. Você deve falar tais e tais coisas a ela. Mas ela estará fingindo ser uma estranha." **⁶**Então, quando Aías ouviu o som dos pés dela enquanto ela atravessava a porta, ele disse: "Entre, esposa de Jeroboão. Por que cargas d'água você está fingindo ser uma estranha? Eu fui enviado a você com uma mensagem dura. **⁷**Vá e diga a Jeroboão: '*Yahweh*, o Deus de Israel, disse isto: "Porque eu o elevei do meio do povo e o fiz governador sobre o meu povo, Israel, **⁸**e rasguei o reinado da casa de Davi e o dei a você, mas você não tem sido como Davi, o meu servo, que guardou os meus mandamentos e me seguiu com todo o seu espírito, fazendo somente o que era reto aos meus olhos,

⁹você tem sido mais errado em suas ações que todos os que eram antes de você. Você foi e fez outros deuses e imagens para você mesmo, para me provocar. Deu-me as costas. ¹⁰Agora, portanto, trarei aflição à casa de Jeroboão. Irei cortar de Jeroboão aqueles que urinam contra a parede (preso ou livre) em Israel. Queimarei até o fim a casa de Jeroboão como se queima esterco. ¹¹A pessoa que pertencer a Jeroboão e morrer na cidade, os cães a devorarão; a pessoa que morrer em campo aberto, as aves a comerão. Porque *Yahweh* falou.'" ¹²Então, você, parta e volte para casa. Quando colocar o pé na cidade, o menino morrerá. ¹³Todo o Israel irá pranteá-lo e enterrá-lo, pois somente ele, dos que pertencem a Jeroboão, chegará à sepultura, porque nele algo bom foi encontrado em relação a *Yahweh*, o Deus de Israel, na casa de Jeroboão. ¹⁴*Yahweh* levantará para si um rei sobre Israel, que cortará a casa de Jeroboão. Este é o dia. Agora mesmo. ¹⁵*Yahweh* derrubará Israel como um junco que balança na água, desarraigará Israel desta boa terra que ele deu aos seus ancestrais e os espalhará para além do Rio [Eufrates], porque eles fizeram colunas a Aserá que provocam *Yahweh*."

[Os versículos 16-20 relatam como a esposa de Jeroboão leva a mensagem para casa; a criança morre e, no devido tempo, Jeroboão também falece, tendo como sucessor Nadabe, o seu filho.]

Na noite passada, uma amiga expressou toda a sua contrariedade com relação ao sermão em sua igreja, proferido alguns domingos atrás. O pregador estava falando sobre a cura por Jesus do homem paralítico, que estivera deitado junto ao tanque de Siloé durante trinta e oito anos. O pregador sugeriu que o homem ficara todo esse tempo ali por pura conveniência, dando a entender que ele não tinha assumido a responsabilidade por sua cura. Minha amiga se irritou porque alguém muito próximo a ela sofre de uma doença crônica e ela sabe que uma pessoa enferma não pode, necessariamente, decidir melhorar. Como um homem cuja esposa lutou contra uma enfermidade por quarenta e três anos, endosso as palavras de minha amiga. O que faz um pregador dizer algo tão estúpido? Parte da resposta (eu e ela refletimos) é que há algo amedrontador sobre ficar doente ou ter alguém enfermo próximo a nós. Isso nos faz sentir totalmente impotentes. Não estamos mais no controle, e isso é importante para nós. Os anúncios farmacêuticos tiram proveito desse sentimento quando nos encorajam a assumir o controle sobre a nossa asma ou artrite e até mesmo sobre o nosso câncer.

No seio de uma sociedade tradicional como Israel, a perspectiva de estar no controle é muito menor. Recentemente, meu filho foi diagnosticado com diabetes, mas com uma dieta controlada e injeções ele consegue ter uma vida normal. Um século atrás, sua enfermidade o teria matado. Ao constatarem que o filho está enfermo e que ele não apresenta sinais de melhoras, o que Jeroboão e sua esposa podem fazer? Quando os filhos adoecem, o rei e a rainha não são melhores do que as pessoas comuns (na verdade, descobriremos que são piores). Tudo o que eles podem fazer é buscar a Deus. De modo suficientemente lógico, eles fazem isso indo atrás do profeta de Siloé, que havia transmitido a mensagem original sobre Jeroboão estar destinado a ser rei. O problema é que eles sabem, por meio do profeta que foi a Betel, do desagrado de Deus quanto ao comportamento deles. Movidos por certa inocência, eles tentam contornar esse problema pelo bem do seu filho. A mãe de Abias deve levar consigo uma oferta, o que seria natural — os profetas vivem das ofertas do povo, como os pastores. Saul tinha ciência de que devia levar um presente a Samuel, quando foi procurá-lo a respeito de seus jumentos perdidos. O casal presumirá não apenas que Aías seja capaz de lhes dar um prognóstico com relação ao seu filho, mas que também possa lhes revelar como podem prevenir qualquer ameaça à vida do menino — por exemplo, qual oferta eles devem fazer a Deus. Por outro lado, no entanto, é como se eles tivessem ideias primitivas sobre os profetas — os profetas podem ser capazes de prever o futuro, mas não de ver o que está acontecendo no presente. Eles descobrem que estão totalmente enganados.

O texto não explicita se o casal refletiu sobre a possibilidade de a enfermidade ser, de alguma forma, uma mensagem para eles, embora seja provável que tivessem consciência dessa questão. Quando coisas ruins acontecem na vida das pessoas, elas costumam perguntar a si mesmas: "Por que isso aconteceu comigo?" Além disso, as Escrituras reconhecem que, às vezes, a enfermidade resulta de um mau procedimento (veja 1Coríntios 11:27-32), de modo que a pergunta faz sentido. Aías sabe quão profunda, abrangente e desastrosa é a resposta à questão daquele casal. O fato de Aías ser o meio pelo qual Deus designou Jeroboão governante de **Efraim**, como parte do juízo divino sobre Salomão, não significa que ele é obrigado a apoiar Jeroboão. Deus é o único com quem ele é comprometido, e a mensagem divina a Jeroboão, agora, é a mesma dada a Salomão. Pode parecer surpreendente que Jeroboão seja visto como um pecador pior que qualquer um antes dele, mas ele institucionalizou a adoração a deuses estranhos em Efraim. Além disso, nem Deus nem o profeta conseguem vê-lo como alguém que, verdadeiramente, cultua *Yahweh*. As pessoas podem pensar que estão adorando a Deus, mas o culto que prestam é tão estranho a quem Deus é que, decerto, a adoração não chega a ele. Para piorar a situação, Jeroboão levantou colunas a **Aserá**, ou seja, objetos que eram usados no culto a deusas dos **cananeus** com aquele nome. No devido tempo, a sua liderança resultará em desastre para o seu povo. (Quero apresentar minhas desculpas pelo termo grosseiro que o profeta usa para descrever os homens no versículo 10; por algum tempo, considerei utilizar uma expressão mais leve aqui, como as traduções bíblicas, em geral, o fazem, mas decidi deixar o texto como ele realmente é.)

O Antigo Testamento é mais pragmático que o pensamento ocidental quanto ao destino dos filhos estar vinculado aos seus pais. O texto bíblico enfatiza que os tribunais dos homens não devem permitir que os filhos sejam punidos pelos pecados de seus pais, mas reconhece que Deus não criou a humanidade de uma forma que esses destinos pudessem ser facilmente separados. Sabemos que enviar uma mãe ou um pai à prisão também é uma punição aos seus filhos, mas seguimos fazendo isso, e Deus age de maneira equivalente. Se Jeroboão deve ser punido por seus atos, o entrelaçamento do destino dos filhos com o de seus pais significa que os filhos de Jeroboão também serão punidos. O inverso também é verdadeiro. A melhor maneira de punir os pais é atingindo os seus filhos. Assim, quando Deus deseja punir Davi por seu adultério e assassinato, Deus provoca a morte de seu filho (2Samuel 12). Similarmente, quando Deus quer punir Jeroboão, ele leva o seu filho à morte. Reconhecidamente, há uma característica distinta em uma história como essa que a torna menos ameaçadora para as pessoas comuns. O problema para as respectivas famílias de Davi e de Jeroboão é o fato de eles serem reis. Uma breve consideração das famílias reais do mundo moderno mostra o preço que os filhos reais pagam por sua posição. O futuro de Israel está, agora, vinculado ao futuro de seus reis e, portanto, aos filhos dos reis, e há um preço a ser pago por eles serem quem são.

A história implica que a morte do menino provavelmente ocorreria de qualquer forma. Deus não precisa intervir para que isso aconteça, mas apenas não intervir para curá-lo. A ação real de Deus é dar aos seus pais um novo significado para sua morte. Todavia, o Antigo Testamento é, de fato, pragmático em não sentir a necessidade de proteger Deus da responsabilidade pela morte do menino. O lado positivo disso é que a sua morte não é meramente fortuita, aleatória e incompreensível; muito menos, a história conclui que ela é inevitável. Com frequência, o ponto sobre a profecia é que ela não precisa se cumprir. Caso alguém se arrependa em resposta a uma palavra profética, aquela previsão não precisa, necessariamente, se tornar realidade. No entanto, não há sinais de arrependimento no relato em questão. O menino, aparentemente, apresenta-se em menor necessidade de arrependimento do que alguns que podemos citar, e a narrativa acrescenta uma nota final de pesar. Há uma percepção de que a criança é, na realidade, afortunada. O destino dos que seguirão vivos será pior.

1REIS 14:21—15:24
ENQUANTO ISSO, EM JUDÁ

²¹Ora, Roboão, filho de Salomão, tinha se tornado rei em Judá. Roboão tinha quarenta e um anos quando se tornou rei, e ele reinou dezessete anos em Jerusalém, a cidade que *Yahweh* havia escolhido para colocar o seu nome, dentre todos os clãs de Israel. O nome de sua mãe era Naamá, uma amonita. ²²Judá fez o que era desagradável aos olhos de *Yahweh* e despertou nele paixões mais fortes do que qualquer coisa que seus ancestrais fizeram pelo modo com que eles falharam. ²³Eles também construíram para si lugares altos, colunas e *asherim* em cada colina e debaixo de cada árvore florescente, ²⁴e havia também hieródulos na terra. [Os judaítas] agiram segundo todas as práticas abomináveis das nações que *Yahweh* desapropriou diante dos israelitas.

²⁵No quinto ano do reinado de Roboão, Sisaque, rei do Egito, subiu contra Jerusalém. ²⁶Ele levou os tesouros da casa de *Yahweh* e os tesouros da casa do rei; ele levou tudo. Levou os escudos de ouro que Salomão tinha feito, ²⁷por isso o rei

Roboão fez escudos de bronze em lugar daqueles e os submeteu ao controle dos comandantes que estavam sobre a guarda do portão da casa do rei. ²⁸Sempre que o rei ia à casa de *Yahweh*, os guardas os carregavam e, então, os traziam de volta à câmara da guarda.

[A passagem de 1Reis 14:29 — 15:8 resume o reinado de Roboão e os três anos do reinado de Abias, o seu filho.]

¹⁵:⁹No vigésimo ano de Jeroboão, rei de Israel, Asa começou a reinar como rei em Judá. ¹⁰Ele reinou quarenta e um anos. O nome de sua mãe era Maaca, filha de Absalão. ¹¹Asa fez o que era certo aos olhos de *Yahweh*, como seu ancestral Davi. ¹²Ele expulsou os hieródulos da terra e removeu todos os ídolos que seu pai tinha feito. ¹³Em adição, ele removeu Maaca, a sua avó, da posição de rainha-mãe, porque ela tinha feito uma monstruosidade para Aserá. Asa cortou a monstruosidade e a queimou no vale do Cedrom. ¹⁴Ele não removeu os lugares altos. Todavia, o espírito de Asa esteve totalmente comprometido com *Yahweh* por todos os seus dias. ¹⁵Ele levou para a casa de *Yahweh* as coisas que o seu pai tinha consagrado e as coisas que ele mesmo tinha consagrado, prata, ouro e utensílios.

¹⁶Houve guerra entre Asa e Baasa, rei de Israel, durante todos os seus dias. ¹⁷Baasa, rei de Israel, subiu contra Judá e construiu Ramá, para não permitir que qualquer um pertencente a Asa, rei de Judá, saísse ou entrasse. ¹⁸Então, Asa reuniu toda a prata e todo o ouro que restava nos tesouros da casa de *Yahweh* e nos tesouros da casa do rei e os colocou na mão de seus servidores, e o rei os enviou a Ben-Hadade, filho de Tabriom, filho de Heziom, de Aram, que vivia em Damasco, dizendo: ¹⁹"[Que haja] uma aliança entre mim e ti [como] entre meu pai e o teu pai. Ora, enviei a ti um presente de prata e de ouro. Vá e quebres a tua aliança com Baasa, rei de Israel, para que ele possa se afastar de mim."

[Os versículos 20-24 sumarizam o restante de seu reinado.]

Há algumas semanas, um aluno me indagou, com certa ansiedade, se havia evidências de que qualquer um dos eventos, presentes no Antigo Testamento, tinha, de fato, ocorrido. Havia algum registro dos povos vizinhos sobre a existência de pessoas como Abraão, Moisés, Josué ou Davi? Não tive escolha, exceto lhe dizer que a resposta para a segunda pergunta era: "Não." Pessoalmente, não creio que isso seja muito preocupante, pelo menos não mais inquietante do que os registros romanos não citarem a execução de alguém chamado Jesus de Nazaré. Israel tinha um povo subdesenvolvido, que não possuía meios de deixar registros sobre si mesmo senão muito mais tarde. Ainda, era um povo pequeno e desimportante demais para que os grandes poderes da época se referissem a ele.

A expedição de Sisaque, durante o reinado de Roboão, é, na verdade, o primeiro evento na história israelita que podemos, definitivamente, correlacionar com registros externos. Igualmente, isso possibilita ser mais concreto quanto a datas de eventos em Israel com relação ao sistema de datação ocidental. A invasão ocorreu por volta de 926 a.C. Sisaque é a versão hebraica equivalente a Shoshenk, em egípcio. Lemos, anteriormente, que Jeroboão buscou refúgio com ele, quando estava fugindo de Salomão para salvar a sua vida. No contexto da contínua hostilidade entre **Judá** e **Efraim**, Shoshenk pode ter invadido Judá em apoio a Jeroboão, que poderia ser seu vassalo, mas também é possível que o rei do Egito visasse ampliar o próprio império e obter mais recursos. Shoshenk erigiu uma inscrição no muro do templo de Karnak, no Egito, no qual ele faz um relato dos muitos lugares em **Canaã** sobre os quais ele afirmou a sua autoridade nessa ocasião, do mesmo modo que ergueu um monumento em Megido, Israel, que ainda resiste ao tempo.

O relato sobre Shoshenk e a aliança entre Asa e Ben-Hadade nos introduzem à maneira pela qual a história de Efraim e de

Judá, pelos séculos subsequentes, estará entrelaçada à história dos povos vizinhos. Aqui estão as duas divisões do povo de Deus tentando encontrar um modo de viver no mundo. As questões que isso suscita são ilustradas pela forma com que Asa tenta estabelecer uma **aliança** com Ben-Hadade. Embora a palavra hebraica para "aliança" seja a mesma palavra para tratado ou contrato, há algo intrigante no fato de o povo que está em aliança com Deus ser obrigado a fazer alianças com outros povos para garantir a própria sobrevivência. Todavia, a narrativa pressupõe um cenário ainda mais estranho com respeito ao relacionamento entre Jeroboão e Shoshenk, e entre Asa e Ben-Hadade: as duas divisões do povo de Deus estão em permanente estado de conflito uma com a outra. As sementes plantadas por Salomão e regadas por Roboão estão produzindo frutos amargos. Expressando de outra maneira, a religião nativa da terra (a religião dos cananeus) prosseguiu sendo um fator dominante tanto na vida de Judá quanto na de Efraim. A referência aos "hieródulos" enfatiza esse mesmo ponto. O termo, literalmente, significa uma pessoa sagrada, mas, em passagens similares a essa, a palavra denota uma pessoa envolvida em observâncias religiosas que o Antigo Testamento enxerga como idólatra. Em outros contextos, isso implica que eles são imorais, e as traduções utilizam expressões como "prostitutos cultuais", mas, na verdade, não sabemos exatamente o que o termo significa. Eles podem ser simplesmente pessoas que atuavam como ministros de outras divindades que não *Yahweh*, de modo que o envolvimento dos israelitas implicava infidelidade a *Yahweh* e, portanto, algo análogo à imoralidade sexual.

Ao longo dos demais capítulos dos livros de Reis, a história será estruturada pelos reinados dos reis, e, além de descrever incidentes particulares, a narrativa tecerá comentários, de forma geral e sistemática, sobre as políticas religiosas que caracterizam cada reino. Pelo fato de o Antigo Testamento não possuir um sistema de datação absoluta, a maneira de o texto expressar a cronologia é pela inter-relação das datas relativas aos reis dos dois reinos, embora a tradução dessa informação para o nosso sistema de datas seja complicada, e há relatos variados de como essa cronologia funciona. Um dos motivos é que, embora um rei ainda estivesse em pleno vigor de sua vida, ele podia designar o seu sucessor como corregente, visando assegurar que a sucessão ocorresse de modo suave. Os anos de reinado de um rei, portanto, poderiam se sobrepor aos anos de seu predecessor.

Os julgamentos do Antigo Testamento são uniformemente negativos com respeito aos reis de Efraim pelo fato de a própria existência da nação depender do estabelecimento de uma forma de culto não ortodoxa para seu povo. Desse modo, aquela produção de frutos amargos evidencia-se também nos assuntos religiosos. O mesmo ocorria em Judá, pois a política religiosa de Roboão e Abias não parecia tão distinta daquela adotada por Jeroboão. O fato de Roboão ser o filho de uma das esposas estrangeiras de Salomão não é, provavelmente, uma mera coincidência. Ao mesmo tempo, a menção de que Maaca, esposa de Roboão, erigiu uma "monstruosidade" (alguma espécie de auxílio ao culto que os narradores enxergavam como totalmente incompatível com a verdadeira fé em *Yahweh*) demonstra que ter uma mãe com sangue puramente israelita não é garantia de vantagem. O escândalo do reinado de Roboão é enfatizado por Jerusalém ser o lugar escolhido por *Yahweh* para colocar o seu nome. Há uma implicação de que os eventos em Judá eram, na realidade, ainda mais escandalosos do que aqueles realizados pelos habitantes de Efraim.

Os juízos sobre os reis de Judá são mais complexos do que aqueles sobre os reis de Efraim. Um fator complicador aqui é que, nos tempos posteriores, tornou-se habitual ver os **lugares**

altos como inerentemente não ortodoxos, mas, na época de um rei fiel como Asa, eles poderiam ser locais nos quais um culto apropriado era oferecido a *Yahweh*. A fidelidade de Asa a *Yahweh* contrasta com a infidelidade de Roboão, o seu avô, e de Abias, o seu pai, que o precedeu e, aparentemente, morreu jovem. As coisas que Asa levou ao templo podem ser espólios obtidos em batalhas e dedicados a Deus em reconhecimento de que Deus possibilitou a vitória. Sua necessidade de depor a sua avó do cargo de rainha-mãe reflete o poder que era conferido àquela posição.

1REIS 15:25—16:34
DUAS SEMANAS, TRÊS REIS EM EFRAIM

²⁵Nadabe, filho de Jeroboão, havia se tornado rei sobre Israel no segundo ano de Asa, rei de Judá, e ele reinou sobre Israel durante dois anos. ²⁶Ele fez o que era desagradável aos olhos de *Yahweh* e andou no caminho de seu pai, nas ofensas que ele levou Israel a cometer. ²⁷Baasa, filho de Abias, da casa de Issacar, conspirou contra ele, e Baasa o eliminou em Gibetom dos filisteus; Nadabe e todo o Israel estavam sitiando Gibetom. [...] ²⁹Quando se tornou rei, ele eliminou toda a casa de Jeroboão; ele não deixou nenhuma alma pertencente a Jeroboão sobreviver até tê-la destruído, de acordo com a palavra de *Yahweh* que ele falou por meio de seu servo Aías, o silonita. [...]

CAPÍTULO 16

¹A palavra de *Yahweh* veio a Jeú, filho de Hanani, contra Baasa: ²"Porque eu o elevei do pó e o fiz governador sobre Israel, o meu povo, mas você andou no caminho de Jeroboão e levou Israel, o meu povo, a me ofender e me provocar com suas ofensas, ³agora irei acabar com Baasa e a sua casa e farei a sua casa como a casa de Jeroboão, filho de Nebate. ⁴A pessoa que pertencer a Baasa e que morrer na cidade, os cães comerão, e a pessoa que pertencer a ele e morrer em campo aberto, as aves dos céus comerão [...]."

⁸No vigésimo sexto ano de Asa, rei de Judá, Elá, filho de Baasa, tornou-se rei sobre Israel, em Tirza, por dois anos. **⁹**Zinri, o seu servo, comandante de metade das suas carruagens, conspirou contra ele; ele estava em Tirza, embriagando-se na casa de Arsa, que estava sobre a casa, em Tirza. **¹⁰**Zinri entrou, o feriu e o matou. [...] **¹²**Zinri destruiu toda a casa de Baasa, de acordo com a palavra de *Yahweh* que ele falou a Baasa por meio de Jeú, o profeta. [...] **¹⁵**No vigésimo sétimo ano de Asa, rei de Judá, Zinri reinou por sete dias, em Tirza, quando a companhia estava acampada em Gibetom dos filisteus. **¹⁶**A companhia acampada ouviu: "Zinri conspirou e, além disso, matou o rei", e todo o Israel fez Onri, o comandante do exército, rei sobre Israel naquele dia, no acampamento. **¹⁷**Onri e todo o Israel com ele subiram de Gibetom e sitiaram Tirza. **¹⁸**Quando Zinri viu que a cidade estava tomada, ele foi até a cidadela, na casa do rei, e incendiou a casa do rei com fogo sobre si mesmo. Assim, ele morreu. [...] **²¹**Então, o povo de Israel dividiu-se em dois. Metade do povo seguiu Tibni, filho de Ginate, fazendo-o rei, e metade seguiu Onri. **²²**Mas a companhia que seguiu Onri era mais forte que a companhia que seguiu Tibni, filho de Ginate; Tibni morreu, e Onri se tornou rei. [...] **²⁴**Ele adquiriu, de Sêmer, a montanha de Samaria por dois talentos de prata e construiu sobre a montanha, chamando a cidade que construiu pelo nome de Sêmer, o proprietário da montanha: "Samaria [...]." **²⁷**O resto dos atos de Onri, que ele fez, e o poder que ele mostrou estão, de fato, escritos nos anais dos reis de Israel. [...] **²⁹**Acabe, filho de Onri, tornou-se rei sobre Israel no trigésimo oitavo ano de Asa, rei de Judá. Acabe, filho de Onri, reinou sobre Israel, em Samaria, por vinte e dois anos. [...] **³³ᵇ**Acabe fez mais para provocar *Yahweh*, o Deus de Israel, do que todos os reis de Israel que vieram antes dele. **³⁴**Em sua época, Hiel, o betelita, reconstruiu Jericó. À custa de Abirão, o seu primogênito, ele a iniciou, e à custa de Segube, o seu filho mais novo, ele estabeleceu os seus portões, de acordo com a palavra de *Yahweh* que ele falou por meio de Josué, filho de Num.

Ontem, como de costume, iniciamos a nossa reunião da faculdade compartilhando alguns tópicos para oração e, então, coube a mim tentar fazer uma oração que cobrisse todos eles. O compartilhamento incluiu a saúde debilitada de alguém, a perda de emprego por outra pessoa, o doutorado obtido pela filha de alguém mais, os cargos que estávamos tentando preencher, o conflito entre israelenses e palestinos que acabara de eclodir novamente (um dos presentes estava de malas prontas para viajar a Israel), a tensão entre as Coreias (um dos presentes era coreano) e, talvez, outros assuntos dos quais, no momento, não consigo recordar. Em minha oração, agradeci a Deus por ser o Deus de todos esses aspectos que envolvem a nossa vida e as nossas preocupações.

As histórias presentes nos livros de Reis refletem essa ampla gama de envolvimentos e interesses de Deus e, particularmente, chamam a nossa atenção para a sua atuação em assuntos políticos, embora os livros, em geral, deixem em aberto a natureza daquele envolvimento. Eles são, portanto, preocupantes, embora também sejam estranhamente encorajadores: por, aparentemente, nem sempre exibirem ciência sobre como Deus está envolvido, eles também mostram que estão na mesma posição que nós.

Após nos contar sobre Jeroboão como rei de **Efraim**, os relatos concentram-se nos seus contemporâneos em **Judá**: Roboão, Abias e Asa. Agora, eles recuam, levemente, ao sucessor de Jeroboão, Nadabe, que ascendeu ao trono no início do reinado de Asa, e, então, prossegue cobrindo Baasa, Elá, Zinri, Onri e Acabe. Na verdade, a narrativa irá focar os eventos de Efraim por um longo tempo, particularmente no reinado de Acabe. Em parte, isso se deve ao foco sobre o trabalho dos profetas em Efraim, notadamente Elias e Eliseu. Isso também ocorre pelo fato de a história de Efraim ser mais tumultuada, como mostra o recente relato sobre os cinco reis, e bem maior que a história da pequena Judá. Outro fator é por Efraim ser uma peça mais importante no tabuleiro internacional, em razão, parcialmente, da sua localização geográfica, pois Judá está em uma região mais montanhosa e mais isolada que Efraim.

Não obstante, uma vez mais, a história não é muito acessível no que tange ao envolvimento de Deus em tudo isso, embora, talvez, isso nos convide a tirar as nossas próprias conclusões sobre a sequência de conspirações e golpes em Efraim. Uma das implicações da história é que o reino de Judá poderia ser considerado afortunado por ter a dinastia de Davi firmemente estabelecida em Jerusalém; apesar de haver conflitos sobre qual dos descendentes de Davi deveria reinar, até o fim da história do reino de Judá não há muita perspectiva de alguém desconhecido substituir um descendente davídico. Em Efraim, todavia, as dinastias mudavam. Nadabe reina dois anos até ser assassinado por Baasa, que adota medidas para tornar o seu trono seguro, matando todos da família de Nadabe. Mas o seu filho é assassinado depois de dois anos, embora o assassino fique no trono apenas por uma semana, sendo sucedido por Onri, após mais alguns conflitos internos. Onri, então, obtém apenas meia dúzia de versículos na história, empregados, na maioria, para expressar os costumeiros juízos gerais sobre ele ser uma pessoa má. Isso se refere à sua considerável realização de fundar Samaria como a nova capital de Efraim; a cidade, com o tempo, emprestará o seu nome a toda a área de "Samaria". Além disso, expressa o poder que ele exerce. A história utiliza essa expressão em relação a outros reis, mas, no caso de Onri, há um significado especial em seu uso. Os anais da **Assíria**, com frequência, fazem referência a Onri. Os registros dos moabitas relatam como ele os oprimiu por um longo período. Politicamente, ele foi uma figura sobremodo importante no desenvolvimento de Efraim. Contudo, 2Reis não está muito interessado em tudo isso. Caso o leitor queira saber mais, o texto diz, ele deve procurar nos registros oficiais. (Historiadores dariam o braço direito para poderem fazer isso; infelizmente, os registros desse tipo se perderam há milênios.)

No tocante a 1Reis, a questão-chave continua sendo quão fiéis os reis são em relação a *Yahweh*. Por implicação, a origem e a fundação apóstata da existência de Efraim não dão margem à mera coincidência por sua história ser tão caótica. Às vezes, o livro observa quão concretamente isso ocorre. O extermínio da família de Jeroboão por parte de Baasa cumpre a mensagem do juízo de Deus, transmitida à esposa de Jeroboão. Por seu turno, Deus dá a outro profeta, Jeú, uma mensagem de juízo com respeito à casa de Baasa, embora isso não ocorra em razão de sua violência (há outras passagens no Antigo Testamento que sugerem a desaprovação a essa violência, apesar de ela ser um meio de o próprio Deus exercer juízo). Ainda, esse julgamento não recai diretamente sobre Baasa, que administra o reino por vinte e quatro anos, mas sobre o seu filho. Normalmente, não se pode prever como as advertências ou as promessas de Deus encontrarão cumprimento. Em geral, isso ocorre por intermédio da interação entre as políticas que Deus deseja implementar e as realidades políticas. Deus não intervém com frequência para fazer coisas acontecerem que, caso contrário, não ocorreriam, humanamente falando, mas usa os potenciais humanos de compromisso, ambição, fidelidade e maldade. Por outro lado, a consistência do envolvimento divino é sugerida pelas palavras que Deus dá a Jeú sobre os cães e as aves. Com certa ironia, Deus repete a mensagem dada a Roboão em 1Reis 14:11. Baasa foi o meio pelo qual aquela mensagem se cumpriu, mas, agora, a sua própria casa verá a mesma mensagem ser cumprida em sua vida.

O reinado de Acabe, filho de Onri, será o cenário para o restante do livro de 1 Reis. O fato de ele representar uma nova queda na história de Efraim está implícito na nota sobre Hiel, o que sugere que ele sacrificou os próprios filhos como uma espécie de oração promulgada para o sucesso de sua aventura arquitetônica.

1REIS **17:1-24**
O PESSOAL E O POLÍTICO

¹Elias, o tesbita, dos assentados em Gileade, disse a Acabe: "Tão certo como *Yahweh*, o Deus de Israel, vive, diante de quem estou [em assistência], durante esses anos não haverá orvalho ou chuva, exceto pela palavra da minha boca." **²**A palavra de *Yahweh* veio a ele: **³**"Saia daqui. Vire para o leste e se esconda no riacho Querite, que fica defronte ao Jordão. **⁴**Você beberá do riacho, e eu ordenei aos corvos que o alimentem lá." **⁵**Ele foi e agiu de acordo com a palavra de *Yahweh*. [...] **⁶**Corvos lhe traziam pão e carne de manhã e pão e carne à tarde, e ele bebia do riacho. **⁷**Após algum tempo, o riacho secou porque não havia chuva na terra. **⁸**A palavra de *Yahweh* veio a ele: **⁹**"Levante, vá a Sarepta, que pertence a Sidom, e viva lá. Ora, ordenei a uma mulher lá, que é viúva, para alimentá-lo." **¹⁰**Ele se levantou e foi a Sarepta, chegou ao portão da cidade, e ali uma mulher que era viúva estava recolhendo madeira. Ele a chamou: "Poderia me conseguir um pouco de água em uma vasilha para eu beber?" **¹¹**Quando ela foi pegá-la, ele a chamou: "Poderia me conseguir um pedaço de pão em sua mão?" **¹²**Ela disse: "Tão certo como *Yahweh*, o teu Deus, vive, eu não tenho nada assado, somente um punhado de farinha em um jarro e um pouco de óleo em um pote. Assim, aqui estou eu recolhendo alguns pedaços de madeira para poder ir e preparar algo para mim e para o meu filho, para comermos e depois morrermos." **¹³**Elias lhe disse:

"Não tenha medo. Vá e aja de acordo com a sua palavra, apenas me faça um pequeno pão lá e o traga para mim e, depois, faça algum para você e o seu filho. **¹⁴**Porque *Yahweh*, o Deus de Israel, disse isto: 'O jarro de farinha não se esgotará, e o pote de óleo não falhará, até o dia em que *Yahweh* der chuva sobre a face da terra.'" **¹⁵**Ela foi e agiu de acordo com a palavra de Elias, e ela e a sua casa comeram por algum tempo. [...]

¹⁷Depois disso, o filho da senhora da casa ficou doente. A sua enfermidade se tornou muito séria, até que nenhuma respiração permanecesse nele. **¹⁸**Ela disse a Elias: "O que há entre mim e ti, homem de Deus? Vieste a mim para chamar-me a atenção para a minha transgressão e fazer o meu filho morrer." **¹⁹**Ele lhe disse: "Dê-me o seu filho." Ele o tomou dos braços dela, deitou-o sobre a sua cama **²⁰**e clamou a *Yahweh*, dizendo: "*Yahweh*, meu Deus, estás realmente trazendo aflição sobre a mulher com quem estou residindo, fazendo que seu filho morresse?" **²¹**Ele se deitou sobre o menino por três vezes e clamou a *Yahweh*: "*Yahweh*, meu Deus, que a respiração deste menino retorne ao seu corpo!" **²²***Yahweh* ouviu a voz de Elias, e a respiração do menino retornou ao seu corpo, e ele voltou a viver. **²³**Elias pegou o menino, levou-o do aposento superior da casa para baixo e o entregou à sua mãe. Elias disse: "Veja, o seu filho está vivo." **²⁴**A mulher disse a Elias: "Agora eu reconheço que tu és um homem de Deus. A palavra de *Yahweh* em tua boca é verdadeira."

Acabei de deletar um *e-mail* de uma aluna em cuja vida vi algo como um milagre alguns meses atrás. Ela havia sido diagnosticada com um tumor cerebral, e uma cirurgia de emergência foi imediatamente marcada para tentar removê-lo. Os cirurgiões não tinham plena certeza de que a remoção seria suficiente para curá-la, embora a sua mãe tenha afirmado na véspera da operação: "Há tantas pessoas orando sobre esse tumor que ele não tem a menor chance." Isso parecia, claro, palavras lançadas ao vento, pois a oração não funciona assim. No entanto, quando os cirurgiões a operaram, não encontraram nem sinal do tumor e ainda estão coçando a cabeça, na tentativa de achar uma explicação. Isso não prova que um milagre aconteceu; os médicos ainda estão presumindo que há uma explicação "natural" para o caso dela. Todavia, é sobremodo difícil para nós, que estivemos envolvidos, acreditar que o "desaparecimento" foi mero acaso.

Igualmente, é impossível provar que um milagre ocorreu ao filho da viúva; talvez o "milagre" esteja na coincidência temporal entre a ação de Elias e a recuperação espontânea do menino e o retorno de seu fôlego de vida. Não está claro se o menino estava à beira da morte ou se ele havia, de fato, morrido; no caso de ser a segunda hipótese, é melhor chamar o evento de ressuscitação do que de ressurreição, porque ele não foi elevado a um novo tipo de vida, a exemplo do que ocorrerá com Jesus, futuramente. Seja como for, você não encontrará a mãe do menino considerando a possibilidade de a recuperação de seu filho ter sido uma coincidência, do mesmo modo que a mãe de minha aluna não considera. Além disso, é uma história com elementos tipicamente humanos, pois ela não envolve anjos ou raios caindo do céu, nem mesmo corvos, mas farinha e óleo que, milagrosamente, nunca acabam. É fácil retratar isso acontecendo e imaginar as emoções humanas que a história descreve.

Como é típico do Antigo Testamento, o pessoal e o político se entrelaçam na história. O seu pano de fundo reside nos eventos presentes nos versículos finais do capítulo anterior. A exemplo de Salomão, Acabe encoraja relacionamentos políticos com Tiro, o grande poder situado a nordeste, por meio de seu casamento com Jezabel, uma das filhas do rei.

Isso o obriga a facilitar a prática da fé de sua esposa, com a construção de um **altar** ao **Mestre** e um **Aserá**, na nova capital que o seu pai havia construído. À luz das práticas políticas e religiosas do rei Acabe é que Elias declara que haverá um período de seca. Se não há chuva, nada cresce no campo, as pessoas não têm o que comer e morrem de inanição. Ainda, há certa lógica quanto a um profeta israelita declarar que haverá uma catástrofe que se expressará por meio dessa forma particular. Embora haja situações nas quais a ação prática mais importante que *Yahweh* pode realizar por Israel seja proteger e libertar a nação de seus inimigos (o êxodo e o mar de Juncos ilustram isso); no curso regular da vida, contudo, quando a situação política está mais estável, a ação mais importante que *Yahweh* pode fazer por Israel é assegurar que a nação receba chuva em quantidade necessária. A questão é: Israel pode confiar que *Yahweh* irá fazer isso? Povos como os **cananeus** locais e seus parentes a nordeste, os **fenícios**, de onde veio Jezabel, acreditavam que o Mestre era o deus que iria garantir a chuva. Ao facilitar o culto ao Mestre em Samaria, por essa ser a fé de sua esposa, o rei Acabe passava a impressão de esse ser o caso. Ainda, outras passagens bíblicas deixam claro que muitos (a maioria?) israelitas estavam, por via das dúvidas, preparados para proteger as suas apostas orando tanto ao Mestre quanto a *Yahweh*.

Portanto, Elias, como um servo de *Yahweh*, declara que não haverá chuva ou orvalho (durante os meses de verão, o orvalho é crucial para a colheita), exceto quando ele assim disser. Essa repentina declaração é notável de inúmeras maneiras. Do nada, Elias aparece na história, como um raio. Na verdade, essa espécie de profecia é ímpar, e o poder que ele assume é sem precedentes. O texto nada revela de seu histórico, exceto que vem do outro lado do Jordão. Quem Elias é como pessoa não importa, mas, sim, que ele é um **homem de Deus**, alguém divinamente usado. Nada conhecemos de seu chamado, muito menos a narrativa descreve Deus lhe dizendo que haverá um período de seca; ele é que declara isso. Elias é quase como os **ajudantes** divinos sobrenaturais que falam como se fossem uma espécie de encarnação de Deus. Na realidade, no encerramento do relato, a viúva declara não que agora ela sabe que *Yahweh* é Deus, mas que Elias é um homem de Deus, que verdadeiramente expressa uma palavra confiável do próprio Deus. Reconhecer Elias é reconhecer *Yahweh*.

Durante a seca, Deus irá prover Elias por meio de um riacho isolado, junto ao qual ele viverá e com o auxílio de algumas aves necrófagas. Todavia, um pequeno córrego (um curso d'água, que atravessa um vale ou uma ravina e pode se tornar cheio e caudaloso na estação de chuvas) pode secar temporariamente no verão e, certamente, durante uma seca. Decerto, Deus poderia ter providenciado água para Elias de modo especial, mas, em vez disso, Deus o faz sair do sudeste de **Efraim** e o envia ao extremo nordeste, para além de Efraim, até o território de Jezabel e de seu pai. Se você acreditasse em deuses territoriais, então, com certeza aquele seria o território dominado pelo Mestre. Desse modo, o fato de Elias ser o meio de levar a provisão de *Yahweh* a uma pessoa carente é também levar o conflito ao território inimigo e demonstrar que *Yahweh* é o verdadeiro Deus, tanto em Efraim quanto na Fenícia. A provisão da viúva ao profeta sugere um reconhecimento de que ele é alguém que representa *Yahweh* e que isso tem importância.

A necessidade de trazer o filho da viúva de volta à vida possibilitaria expressar esse ponto. Os cananeus e os israelitas também eram propensos a presumir que o Mestre era o senhor da vida e da morte, aquele que decidia quanto ao nascimento de crianças e sobre quem iria morrer ou viver. Ali, em pleno território do Mestre, Elias demonstra que *Yahweh* é quem detém esse poder. Não obstante, a história não enfatiza esse ponto e, no episódio em questão, foca o pessoal, não o político ou o religioso. Lá está uma mulher que se dedica a um servo de Deus e permite que um forasteiro, com seu Deus estranho, ocupe o seu quarto de hóspedes por ele necessitar de um lugar onde viver. Em seu coração, há dor e o instinto usual de pensar que Deus a está punindo quando tribulações entram em sua vida. Deus, realmente, fará o seu filho morrer? Na realidade, a resposta é sim, como, em geral, ocorrerá, mas, dessa vez, Deus não age assim, o que encoraja os israelitas a permanecerem abertos à possibilidade de o Deus que opera milagres dessa espécie operar um milagre para eles também.

1REIS **18:1-18**
SOBRE DAR A CÉSAR E DAR A DEUS

¹Após um longo período, a palavra de *Yahweh* veio a Elias, no segundo ano: "Vá e apresente-se a Acabe, e eu darei chuva sobre a face da terra." **²**Assim, Elias foi apresentar-se a Acabe. Ora, a fome era severa em Samaria, **³**e Acabe tinha convocado Obadias, que estava sobre a sua casa. (Obadias era alguém que reverenciava a *Yahweh* profundamente. **⁴**Quando Jezabel eliminou os profetas de *Yahweh*, Obadias reuniu cem profetas e os escondeu, cinquenta pessoas em cada caverna, e lhes providenciou comida e água.) **⁵**Acabe disse a Obadias: "Vá pelo país, a todas as nascentes de água e a todos os riachos. Talvez encontremos grama para podermos manter os cavalos e as mulas vivos e não ficarmos sem animais." **⁶**Dividiram a terra entre eles para a percorrer. Acabe seguiu o seu próprio caminho; Obadias seguiu o seu próprio caminho. **⁷**Obadias estava em seu caminho e, ali, Elias o encontrou. [Obadias] o reconheceu, prostrou-se com o rosto em terra e disse: "És tu mesmo, meu senhor Elias?" **⁸**Ele lhe disse: "Sou eu. Vá e diga ao seu senhor:

'Elias está aqui.'" **⁹**Ele disse: "O que eu fiz de errado para que entregues o teu servo ao poder de Acabe, para matá-lo? **¹⁰**Tão certo como *Yahweh*, o teu Deus, vive, não há nação ou reino aonde meu senhor não tenha enviado para te procurar. Quando dizem: 'Ele não está aqui', ele faz a nação ou o reino jurar que não conseguem te encontrar. **¹¹**Agora, estás dizendo: 'Vá e diga ao seu senhor: "Elias está aqui"', **¹²**e, quando eu te deixar, o espírito de *Yahweh* te carregará para algum lugar que eu não conheço, e, quando eu for e contar a Acabe e ele não te encontrar, ele me matará. Teu servo tem reverenciado a *Yahweh* desde a sua juventude. **¹³**Meu senhor, certamente, foi informado sobre o que fiz quando Jezabel matou os profetas de *Yahweh* e escondi uma centena de profetas de *Yahweh*, cinquenta em cada caverna, e lhes forneci pão e água. **¹⁴**Agora, estás dizendo: 'Vá e diga ao seu senhor: "Elias está aqui"', e ele me matará." **¹⁵**Elias disse: "Tão certo como *Yahweh* dos Exércitos vive, diante de quem estou [em assistência], eu aparecerei diante dele hoje." **¹⁶**Então, Obadias foi ao encontro de Acabe e lhe disse, e Acabe foi se encontrar com Elias. **¹⁷**Quando viu Elias, Acabe lhe disse: "É você mesmo, perturbador de Israel?" **¹⁸**Ele disse: "Eu não tenho perturbado Israel. Antes, você e a casa do seu pai têm, ao abandonar os mandamentos de *Yahweh* e seguir os Mestres."

Dois amigos meus trabalham em um país do Oriente Médio no qual é ilegal procurar as pessoas com o objetivo de levá-las a crer em Cristo. A posição deles é segura, pois ambos trabalham na igreja expatriada, localizada na capital, e é permitido que eles ministrem a cristãos ali. Igualmente, os cristãos têm permissão de adorar a Cristo na igreja. Bem, os ocidentais têm a proteção da lei, embora três cristãos locais tenham sido mortos por estarem pregando e/ou supostamente falando sobre Cristo a outras pessoas. De certo modo, espera-se que a alegação seja verdadeira. No entanto, os meus amigos seriam expulsos caso fossem flagrados abordando pessoas locais para convertê-las a Cristo. De alguma forma, eles precisam "dar a César o que é de César e a Deus o que é de Deus" e, ao fazer isso, ser "prudentes como as serpentes e simples como as pombas" (veja Mateus 10:16; 22:21).

Elias e Obadias precisam agir assim, e eles exemplificam duas maneiras de lidar com essa obrigação, pois ambos buscam provocar uma mudança radical em **Efraim**. Não é o caso de apenas um desses caminhos ser o correto; ambos podem ser eficazes, e aquele que você adotar pode refletir a sua própria personalidade, como também a sua vocação e a sua avaliação tática da situação. Elias (como a história está prestes a revelar) é um homem que não faz concessões, que não cede a temores ou pressões e que não faz prisioneiros. Obadias é, similarmente, um servo leal e comprometido com *Yahweh* **dos Exércitos**. Seu nome, na realidade, significa "aquele que serve *Yahweh*" (há um livro profético associado a um Obadias, mas a autoria parece ser de outro profeta com o mesmo nome, que viveu mais tarde). No entanto, ele tenta ser um servo de *Yahweh* que trabalha mediante as estruturas e as realidades políticas. Elias, por seu turno, simplesmente declara que o julgamento de Deus está próximo e que abandonou Acabe. A julgar por seu comportamento no presente relato, Elias não foi embora por estar preocupado com a própria segurança. Ele está mais que pronto para confrontar Acabe; ele era um **homem de Deus**, alguém que medita na palavra e na ação de Deus, e que abandonou Acabe. Isso significava o abandono do próprio Deus. O motivo de o rei Acabe tentar caçar Elias está relacionado a esse fato. Paradoxalmente, Acabe tanto reconhece quanto não reconhece o poder sobrenatural que Elias possui, isto é, o poder de parar a chuva. O rei não se submete a Elias e a seu Deus, mas também deseja impedir Elias de exercer aquele poder.

Em contraste, Obadias permaneceu em Samaria, trabalhando numa posição de grande responsabilidade como administrador do palácio e, ao mesmo tempo, tentando ser alguém que "reverencia a *Yahweh*", alguém que pode chamar Elias de seu "senhor", embora também chame Acabe de seu "senhor". Em certo sentido, trata-se de um posicionamento menos complexo; por outro, é mais complicado. É como se ele fosse uma espécie de agente duplo. Obadias é membro da corte do rei Acabe e obtém o seu salário desse cargo; ainda, ele está envolvido na tentativa de mitigar os efeitos da seca sobre Acabe e a sua administração — a seca causada pelo Deus a quem ele reverencia. (Quando a história fala sobre Acabe e Obadias seguirem o próprio caminho naquela missão, isso significa que eles estão separados um do outro; cada qual estará acompanhado de seu próprio grupo de colaboradores.) Contudo, Obadias esconde e protege uma centena de profetas quando o rei tenta capturá-los, o que requer certas habilidades organizacionais, além de certa bravura. Isso também abre uma janela para um cenário que, de outra forma, passaria despercebido. Existem centenas de profetas em Efraim, embora Jezabel tenha mandado matar muitos deles. Esses são, talvez, profetas que ofereciam conselhos e traziam a palavra de Deus a pessoas do povo, em situações rotineiras de sua vida, algo similar ao próprio Elias em seu relacionamento com a viúva de Sarepta. Descobriremos mais sobre eles por meio das histórias que envolvem Elias.

É o segundo ano — presumidamente, o segundo ano de seca. *Yahweh* e Elias oferecem evidências de que *Yahweh* é Deus e de que Elias é o profeta de *Yahweh* pela declaração de que não haveria chuva. E não tem havido chuva. Mas, caso você estivesse buscando um motivo para não dar ouvidos a Elias, poderia dizer que era apenas uma coincidência. Então, agora, Deus diz o oposto. Quando a palavra de Elias, uma vez mais, se cumprir, a evidência será ainda mais difícil de refutar. Em outras palavras, o motivo pelo qual a chuva voltará a cair não é porque Deus pensa que já basta de seca ou pela compaixão divina pelo povo (embora, sem dúvida, ele seja um Deus compassivo). A história é sobre mostrar quem Deus é aqui. Há um toque de humor para nós, mas, decerto, não para Obadias, pois, em relação a isso, Elias quer que Obadias arrisque-se a estragar o seu disfarce. Existe, aqui, uma reflexão incidental sobre a maneira de a profecia funcionar. Em nosso próprio tempo, às vezes, surgem pessoas fazendo pronunciamentos sobre desastres ocorridos, declarando ser aquele um ato de juízo divino por causa dos pecados naquela sociedade — caracteristicamente, as transgressões "favoritas" daquelas pessoas. O juízo de Elias é mais impressionante. Ele não diz, após a vinda de uma prolongada seca, que a tragédia era um ato de julgamento divino. Ele declara que haverá uma seca, e ela vem. Uma das razões é por ele não estar meramente prevendo a seca, mas a comissionando. Ele faz a seca acontecer. Isso é o que ele pode fazer como um homem de Deus. Eis por que, de fato, o rei Acabe precisa silenciá-lo.

Há outra peça do cenário que está por trás da história. Com frequência, retratamos o Israel dos dias de Elias, simplesmente, como uma nação que descendia do Israel dos dias de Moisés, permitindo "conversões" de alguns estrangeiros como Raabe e Rute e, talvez, a submissão de alguns povos como os gibeonitas, que enganaram Josué e dele receberam vistos de cidadania. Na verdade, não é preciso ler nas entrelinhas da história bíblica, de Josué até Reis, para ver que o povo que chegou em **Canaã**, vindo de fora, assimilou milhares e milhares de pessoas que já estavam lá. O problema é que a assimilação facilmente tomou outro rumo. Ao longo da história, a fé nativa de Canaã ameaça sobrepujar a fé de Moisés, e investigações arqueológicas confirmam esse fato com base nas evidências desenterradas da religião que era praticada em Israel. Para a maioria dos israelitas, a exortação de um profeta como Elias para eles adorarem apenas *Yahweh* se assemelharia a uma verdadeira revolução religiosa.

Os revolucionários são perturbadores e encrenqueiros, e é assim que o rei Acabe considera Elias, mas, claro, o profeta vê o rei exatamente da mesma forma.

1REIS **18:19–46**
HÁ MOMENTOS EM QUE VOCÊ DEVE ESCOLHER

19"Agora, mande reunir todo o Israel diante de mim no monte Carmelo, com os quatrocentos e cinquenta profetas do Mestre e os quatrocentos profetas de Aserá que comem à mesa de Jezabel." **20**Então, Acabe convocou todos os israelitas e reuniu os profetas ao monte Carmelo. **21**Elias aproximou-se de todo o povo e disse: "Por quanto tempo vocês irão hesitar entre duas posições? Se *Yahweh* é Deus, sigam-no. Se é o Mestre, sigam-no." Mas o povo não lhe respondeu palavra nenhuma. **22**Elias disse ao povo: "Eu sou o único profeta de *Yahweh* que resta. Os profetas do Mestre somam quatrocentos e cinquenta. **23**Assim, dois touros devem ser dados a nós. Eles podem escolher um touro para si, dividi-lo e colocá-lo sobre a madeira, mas não fazer um fogo. Eu prepararei o outro touro e o colocarei sobre a madeira, mas não farei um fogo. **24**Vocês invocarão o nome de seu deus; eu invocarei o nome de *Yahweh*. O Deus que responder por meio do fogo, esse é Deus." Todo o povo respondeu: "O que você diz é bom." **25**Elias disse aos profetas do Mestre: "Escolham um touro para vocês e o preparem primeiro, porque há muitos de vocês. Clamem em nome de seu deus, mas não façam um fogo." **26**Eles pegaram o touro que lhes foi dado, o prepararam e clamaram pelo nome do Mestre, de manhã até o meio-dia, dizendo: "Mestre, responde-nos", mas não houve som, nenhuma resposta. Eles pulavam sobre o altar que tinha sido feito. **²⁷**Ao meio-dia, Elias zombou deles: "Clamem mais alto, porque ele é um deus, porque ele está falando, ou fora, ou em uma jornada, ou, talvez, adormecido, e ele acordará." **²⁸**Assim, eles chamaram em voz alta e açoitaram-se, de acordo com seu costume, com espadas e lanças, até o sangue fluir sobre eles. **²⁹**Após passar o meio-dia, eles profetizaram até [o tempo para] apresentar a oferta [da tarde], mas não houve nenhum som, nenhuma resposta, ninguém prestando atenção. **³⁰**Então, Elias disse a todo o povo: "Aproximem-se de mim." Todo o povo aproximou-se dele, e ele reparou o altar demolido de *Yahweh*. **³¹**Elias apanhou doze pedras, de acordo com o número dos doze clãs dos filhos de Jacó (a quem a palavra de *Yahweh* tinha vindo: "Israel será o seu nome"). **³²**Ele construiu, com as pedras, um altar ao nome de *Yahweh* e fez uma vala, como um receptáculo para dois seás de sementes, em volta do altar. **³³**Ele depositou a madeira, cortou o touro e o colocou sobre a madeira. **³⁴**Ele disse: "Encham quatro potes com água e a derramem sobre a oferta queimada e sobre a madeira [...]." **³⁶**Na hora de apresentar a oferta [da tarde], o profeta Elias aproximou-se e disse: "*Yahweh*, Deus de Abraão, Isaque e Israel, que hoje seja reconhecido que tu és Deus em Israel, que sou teu servo e que por tua palavra tenho feito todas estas coisas. **³⁷**Responde-me, *Yahweh*, responde-me, para que esse povo possa reconhecer que tu, *Yahweh*, és Deus, e que fazes o espírito deles retornar para ti." **³⁸**Fogo de *Yahweh* caiu e consumiu a oferta queimada, a madeira, as pedras, o chão e lambeu a água na vala. **³⁹**Todo o povo viu, prostrou-se com o rosto em terra e disse: "*Yahweh*, ele é Deus. *Yahweh*, ele é Deus." **⁴⁰**Elias lhes disse: "Prendam os profetas do Mestre. Nenhum deles pode escapar." Eles os prenderam, e Elias os fez descer ao riacho de Quisom e lá os matou. **⁴¹**Elias disse a Acabe: "Suba, coma e beba, porque o som estrondoso é chuva [...]." **⁴⁶**A mão de *Yahweh* veio sobre Elias. Ele atou as suas roupas e correu à frente de Acabe até chegar a Jezreel.

O pontapé inicial da Copa do Mundo de futebol está prestes a ser dado na África do Sul, e acabei de receber uma carta sobre esse evento, de um amigo que está no Líbano. O Líbano não está entre os países classificados para disputar a Copa do Mundo, de modo que os libaneses escolhem times estrangeiros para os quais torcer e, então, hasteiam as respectivas bandeiras em seus automóveis. Esse meu amigo é norte-americano, e os Estados Unidos também não se classificaram para a Copa, mas a sua esposa é coreana de nascimento, e, assim, ficou fácil decidirem por qual país torcer. Eles compraram uma grande bandeira da Coreia para exibir no carro deles. Agora, enquanto isso acontece, também estou lendo um livro sobre o Oriente Médio, intitulado *The Media Relations Department of Hizbollah Wishes You a Happy Birthday* [O departamento de relações com a mídia do Hezbollah deseja a você um feliz aniversário]. Esse livro também relata escolhas que o povo do Líbano é obrigado a fazer, e, em certo sentido, essas escolhas parecem fáceis — ou melhor, as pessoas podem pensar que não têm muita escolha no tocante a qual comunidade pertencer ou quais ordens acatar. No entanto, as consequências das suas escolhas podem representar uma questão de vida ou morte. Em algumas situações, a decisão sobre qual religião seguir pode não cobrar um elevado preço, particularmente em um contexto ocidental, no qual a religião é um assunto da vida privada.

A decisão dos **efraimitas**, em 1Reis 19, era complexa, mais parecida com a dos libaneses atuais. (Ironicamente, o Líbano era a região de origem de Jezabel.) Na verdade, para os efraimitas constituía uma questão de vida ou morte. O início da história em questão parece deixar claro qual decisão eles precisam tomar. Elias declarou que um período de seca viria sobre o território porque o povo havia se afastado de **Yahweh**, não é mesmo? A nação sofre com uma seca, não sofre? Não é preciso ser um gênio para entender. No entanto, quando se está no meio da situação, as decisões parecem ser mais complicadas. Isso é verdadeiro para os envolvidos; pode parecer óbvio aos de fora o que eu deveria fazer em determinadas circunstâncias, mas isso não é tão evidente para mim. O mesmo pode ser aplicado às comunidades. Quando os Estados Unidos agonizavam por causa de seu sistema de saúde, a espécie de reforma necessária, em termos gerais, parecia óbvia ao resto do mundo, mas não ao povo norte-americano. É preciso estar inserido no pensamento de alguém para entender por que algo que tão cristalino e transparente a alguns parece um vidro embaçado para outros. Elias está encorajando Israel a confiar somente em *Yahweh* em prol de sua saúde, sua agricultura e sua segurança. Isso é contraintuitivo e contracultural.

Além do mais, existem todos aqueles outros profetas e seus respectivos ministérios, aos quais o povo está acostumado. A história ainda abre outra janela para uma realidade que passaria despercebida. Além das centenas de profetas de *Yahweh*, Efraim possui quatrocentos e cinquenta profetas que ministram em nome do **Mestre** e quase a mesma quantidade que ministra em nome de **Aserá**. Todos eles contam com patrocínio e apoio real; eles comem à mesa de Jezabel. É fácil pensar que os profetas, por definição, sejam servos de *Yahweh*, mas o Antigo Testamento reconhece que a profecia é um fenômeno que Israel compartilha com outros povos e com os devotos de outras religiões. Quando era necessário saber como alguma enfermidade poderia eclodir, o que fazer a respeito dela, ou o que teria acontecido a um animal que desapareceu, ou, ainda, por quanto tempo mais uma seca iria durar, havia centenas de pessoas com dons proféticos que poderiam ser capazes de descobrir o que o Mestre ou Aserá tinha a revelar sobre tal questão.

Assim, os efraimitas tinham duas opções. Eles podiam recorrer a *Yahweh* ou ao Mestre e Aserá. Elias exige que eles decidam. Trata-se de um exercício de adivinhação definir por que a competição ocorreu no monte Carmelo, a longa cordilheira que corre do sudeste a noroeste, do coração de Efraim até o Mediterrâneo. Talvez por ser uma região fronteiriça entre Efraim e a **Fenícia**, a terra de Jezabel. Relacionado a essa possibilidade está o fato de Elias ter edificado um **altar** de *Yahweh* ali, o que sugere que, outrora, havia um altar e que ele fora destruído — possivelmente quando o culto fenício passou a dominar aquela região.

Em certo sentido, Elias facilita a decisão ao povo. Com um deleite escatológico, ele demonstra que os profetas do Mestre não conseguem cumprir o seu desafio, mas ele sim. No verão, o Mestre parecia morrer; quando as chuvas voltavam, no outono, era um sinal de que ele voltara à vida. A automutilação dos profetas, então, é uma identificação com a morte do Mestre e busca trazê-lo de volta à vida. Pode-se recordar a sarcástica descrição dos deuses **babilônios** como necessitados do transporte de seus devotos; eu achei que Deus é que carregava você, Isaías 46 comenta.

Eu preferiria que Elias não tivesse matado todos aqueles profetas. Talvez Deus sinta o mesmo. A narrativa não diz que Deus instruiu Elias a fazer isso, nem expressa uma opinião direta sobre a sua ação. Igualmente, preferiria que Jesus não falasse sobre pessoas indo para o inferno, que seus doze alunos iriam julgar os doze clãs israelitas, que Jerusalém iria cair novamente, nem que ela tivesse caído no ano 70 d.C. No juízo, os Doze agirão como representantes de Cristo e, implicitamente, é como representante de Deus que Elias executa os profetas, da mesma forma que representava Deus quando declarou que haveria uma seca e, então, quando afirmou que a chuva cairia.

Ele age como um "**homem de Deus**", com poder e autoridade atemorizantes. (Ele precisaria de algum poder estranho para executar os quatrocentos profetas.) Não era uma ação que os profetas normalmente faziam, assim como não era usual da parte de Deus. Essa foi uma ocasião extraordinária, a exemplo do massacre dos **cananeus**, em Josué, ou dos efraimitas, quando Samaria caiu, ou ainda dos judaítas, com a queda de Jerusalém, da qual leremos adiante, nesse livro.

Há ocasiões em que Deus diz "Basta" e adota uma ação radical. O relato em questão configura uma dessas ocasiões. Como as advertências de Jesus sobre o inferno, a história objetiva nos causar horror e nos faz encarar as possíveis consequências da escolha errada sobre seguir ou não o verdadeiro Deus, que se revelou a nós.

O encerramento da história mostra Elias continuando a manifestar o poder sobrenatural de um homem de Deus. Ele sabe que a chuva está vindo e corre de volta a Jezreel mais rápido do que o rei Acabe é capaz.

1REIS **19:1-21**
O MURMÚRIO DE UMA BRISA SUAVE

¹Quando Acabe disse a Jezabel tudo sobre o que Elias tinha feito e tudo sobre a maneira pela qual ele tinha matado todos os profetas à espada, **²**Jezabel enviou um ajudante a Elias, dizendo: "Que os deuses façam assim e eles façam mais se a esta hora, amanhã, eu não fizer com a sua vida o que fez com a deles." **³**Ele ficou com medo, levantou-se e saiu para salvar sua vida. Em Berseba, que pertence a Judá, ele deixou o seu rapaz **⁴**e entrou no deserto, em uma jornada de um dia. Ele chegou, sentou-se debaixo de uma giesta e pediu por sua vida, para que pudesse morrer. Ele disse: "É demasiado. Tire a minha vida agora, *Yahweh*, porque não sou melhor que os meus ancestrais." **⁵**Ele se deitou e dormiu debaixo de uma giesta.

E ali um ajudante ficou tocando nele e dizendo: "Levante-se e coma." **⁶**Ele olhou, e eis, junto à sua cabeça, um pão assado sobre brasas e um pote de água. Ele comeu, bebeu e deitou-se novamente. **⁷**O ajudante de *Yahweh* voltou uma segunda vez, o tocou e disse: "Levante-se e coma, porque a jornada é demasiada para você." **⁸**Ele se levantou, comeu, bebeu e seguiu, na força daquela comida, quarenta dias e quarenta noites, até chegar à montanha de Deus, Horebe.

⁹Ele chegou a uma caverna e passou a noite ali. Então, a palavra de *Yahweh* veio a ele. Ele lhe disse: "O que você está fazendo aqui, Elias?" **¹⁰**Ele disse: "Tenho sido muito dedicado a *Yahweh*, o Deus dos Exércitos, porque os israelitas abandonaram a tua aliança. O teu altar, eles demoliram; os teus profetas, eles mataram à espada. Sou o único que restou, e eles estão procurando tirar a minha vida." **¹¹**Ele disse: "Sai e fique na montanha diante de *Yahweh*." E, então, um vento grande e forte estava passando, dividindo as montanhas e quebrando os rochedos diante de *Yahweh* (*Yahweh* não estava no vento). Depois do vento, um terremoto (*Yahweh* não estava no terremoto); **¹²**depois do terremoto, um fogo (*Yahweh* não estava no fogo); e, depois do fogo, o murmúrio de uma brisa suave. **¹³**Quando Elias ouviu isso, ele envolveu o rosto em sua capa, saiu e parou à entrada da caverna. E, ali, uma voz veio a ele e disse: "O que você está fazendo aqui, Elias?" **¹⁴**Ele disse: "Tenho sido muito dedicado a *Yahweh*, o Deus dos Exércitos, porque os israelitas abandonaram a tua aliança. O teu altar, eles demoliram; os teus profetas, eles mataram à espada. Sou o único que restou, e eles estão procurando tirar a minha vida." **¹⁵***Yahweh* lhe disse: "Vá, retorne pelo caminho em que você veio, para o deserto de Damasco. Quando você chegar lá, unja Hazael como rei de Aram. **¹⁶**Unja também Jeú, filho de Ninsi, como rei sobre Israel e unja Eliseu, filho de Safate, de Abel-Meolá, como profeta em seu lugar. **¹⁷**A pessoa que escapar da espada de Hazael, Jeú a matará. A pessoa que escapar da espada de Jeú, Eliseu a matará.

> **¹⁸**Mas deixei em Israel sete mil, todos os joelhos que não se curvaram ao Mestre e toda boca que não o beijou."
>
> **¹⁹**Então, ele saiu de lá e encontrou Eliseu, filho de Safate. Ele estava arando com doze parelhas [de bois] adiante dele; ele estava com a décima segunda. Elias foi até ele e jogou a sua capa sobre ele. **²⁰**[Eliseu] abandonou os animais, correu atrás de Elias e disse: "Eu apenas irei beijar o meu pai e a minha mãe e te seguirei", mas ele lhe disse: "Volte, porque o que eu fiz a você?" **²¹**Ele voltou atrás de segui-lo, pegou a sua parelha de bois e os matou. Com o equipamento dos bois [como lenha] ele os cozinhou [como] a carne e a deu ao povo, e eles comeram. Então, ele se levantou, seguiu Elias e ministrou a ele.

Tenho a propensão de pensar que nada do que faço na tentativa de cumprir a minha vocação alcança alguma coisa. Minha vocação é ajudar pessoas a compreender o Antigo Testamento e deixá-lo moldar o seu pensamento e a sua vida. Sou passionalmente comprometido com essa missão e quero prosseguir buscando cumpri-la em vez de me aposentar e passar mais tempo andando de bicicleta pelo calçadão, mas sinto-me inclinado a pensar que sou um total fracasso. Isso não se deve à minha incompetência, mas porque as probabilidades de as pessoas ignorarem o Antigo Testamento são altas, especialmente em nossa cultura ao longo das últimas décadas. Nada do que eu faço, como escrever todos esses comentários ou ter quatrocentos ou quinhentos alunos em minhas aulas todos os anos, consegue fazer uma diferença significativa. Isso suscita a questão do por que sigo em busca de cumprir essa vocação e creio que a resposta está inserida na própria indagação. É a minha vocação.

Assim sendo, em minha microscópica posição, identifico-me com Elias quando ele chega à conclusão de que a sua obra como profeta é um fracasso absoluto; e a maneira de Deus lidar comigo sobrepõe-se à forma de Deus falar com Elias. De tempos em tempos, Deus leva algum graduando a me enviar um *e-mail*, descrevendo como ele ou ela está dirigindo um grupo de estudo bíblico em, digamos, Salmos, à luz da forma pela qual os estudamos em sala de aula e como isso tem revolucionado a oração dos membros do grupo. Elias está inclinado a ver as coisas mais sombrias do que elas são e pensar que é o único profeta (ou a única pessoa?) que resta leal a **Yahweh**. Será por ele saber confrontar um homem como o rei Acabe, mas não uma mulher como Jezabel?

Seja como for, ele foge para salvar a sua vida. A jornada até Berseba, a fronteira efetiva de Judá ao sul, duraria alguns dias. Será que o seu jovem assistente chegou ao seu limite lá? Este não parece ser o caso de Elias, mas ele sabe para onde está indo? Ou está seguindo sem direção? Após outro dia, ele se detém para respirar pela primeira vez e fala com Deus também pela primeira vez. Para seu desespero, Deus não lhe responde, exceto para lhe providenciar alimentação. Em algum momento, Elias começa a viajar pelo deserto por algumas semanas, até chegar ao lugar no qual, muito tempo atrás, Deus havia aparecido a Moisés. Essa é a única ocasião, no texto bíblico, na qual alguém faz essa peregrinação. A intenção de Deus é lidar com Elias ali e, para isso, providencia o sustento do profeta. Em quase todas as teorias sobre a localização do monte Sinai ou monte Horebe (ambos os nomes são usados no Antigo Testamento), não seriam necessários quarenta dias literais para chegar lá, mas esse número possui um significado simbólico, pois foi o tempo que Moisés passou no monte Sinai.

Ali, Deus aparece a Elias e, gentilmente, lhe indica que ele não é a única pessoa leal que resta. Talvez não tão gentilmente assim. A maneira pela qual Deus fala a Elias envolve vento, terremoto, fogo e, por fim, um suave murmúrio de brisa. A *Revista e Corrigia Fiel* apresenta "uma voz calma e baixa", todavia a expressão é mais elusiva do que essa tradução implica. A história não afirma que Deus está nesse murmúrio suave, embora comente que ele não está no vento, no terremoto e no fogo. O ponto da história em relação a isso é evitar que identifiquemos Deus com o terremoto, o vento e o fogo, como o leitor seria tentado a fazer. O Antigo e o Novo Testamentos seguirão afirmando que Deus é o Deus do terremoto, do vento e do fogo, e, para Elias, eles reafirmam o poder e a força de seu Deus, que ele corre o risco de esquecer (igualmente, o Antigo e o Novo Testamentos não mais retratarão Deus falando por meio do murmúrio de uma brisa suave). Elias recupera a certeza de que Deus ainda é o mesmo Deus que apareceu a Moisés e aos israelitas no Sinai.

Após estabelecer esse fato, Deus tem uma tripla comissão a Elias. Uma delas é que ele deve ungir um novo rei em **Efraim** em substituição a Acabe. Isso não surpreende, pois Acabe, claramente, testou a longanimidade divina ao máximo, e Deus irá repetir um padrão ao qual já estamos familiarizados. Deus havia comissionado um profeta para revelar a Jeroboão que ele colocaria um fim na **autoridade** de Roboão em Efraim, tinha contado à esposa de Jeroboão que pretendia terminar o governo da casa de Jeroboão ali, e igualmente designou um profeta para dizer a Baasa que ele também seria substituído. Agora, Deus instrui a unção do primeiro rei de outra linhagem.

Acompanhando essa unção, no entanto, há duas outras unções surpreendentes. A primeira é sobre um novo rei em **Aram**, a região situada a nordeste, aproximadamente equivalente à moderna Síria. Esse ato de Elias significa que *Yahweh* não é meramente um deus local, com poder apenas em Israel. *Yahweh* é Deus em escala internacional. Essa é uma convicção que será central no ensino dos profetas posteriores. A maneira pela qual a história se desenvolve está relacionada com o que Deus está fazendo em Israel. A má notícia, no contexto em questão, é que Aram será o maior perturbador de Israel por um século ou dois.

Além disso, Elias deve ungir Eliseu como o seu sucessor. Isso é igualmente estranho, pois os profetas não são ungidos. A unção é uma cerimônia pela qual a comunidade separa um sacerdote ou um rei e o designa como detentor de autoridade dada por Deus. Apenas aqui e em Isaías 61 há menção a um profeta sendo ungido. É como se Deus falasse metaforicamente, pois, na realidade, Elias jamais unge alguém. Ele, de fato, designa Eliseu como seu sucessor e, assim, dá início a uma cadeia de eventos mediante a qual Hazael se torna rei de Aram e Jeú ascende ao trono de Efraim; Eliseu é que comissiona Hazael, do mesmo modo que ele mesmo comissiona outros profetas a ungir Jeú.

1REIS 20:1—21:7
NO MUNDO E TAMBÉM DO MUNDO

¹Ora, Ben-Hadade, o rei de Aram, reuniu todo o seu exército; trinta e dois reis estavam com ele, com seus cavalos e suas carruagens. Ele subiu, sitiou Samaria e guerreou contra ela. ²Ele enviou ajudantes à cidade de Acabe, o rei de Israel, ³e lhe disse: "Ben-Hadade disse isto: 'A sua prata e o seu ouro são meus; as suas adoráveis esposas e filhos são meus.'" ⁴O rei de Israel replicou: "De acordo com a tua palavra, meu senhor e rei, eu e tudo o que tenho somos teus [...]." ¹³Mas certo profeta aproximou-se de Acabe, rei de Israel, e disse: "*Yahweh* disse isto: 'Vê essa grande força? Ora, eu a estou dando em suas mãos hoje, e você reconhecerá que eu sou *Yahweh* [...].'" ¹⁵Então, ele mobilizou os jovens dos oficiais provinciais (eles eram duzentos e trinta e dois) e, depois deles, mobilizou toda

a companhia, todos os israelitas (sete mil), **¹⁶**e eles saíram ao meio-dia. Ben-Hadade estava se embriagando nas tendas, ele e os trinta e dois reis que o apoiavam. [...] **²⁰ᵇ**Os arameus fugiram, e os israelitas os perseguiram. Ben-Hadade, rei de Aram, escapou a cavalo, assim como a cavalaria. [...] **²²**Mas o profeta aproximou-se do rei de Israel e lhe disse: "Vá, fortaleça-se, descubra e veja o que você deve fazer, porque na virada do ano o rei de Aram irá subir novamente contra você."

[Os versículos 23-43 relatam como Acabe obtém outra vitória contra Aram, apesar de todos os prognósticos desfavoráveis, mas um profeta o condena por estabelecer um tratado de paz com Ben-Hadade.]

CAPÍTULO 21

¹Algum tempo depois, Nabote, o jezreelita, tinha uma vinha em Jezreel, próxima ao palácio de Acabe, rei de Samaria. **²**Acabe falou a Nabote: "Dê-me a sua vinha para que ela possa ser a minha horta, porque ela está ao lado da minha casa. Em seu lugar, lhe darei uma vinha melhor; [ou] se for bom aos seus olhos, eu lhe darei o preço em prata." **³**Mas Nabote disse a Acabe: "*Yahweh* me proíba de lhe dar a posse de meus ancestrais." **⁴**Acabe chegou em casa ressentido e irado por causa da palavra que Nabote tinha lhe falado. [...] Ele se deitou em sua cama, virou o rosto e não comeu nada. [...] **⁷**Jezabel, sua esposa, lhe disse: "Você deve exercer o seu reinado sobre Israel agora. Levante-se e coma algo. Anime-se. Eu mesmo lhe darei a vinha de Nabote, o jezreelita."

Estou me preparando para a força-tarefa que se reunirá na próxima semana para discutir o uso da Bíblia na Comunhão Anglicana mundial. O encontro será complicado porque incluímos membros da Igreja Episcopal nos Estados Unidos, bem como pessoas que a deixaram e formaram uma Igreja

Anglicana alternativa em solo norte-americano. A última inclui inúmeras paróquias próximas à minha residência, e esse desenvolvimento tem levado a julgamentos em tribunais extremamente dispendiosos para decidir se os edifícios da igreja pertencem à Igreja Episcopal ou se as paróquias que deixaram a instituição podem ficar com as instalações que usavam. Bem, é muito fácil aceitar que divisões e dissensões estejam ocorrendo na igreja; tem sido assim desde os primórdios da história eclesiástica, mas parece algo estranho quando cristãos levam outros às barras dos tribunais para resolver essa questão (como Paulo observa em 1Coríntios 6). Como devemos viver no mundo como povo de Deus?

O pobre rei Acabe não tem a menor ideia quanto a essa questão. Na verdade, ele parece desinformado e ponto final. Ele é uma figura trágica, como o capitão do romance *Moby Dick*, que carrega o mesmo nome do rei. No caso do israelita, ele é rei porque o seu pai era rei; essa era a única qualificação que ele precisava apresentar. O problema é que a sua monarquia não é nominal, a exemplo das modernas monarquias europeias. Ele exerce um poder real e tem de tomar decisões reais. Por ele ser rei em Israel, espera-se que ele tome tais decisões à luz da realidade do relacionamento de Deus com Israel, mas ele também deve tomá-las à luz do fato de que ele e o seu povo vivem no mundo material e visível, ao lado de outros reis e povos e entrelaçado com eles. Espera-se que ele viva no mundo, mas não pertença ao mundo. Todavia, esse é um desafio sobremodo elevado.

Ainda mais quando se tratava de uma guerra. Sabemos, do capítulo 19, que os dias de Ben-Hadade estão contados, e, quando ele aparece no início do capítulo 20, a nossa reação é esperar que a história nos conte como a declaração de Deus sobre ele se cumpre, isto é, como ele perde o trono e a vida. Se é assim que as coisas devem supostamente funcionar, Acabe evita que elas assim ocorram. Igualmente, sabemos que os dias do rei Acabe também estão contados e poderíamos, da mesma forma (ou alternativamente), esperar que o ataque de Ben-Hadade contra Samaria fosse o meio pelo qual Deus castigaria Efraim pela apostasia à qual Acabe levou o povo. A surpreendente e boa notícia para o rei efraimita é que isso não acontece. Ben-Hadade vem de **Aram** na companhia de um grupo de reis que representam o seu império (em nossos termos, eles seriam como os prefeitos das cidades) e insiste na rendição de Acabe. O rei de Efraim não se importa em abrir mão de sua prata e de seu ouro, nem mesmo de suas melhores esposas e filhos (!), mas, então, Ben-Hadade faz mais exigências. Acabe queixa-se disso ao seu povo, e este o encoraja a permanecer firme. Ele o faz esplendidamente com um desafio, indicando que gabar-se da vitória quando se está cingindo a espada à cintura é uma coisa, mas gabar-se quando se está soltando a espada da cintura (isto é, quando a batalha está ganha) é outra. Um profeta transmite a Acabe a promessa de Deus quanto a entregar o exército de Ben-Hadade em suas mãos e lhe revela o plano para a vitória que Acabe implementa.

O profeta retorna e adverte o rei Acabe de não relaxar, mas ficar preparado para outro ataque. Dessa vez, Ben-Hadade comete o erro de caluniar *Yahweh*: "Eles nos venceram porque lutamos nas montanhas, no território do deus deles." Como de costume, faltava aos israelitas o equipamento militar sofisticado de seus oponentes, mas, em território montanhoso, essa sofisticação bélica não fazia tanta diferença. Ben-Hadade considera isso como um fato de importância teológica. *Yahweh* não será capaz de vencer assim na planície. Portanto, é para território plano que ele atrai os efraimitas na próxima vez. Um **homem de Deus** assegura a Acabe que *Yahweh*, obviamente, terá de mostrar a Ben-Hadade que ele está equivocado. Os israelitas obtêm uma vitória avassaladora, mas, então, Acabe se comporta de uma forma que nós aprovaríamos, mas que Deus desaprova. Generoso na vitória, Acabe declina de matar Ben-Hadade e ainda estabelece uma **aliança** com ele. Isso faz soar alguns alarmes. Em outra ocasião, Asa, o rei judaíta, fez uma aliança ou um tratado com Ben-Hadade (veja o capítulo 15). Provavelmente, trata-se de outro Ben-Hadade; o nome é mais um título do que um nome pessoal, mas as questões são as mesmas. O que Efraim está fazendo, como um povo que supostamente pertence a *Yahweh*, o Deus de Israel, ao estabelecer uma aliança com um rei de Aram? "Porque você libertou o homem que eu pretendia que fosse '**devotado**', a sua vida se tornará uma substituta da vida dele, e o seu povo, do povo dele." Acabe está se comportando de uma forma politicamente precisa e civilizada, mas isso significa seguir o modo de vida do mundo, estar no mundo e também ser do mundo. Portanto, devidamente repreendido, ele volta para o seu palácio, ressentido e irado. Afinal, ele estava apenas fazendo o seu melhor, na maneira mais sábia possível.

Em breve, ele terá mais motivos para alimentar o seu ressentimento e a sua ira. Sem comparação com os padrões ocidentais, Israel possui uma visão revolucionária no tocante à propriedade. A terra pertence a Deus; afinal, ele a fez, a criou. Os seres humanos não podem possuir a terra; eles não podem comprá-la nem vendê-la. Como o proprietário da terra, Deus está sempre disposto a permitir que as pessoas façam uso dela. Na verdade, Deus está desejoso de fazer isso; ele criou a humanidade para servir à terra. Deus faz isso em macroescala, alocando o território a diferentes nações. No caso de Israel, Deus, então, faz essa alocação em uma escala menor, ao demandar que Israel distribua a terra entre os doze clãs por sorteio — esse é um meio de deixar Deus tomar as decisões. A seguir, é legado aos clãs individuais distribuir a terra entre os seus grupos de parentesco e famílias. Pode-se ver que esse sistema de distribuição funciona bem quando as pessoas estão espalhadas pelo território sem possuir um poder central, mas, assim que esse governo centralizado é instituído e as cidades são estabelecidas, as coisas se tornam mais complexas. Quando o governo necessita de terras, ele precisa reivindicar o "domínio eminente" (nos Estados Unidos), ou fazer uma "compra compulsória" (na Grã-Bretanha), ao mesmo tempo que dá aos donos uma compensação apropriada pela perda de sua terra para o bem da nação como um todo. Acabe faz essa suposição. O problema é que Nabote é da velha guarda. A vinha que seria conveniente ao rei adquirir tem pertencido à família de Nabote por gerações, e uma outra vinha, igualmente boa e produtiva, não seria a mesma coisa. Duas cosmovisões estão em franco confronto. Uma vez mais, Acabe quer viver no mundo alicerçado nas presunções que, regularmente, ele obtém do próprio mundo. Como pode ele gerir uma administração eficiente se não é capaz de fazer decisões estratégicas nem mesmo em relação à propriedade que ladeia o palácio? Ele não sabe como lidar com o comportamento de Nabote, mas, felizmente, ele tem uma esposa que sabe muito bem o que fazer.

1REIS **21:8-29**
A CAPITAL DA CORRUPÇÃO

8[Jezabel] escreveu documentos em nome de Acabe, lacrou-os com o selo dele e os enviou aos anciãos e aos cidadãos que viviam na cidade com Nabote. **9**Ela escreveu nos documentos: "Convoquem um jejum e ponham Nabote sentado à frente do povo **10**e dois homens inúteis sentados na frente dele.

Eles devem testificar contra ele: 'Você insultou a Deus e ao rei.' Então, levem-no para fora e o apedrejem até a morte." **¹¹**Os homens da cidade, os anciãos e cidadãos que viviam em sua cidade fizeram como Jezabel lhe ordenou. [...] **¹⁴**Eles enviaram a Jezabel: "Nabote foi apedrejado até a morte." **¹⁵**Quando Jezabel ouviu que Nabote tinha sido apedrejado até a morte, disse a Acabe: "Levante-se, tome posse da vinha de Nabote, o jezreelita, que ele lhe recusou dar por prata, porque Nabote não está vivo. Ele está morto [...]." **¹⁷**Mas a palavra de *Yahweh* veio a Elias, o tesbita: **¹⁸**"Levante-se, desça para encontrar-se com Acabe, rei de Israel, que está em Samaria. Ele está na vinha de Nabote, à qual desceu para dela tomar posse. **¹⁹**Diga-lhe: '*Yahweh* disse isto: "Você assassinou e, então, tomou posse?"' Diga-lhe: '*Yahweh* disse isto: "No lugar onde os cães lamberam o sangue de Nabote, eles lamberão também o seu sangue."'" **²⁰**Acabe disse a Elias: "Você me encontrou, meu inimigo?" Ele disse: "Eu o encontrei, porque você se vendeu para fazer o que é errado aos olhos de *Yahweh*. **²¹**Agora, eu irei trazer aflição sobre você. Irei consumi-lo e cortarei de Acabe aqueles que urinam contra a parede (preso ou livre) em Israel. **²²**Farei a sua casa como a casa de Jeroboão, filho de Nebate, e a casa de Baasa, filho de Aías, pela provocação que você ofereceu. Você fez Israel pecar.' **²³***Yahweh* também falou sobre Jezabel: 'Os cães comerão Jezabel junto à muralha de Jezreel. **²⁴**A pessoa que pertencer a Acabe e que morrer na cidade, os cães comerão; a pessoa que morrer em campo aberto, as aves dos céus comerão [...].'" **²⁷**Quando Acabe ouviu essas palavras, ele rasgou as suas roupas, colocou pano de saco sobre o seu corpo e jejuou. Ele dormiu sobre panos de saco e ficou em silêncio. **²⁸**A palavra de *Yahweh* veio a Elias, o tesbita: **²⁹**"Você viu que Acabe curvou-se diante de mim? Porque ele se curvou diante de mim, eu não trarei a aflição em seus dias. Nos dias de seu filho, eu trarei a aflição sobre a sua casa."

Sentado no banco do metrô, a caminho de casa, ontem à noite, ouvi, por acaso, uma conversa entre dois jovens sobre os candidatos em nossa próxima eleição governatorial. Um deles lamentava o fato de o único motivo de as pessoas entrarem na política é para ganhar dinheiro e que os políticos desperdiçam grande parte de seu tempo enganando a nós, pessoas comuns, por meio de impostos para levantar recursos que serão gastos em projetos prestigiosos, mas que pouco beneficiam a população em geral. Isso fez-me lembrar de um ou dois artigos que proclamaram esta ou aquela cidade como a capital da corrupção dos Estados Unidos. A corrupção, com frequência, envolve políticos e a manipulação das eleições, mas o objetivo principal é o dinheiro.

Pela narrativa, não fica claro se Acabe mudou a capital para Jezreel, e ele ainda é descrito como: "Acabe, rei de Israel, que está em Samaria", mas, evidentemente, ele possui um palácio em Jezreel, no vale fértil e amplo, situado no centro de **Efraim**. Seja ela a capital oficial ou não, agora Jezreel recebe o título de capital da corrupção daquela nação. A reação quase infantil de Acabe pela recusa de Nabote em lhe vender a sua vinha sugere que ele seja uma figura sobremodo patética, cuja falta de noção contrasta com a capacidade de sua esposa em fazer as coisas acontecerem. Talvez não seja mera coincidência que Elias não tenha expressado temor algum por Acabe, mas tenha fugido para salvar a sua vida quando Jezabel declarou a intenção de tratá-lo da mesma forma que ele tratou os profetas do **Mestre**. De fato, pode ser fácil a um homem saber lidar com outro homem poderoso, mas não é tão simples assim lidar com uma mulher poderosa. Além disso, por ser **fenícia**, Jezabel considera como certas algumas crenças sobre o relacionamento entre religião e política que contrastam com aquelas cridas pelos israelitas, bem como com outras crenças muito comuns nas demais culturas. A exemplo de muitos britânicos e norte-americanos, a rainha presumia haver uma relação íntima entre o seu compromisso religioso e a sua identidade nacional ou política. A ideia de distinguir compromisso com César e compromisso com Deus parecia estranha. O Mestre designava o governo da nação ao rei; este servia ao Mestre, ou (no caso de Acabe) a *Yahweh* — para a rainha não fazia diferença chamar Deus de "o Mestre" ou "*Yahweh*". Seja como for, a insistência de Nabote em manter a posse de sua propriedade quando o rei precisava dela representava uma resistência ao fundamento religioso e político que sustentava a nação. Ao mesmo tempo, Jezabel obviamente reconhecia a tensão entre a sua religião e as suas premissas políticas e aquelas reconhecidas pela sociedade de seu marido. Esse é o motivo pelo qual ela precisa descobrir uma forma de colocar Nabote em seu devido lugar para que tudo funcione segundo as suas premissas.

Os anciãos seriam os cabeças das famílias residentes na cidade; os cidadãos incluíam os demais homens adultos nessas famílias, com exceção de servos, empregados e estrangeiros residentes. Essas pessoas, provavelmente, deveriam ser mais comprometidas com o modo israelita de ver aquelas relações do que com o modo fenício de Jezabel, e a história não esclarece se ela confidenciou a eles que as suas testemunhas eram mentirosas. Todavia, o significado aparente da história é que ela, de fato, podia confiar neles e que ela precisava apenas que eles conspirassem para convocar um falso tribunal. Desse modo, ela apela ao compromisso nominal da comunidade, mas sabe que nenhum líder da cidade confirma realmente esse comprometimento. Ela apenas precisa contratar duas pessoas que testemunhem em seu benefício (duas testemunhas porque essa é a exigência de Deuteronômio 17:6). Claro que isso não é difícil em uma cidade que deseja ser a capital da corrupção da nação. Parte da inteligência maligna da ação de Jezabel é que o rei pode legitimamente tomar posse de uma propriedade pertencente a um homem executado por blasfêmia, de maneira que essa é a acusação que precisa ser feita contra Nabote. A sua ação significa que ele não é mais considerado parte de Israel e que a sua terra pode ser confiscada. Como consequência colateral, a sua família perderá a propriedade e será jogada nas ruas.

O problema é que Efraim não é uma nação comum. Ela é parte de Israel como povo de Deus, parte do povo de *Yahweh*, um povo especial a Deus. Ele não envia profetas a capitais da corrupção na Grã-Bretanha ou nos Estados Unidos porque elas não ocupam um lugar especial no propósito de Deus (embora, claro, Deus espere que a igreja opere profeticamente). Portanto, Deus envia um profeta ao rei Acabe.

Uma característica do juízo anunciado por Deus é a existência de uma espécie de justiça poética nele. O sangue de Acabe será derramado exatamente no local onde o sangue de Nabote foi derramado. O ponto sobre o julgamento divino é restaurar a situação quando as coisas saem dos eixos, para restabelecer o equilíbrio, e o juízo em questão cumprirá isso de uma forma visível, para que todos sejam reassegurados de que Deus age para corrigir as coisas. Uma segunda característica é que há uma consistência quanto ao juízo divino; ele não é arbitrário. Há um padrão quanto à liderança de Jeroboão, Baasa e Acabe e haverá, igualmente, um padrão no julgamento sobre eles. Esse ponto é enfatizado pelo uso recorrente de palavras presentes nas declarações de juízo anteriores — na maneira pela qual os males são descritos e nas referências a cães necrófagos comendo os corpos de pessoas sobre as quais o juízo de Deus veio.

Novamente, o rei Acabe exibe a sua fraqueza, embora, dessa vez, essa demonstração atue em seu benefício. Jezabel é uma mulher que controla a sua mente. Ela sabe a quem serve, e Acabe pode ser puxado para um lado ou para o outro; Elias o puxa para o lado de *Yahweh*. O profeta não o encoraja a arrepender-se e não indica, de forma alguma, que há meios de o rei escapar do julgamento divino que Elias mesmo declara ser iminente. Todavia, a história pressupõe algo fundamental sobre como a profecia funciona. Quando Deus declara que algo está prestes a ocorrer, isso não significa, necessariamente, que irá ocorrer; tudo depende da reação das pessoas ao que Deus diz. Em certo sentido, as palavras de Elias levaram o rei Acabe a cair em si, e isso propicia a Deus um motivo para exercer misericórdia, que sempre conta com a preferência divina. Deus pode continuar a ser longânimo.

O arrependimento de Acabe não apaga as atitudes e práticas toleradas e incentivadas por ele e por seus predecessores em Efraim. Elas permanecerão, e o juízo, no devido tempo, recairá sobre a casa do rei Acabe (leremos sobre isso em 2Reis 9). A implicação não é que o filho será punido pelas transgressões do pai, independentemente da posição do filho. Caso o filho se arrependa, então a profecia pode ser rescindida novamente. Mas os atos dos pais tendem a modelar e influenciar os seus filhos, e é nesse sentido que os pecados dos pais são visitados em seus filhos.

1REIS **22:1-23**
QUEM INSTIGARÁ O REI ACABE?

¹Eles permaneceram durante três anos sem guerras entre Aram e Israel. **²**No terceiro ano, Josafá, o rei de Judá, desceu ao rei de Israel. **³**O rei de Israel tinha dito aos seus servidores: "Vocês sabem que Ramote-Gileade pertence a nós, mas estamos nos detendo de retirá-la da mão do rei de Aram?" ⁴Ele disse a Josafá: "Irás comigo batalhar em Ramote-Gileade? [...]" ⁵Josafá disse ao rei de Israel: "Inquire, hoje, a palavra de Deus." ⁶Então, o rei de Israel reuniu os seus profetas, cerca de quatrocentos indivíduos, e lhes disse: "Devo subir a Ramote-Gileade para batalhar ou desistir?" Eles disseram: "Sobe, e *Yahweh* a entregará nas mãos do rei." ⁷Mas Josafá disse: "Há algum outro profeta de *Yahweh* aqui para que eu possa inquiri-lo?" ⁸O rei de Israel disse a Josafá: "Há um outro homem para inquirir de *Yahweh*, mas eu o repudiei porque ele não profetizou o bem para mim, mas aflição — Micaías, filho de Inlá." Josafá disse: "Não diga isso, Vossa Majestade." ⁹Então, o rei de Israel chamou um oficial e disse: "Apresse Micaías, filho de Inlá, para vir aqui." ¹⁰O rei de Israel e Josafá, rei de Judá, estavam sentados, cada um em seu trono, vestidos em seus mantos, no espaço aberto à porta de entrada de Samaria, e todos os profetas estavam profetizando diante deles. ¹¹Zedequias, filho de Quenaaná, fez para si chifres de ferro e disse: "*Yahweh* disse isto: 'Com estes, irás chifrar Aram até exterminá-los.'" ¹²Todos os profetas estavam profetizando dessa maneira, dizendo: "Sobe a Ramote-Gileade e terás sucesso. *Yahweh* a entregará nas mãos do rei", ¹³enquanto o ajudante que foi convocar Micaías lhe falou: "Ora, como uma só boca, as palavras dos profetas são boas para o rei. A sua palavra deveria ser como a palavra de um deles. Fale algo bom." ¹⁴Micaías disse: "Tão certo como *Yahweh* vive, o que *Yahweh* me disser, isso é o que irei falar." ¹⁵Quando ele chegou ao rei, o rei lhe disse: "Micaías, devo subir a Ramote-Gileade para batalhar ou desistir?" Ele lhe disse: "Sobe e terás sucesso. *Yahweh* a entregará nas mãos do rei." ¹⁶O rei lhe disse: "Quantas vezes eu irei fazer você jurar que não falará a mim, exceto a verdade, em nome de *Yahweh*?" ¹⁷Então, ele disse: "Vi todo o Israel espalhado pelas montanhas como ovelhas que não têm pastor. *Yahweh* disse. 'Essas pessoas não têm senhor. Elas deveriam voltar para casa, cada uma delas, em segurança.'" ¹⁸O rei de Israel disse a Josafá:

"Eu não lhe disse: 'Ele não profetizará nada bom para mim, mas somente problemas?'" **[19]**Micaías [disse]: "Portanto, ouça a palavra do Senhor. Vi *Yahweh* assentado em seu trono, com todo o exército nos céus estando ao lado dele, à sua direita e à sua esquerda. **[20]** *Yahweh* disse: 'Quem instigará Acabe para que ele suba e caia em Ramote-Gileade?' Um dizia 'dessa maneira', e outro dizia 'dessa maneira'. **[21]**Então, um espírito veio à frente, ficou diante de *Yahweh* e disse: 'Eu sou aquele que irá instigá-lo.' *Yahweh* lhe disse: 'Como?' **[22]**Ele disse: 'Irei e serei um espírito enganador na boca de todos os seus profetas.' [*Yahweh*] disse: 'Você deve instigar. Sim, você será capaz. Vá e faça isso.' **[23]**Então, agora, *Yahweh* colocou um espírito enganador na boca de todos esses profetas, quando *Yahweh* decretou aflição para você."

Recentemente, comecei a assistir novamente a série de televisão *The West Wing* [Nos bastidores do poder] desde o início e, na noite passada, vi alguns episódios sobre a oferta de emprego pela administração democrata da Casa Branca a uma advogada republicana convicta que acabara de colocar no bolso um membro da equipe presidencial durante um debate. O presidente insistiu na contratação dela porque desejava ter as pessoas mais competentes em sua equipe e que também fossem capazes de discordar. Inicialmente, os demais assessores acham que ele está louco, mas, depois, conseguem enxergar o ponto.

Acabe encontra-se enredado no mesmo dilema. Nessa história, Elias desaparece momentaneamente. A coragem de Micaías e o fato de ele ser, evidentemente, uma figura conhecida da corte **efraimita** mostram, uma vez mais, como Elias estava sendo muito pessimista quando afirmou ser o único profeta que restara imbuído de um compromisso real com

Yahweh e, por consequência, o único disposto a confrontar o rei. Na verdade, por algum tempo, Acabe também parece desaparecer; somente quando Micaías relata o que *Yahweh* revelou é que o nome de Acabe é citado. Tudo isso pode indicar que a história, outrora, já foi contada isoladamente, separada da coletânea de narrativas sobre Elias e Acabe, e, assim, abre uma janela para a espécie de processo de recontagem e preservação de histórias que está por trás de um livro como 1Reis. Por estar entrelaçada com outras narrativas, o efeito de citar Josafá, não o rei Acabe, é para insinuar que Acabe não é muito importante, como se o narrador da história nem se lembrasse de seu nome. Isso contraria a forma pela qual os noticiários atuais mostrariam esse relato, pois o rei Acabe é uma figura política bem mais proeminente que Josafá, mas, obviamente, o rei efraimita necessita do auxílio judaíta, caso queira satisfazer as suas ambições militares e políticas. Gileade é uma área situada a leste do rio Jordão, no Estado moderno da Jordânia. Alguns clãs israelitas pediram para se assentarem ali, mas, em termos geográficos, a região é separada da área a oeste do rio Jordão e, por conseguinte, pode-se entender o motivo lógico de os **arameus** verem aquela região como mais pertencente a eles.

Apesar de ser menos importante em termos políticos, Josafá é mais consciente quanto ao processo de ir à guerra. Primeiro, deve-se perguntar a Deus se aquela guerra, em particular, deve ser empreendida. (Muitos cristãos ocidentais consideram estranha a noção de Deus estar envolvido em qualquer guerra, mas essa percepção advém de nossa cultura moderna, não da Bíblia.) Na realidade, Acabe também conhece as regras para sair à batalha; de fato, qualquer sociedade tradicional considera ser sábio consultar Deus sobre tal ação. Assim, o rei Acabe consulta os profetas.

Evidentemente, Jezabel não eliminou todos os profetas de Efraim. Aqueles não eram profetas que reconheciam o **Mestre**, mas os que reconheciam *Yahweh*. Eles se comportam como outros profetas sobre os quais lemos no Antigo Testamento. "Profetizando" significa algo como falar em línguas, da mesma forma que faziam os profetas que Saul encontrou e que constituiu um sinal de que Deus realmente o estava constituindo rei (veja 1Samuel 10). O sinal dado por Zedequias é uma espécie de sinal que Jeremias ou Ezequiel darão. O seu nome indica que ele é adorador de *Yahweh*, como o nome de Micaías também indica (em ambos os nomes, a última sílaba é uma forma do nome de "*Yahweh*"). No entanto, as atividades desse profeta mostram como é plenamente possível a uma pessoa pensar que está servindo a Deus e manifestando dons espirituais, mas, na verdade, ela está apenas iludida e não é melhor do que os profetas que servem ao Mestre.

Por outro lado, um rei como Acabe necessitava, pelo menos, passar pelo processo de consulta a Deus, o que significava reunir os conselheiros à sua volta para falarem em nome de Deus o que o rei gostaria de ouvir. Talvez, a coisa mais impressionante sobre Josafá seja ele reconhecer essa dinâmica e desejar ouvir as vozes destoantes.

A princípio, a descrição de Micaías quanto ao processo de tomada de decisão no céu é similar a tantos outros que aparecem em outras passagens da Escritura. Deus está assentado na Casa Branca celestial, cercado pelo gabinete presidencial e inúmeros assessores que, juntos, decidem a ação a ser realizada na terra e sobre quem será o responsável por sua realização.

Quão destoante é a voz de Micaías! Do mesmo modo que a ideia quanto a Deus ter uma opinião sobre as guerras que deveríamos empreender, a compreensão de Micaías sobre a maneira de Deus operar no mundo escandaliza os cristãos ocidentais, embora, uma vez mais, esteja de acordo com o que a Escritura diz em outras passagens. Da mesma forma que Deus pode trazer juízo sobre pessoas que rejeitam a verdade, operando para que lhes seja ainda mais difícil compreender a verdade (veja Marcos 4:12 e Isaías 6:9-10), Deus pode também trazer julgamento pelo envio de uma mensagem que não seja verdadeira. Deus usa pessoas que não estão realmente comprometidas a transmitir a sua palavra para trazer juízo sobre aqueles que, na verdade, não querem ouvir a palavra de Deus. Inicialmente, Micaías age como se pertencesse à mesma classe dos demais profetas. Trata-se do primeiro teste para ver se Acabe deseja, de fato, ouvir o que Deus tem a dizer. Deus prossegue em sua busca de chegar até ele, por sua misericórdia, ao minar o processo de trazer juízo e explicar essa dinâmica ao rei Acabe. Isso o coloca na mesma posição em que ele estava ao término do capítulo anterior. Acabe pode, uma vez mais, despir-se de seus trajes reais e vestir-se em **panos de saco**, jejuar e "ficar em silêncio"; e pode desistir de seus planos de guerra. Pode-se dizer que a justaposição dessas duas histórias visa apresentar alternativas diante de um líder. Você deseja ser o rei Acabe do capítulo 21 ou do capítulo 22?

1REIS 22:24—2REIS 1:1
VOCÊ PODE SE DISFARÇAR, MAS NÃO SE ESCONDER

²⁴Zedequias, o filho de Quenaaná, foi à frente, atingiu Micaías no rosto e disse: "Como foi que o espírito de *Yahweh* passou de mim para falar com você?" ²⁵Micaías disse: "Bem, você irá ver, naquele dia em que for a uma sala mais interna para se esconder." ²⁶O rei de Israel disse: "Levem Micaías de volta a Amom, o governador da cidade, e a Joás, o filho do rei, ²⁷e digam: 'O rei disse isso: "Ponham esse homem na prisão.

Devem lhe dar comida e água de escravo até eu chegar [em casa] em segurança.""" ²⁸Micaías disse: "Se você, realmente, voltar em segurança, *Yahweh* não falou por mim." (Ele disse: "Ouçam todos vocês.")

²⁹Então, o rei de Israel e Josafá, rei de Judá, subiram a Ramote-Gileade. ³⁰O rei de Israel disse a Josafá: "Colocarei um disfarce e irei à batalha, mas tu vestirás as tuas vestes reais." Assim, o rei de Israel disfarçou-se e foi à batalha. ³¹Ora, o rei de Aram tinha ordenado aos seus trinta e dois comandantes de carruagens: "Não batalhem com ninguém, pequeno ou grande, exceto com o rei de Israel." ³²Quando os comandantes de carruagens viram Josafá, eles disseram: "Sim, ele é o rei de Israel" e se viraram para batalhar contra ele. Josafá gritou, ³³e, quando os comandantes das carruagens viram que ele não era o rei de Israel, deixaram de segui-lo. ³⁴Mas um homem puxou o seu arco inocentemente e atingiu o rei de Israel entre as juntas da armadura. [O rei] disse ao condutor: "Dê a volta, tire-me do exército, porque estou ferido." ³⁵A batalha prosseguiu naquele dia, enquanto o rei era mantido em pé na sua carruagem enfrentando Aram. Ele morreu ao entardecer. O sangue escorreu da ferida até a base da carruagem. ³⁶Um grito passou pelo acampamento ao pôr do sol: "Cada homem para a sua cidade, cada homem para a sua terra." ³⁷Assim, o rei morreu e foi levado a Samaria, e eles sepultaram o rei em Samaria. ³⁸Eles lavaram a carroça junto ao açude de Samaria, e os cães lamberam o seu sangue onde as prostitutas se lavavam, de acordo com a palavra que *Yahweh* tinha dito.

2REIS

[A passagem de 1Reis 22:39—2Reis 1:1 sumariza o reinado de Acabe e, então, retrocede para relatar como Josafá veio a ser rei de Judá e para resumir o seu reino, na maioria, em termos positivos. Então, por fim, reconta como Acazias, o filho de Acabe, o sucedeu.]

Certo amigo, recentemente, interessou-se por uma mulher, também de meu círculo de conhecimento, e a convidou para almoçar na semana passada, munido, mentalmente, de uma lista com perguntas que ele julgava necessário fazer à sua possível futura esposa. Impressionado por sua aparência e inteligência, ele não se mostrou propenso a prestar atenção à minha observação de ela ser, por natureza, monumentalmente crítica. Com isso, não quero expressar que ela seria crítica com alguém que amasse, mas é crítica com as demais pessoas em geral, e eu mesmo considero isso desgastante. Quando eles se encontraram para almoçar, no entanto, ela estava um pouco enferma (ela estava com faringite ou algo similar) e não parecia tão atraente como de costume. Isso não a impediu de expressar o seu lado crítico (e também a sua vivacidade), porém impediu o meu amigo de ser arrebatado por sua aparência e inteligência. Isso o levou a perceber que não seria sábio, de sua parte, tentar desenvolver aquele relacionamento. Foi apenas uma coincidência o fato de ela estar enferma, e isso ter permitido ao meu amigo chegar àquela conclusão, embora (sabiamente) ele não estivesse preparado para afirmar que Deus é que tinha provocado a faringite, para o seu benefício. (E, pelo que conheço dela, decerto ela acharia a lista de perguntas dele um tanto questionável e/ou simplesmente não se interessaria por ele; mas eu conheço apenas o lado dele da história.)

O Antigo Testamento inclui inúmeras histórias do papel desempenhado pela coincidência quando coisas positivas, do mesmo modo que negativas, acontecem às pessoas, em cumprimento ao desígnio de Deus. As histórias de Rute e de Ester incluem muitos exemplos. Talvez não seja coincidência o fato de essas narrativas relatarem ações de pessoas comuns, da mesma forma que a história desse arqueiro anônimo que, por acaso, atinge o rei Acabe. Não é preciso ser alguém muito importante para realizar algo realmente importante. Isso não ocorre porque você está tentando "fazer diferença" no mundo, mas apenas realizando o seu trabalho. Talvez aquele arqueiro nem mesmo saiba que foi a sua flecha que atingiu o rei. Ele atira "inocentemente". Essa é uma palavra estranha para ser usada nesse contexto. A inocência, normalmente, sugere integridade e solidez e, assim, quase sugere que o arqueiro não estava tentando matar ninguém. Certamente, ele não objetivava matar o rei Acabe ou não tentava ser o meio pelo qual Deus cumpriria sua palavra. Todavia, foi esse o seu papel.

Embora a declaração do juízo de Deus sobre Acabe, no capítulo anterior, proferisse a sua morte iminente, o fato de ele se voltar para Deus e a palavra de misericórdia divina poderiam dar a impressão de que o rei teria uma vida longa e que morreria em seu leito (embora não tenha explicitado essa promessa). Todavia, parece que esse arrependimento foi superficial e breve. O compromisso de Deus com a sua misericórdia é, então, sobrepujado, do mesmo modo que a declaração anterior de juízo havia sido vencida. O relacionamento de Deus com as pessoas é sempre dinâmico. Deus não possui um plano preordenado para evoluir, e o seu propósito é desenvolvido em diálogo com as reações das pessoas. Igualmente, é colocado em prática por meio de atos como a ação randômica do arqueiro anônimo que atinge o rei Acabe por acidente. Presumidamente, Josafá não percebe que Acabe o está usando como alvo para os arqueiros **arameus**, ou pode ser que Josafá (que é retratado como alguém que reverencia a Deus) saiba que não há nada a temer.

Deus enviara Elias com aquele aviso sobre os cães lamberem o sangue de Acabe, e foi exatamente isso o que aconteceu, o que demonstra o envolvimento da soberania divina nos eventos, mas o Antigo Testamento não retrata Deus preordenando ou planejando os detalhes dos acontecimentos, tais como o tiro do arqueiro naquela direção específica. Antes, os atos humanos intencionais e as coincidências "acidentalmente" contribuem para o cumprimento da palavra divina.

Da mesma forma que Elias, Micaías quase pagou com a sua vida por transmitir a palavra de Deus. Ingenuamente, o rei Acabe presume que silenciar o homem que declara a palavra de Deus evitará que ela se cumpra. Ele não podia estar mais errado. De forma igualmente ingênua, Acabe presume que disfarçar-se diante de seus inimigos humanos impediria que a palavra divina se cumprisse. Uma vez mais, ele estava equivocado. A flecha do arqueiro estabeleceu o cumprimento tanto da palavra de Deus, proferida por Elias, quanto da palavra expressa por Micaías.

2REIS **1:2–18**
O SENHOR DAS MOSCAS

²Acazias caiu da sacada de seu andar superior, em Samaria, e ficou doente. Ele enviou ajudantes, dizendo-lhes: "Vão e inquiram o Mestre Zebube, o deus de Ecrom, se viverei após esse dano." ³Mas o ajudante de *Yahweh* falou a Elias, o tesbita: "Parta e vá encontrar os ajudantes do rei de Samaria e lhes fale: 'É pela falta de um Deus em Israel que vocês estão indo inquirir o Mestre Zebube, o deus de Ecrom? ⁴Assim, portanto, *Yahweh* disse isto: "Da cama na qual você subiu, não descerá mais, porque realmente irá morrer."'" Elias foi, ⁵e os ajudantes retornaram a [Acazias]. Ele lhes disse: "Por que vocês retornaram?" ⁶Eles lhe disseram: "Houve um homem que veio nos encontrar. Ele nos disse: 'Vão, retornem ao rei que os enviou e lhe digam: "*Yahweh* disse isto: 'É pela falta de um Deus em Israel que vocês estão indo inquirir o Mestre Zebube, o deus de Ecrom? Portanto, da cama na qual você subiu, não descerá mais, porque realmente irá morrer.'"'" ⁷Ele lhes falou: "Como

era o homem que veio se encontrar com vocês e lhes falar essas palavras?" **⁸**Eles lhe disseram: "Um homem com muitos pelos e um cinto de couro na cintura." Ele disse: "Era Elias, o tesbita." **⁹**Ele lhe enviou um capitão de cinquenta e seus cinquenta homens, e este subia até ele. Ele estava assentado no topo de uma montanha. Ele lhe falou: "Homem de Deus, o próprio rei falou: desça." **¹⁰**Elias replicou ao capitão de cinquenta: "Se sou um homem de Deus, que fogo desça dos céus e consuma você e os seus cinquenta homens." Fogo desceu dos céus e o consumiu e aos seus cinquenta homens. **¹¹**[O rei], novamente, lhe enviou outro capitão de cinquenta e seus cinquenta homens. [...] **¹²ᵇ**Fogo sobrenatural desceu dos céus e o consumiu e aos seus cinquenta homens. **¹³**Ele, novamente, enviou um capitão de cinquenta e seus cinquenta homens. O terceiro capitão de cinquenta subiu, chegou e caiu de joelhos diante de Elias e lhe pediu por graça. Ele lhe falou: "Homem de Deus, que a minha vida e a vida desses cinquenta servos teus sejam valiosas aos teus olhos! **¹⁴**Sim, fogo desceu dos céus e consumiu os dois primeiros capitães de cinquenta e seus cinquenta homens. Mas, agora, que a minha vida seja valiosa aos teus olhos." **¹⁵**O ajudante de *Yahweh* falou a Elias: "Desça com ele. Não tenha medo dele." Assim, ele se levantou e desceu com ele ao rei. **¹⁶**Ele lhe falou: "*Yahweh* disse isto: 'Porque você enviou ajudantes para inquirir o Mestre Zebube, o deus de Ecrom (é pela falta de um Deus em Israel para inquirir de sua palavra?), portanto, da cama na qual subiu, você não descerá, porque realmente irá morrer.'" **¹⁷**E ele morreu de acordo com a palavra de *Yahweh* que Elias falou. Jorão [seu irmão] tornou-se rei no lugar dele, porque ele não tinha filho. **¹⁸**O resto dos atos de Acazias estão, de fato, escritos nos anais dos reis de Israel.

Há compreensões mais positivas e menos positivas da natureza humana. O termo *Zebube* significa *mosca*, de modo que o título "**Mestre** Zebube" ou "Senhor Zebube" significaria "Senhor Mosca" ou "Senhor da Mosca". Ora, *Senhor das moscas* é o título de um romance da metade do século XX, escrito por William Golding. A obra começa à maneira da série televisiva *Lost*, isto é, com um acidente aéreo em uma ilha remota, tendo como sobreviventes apenas alguns garotos pré-adolescentes. Eles buscam descobrir uma forma de viverem juntos, mas a história incorpora uma compreensão um tanto sombria de como aquela tentativa tende a acabar; a convivência dos garotos é marcada por muito conflito. Os Evangelhos também utilizam um título que soa similar, Belzebu, como referência a Satanás; em hebraico, "Mestre Zebube" significaria algo como "Mestre Exaltado". É um título plausível para um deus **cananeu**.

O Antigo Testamento, às vezes, expressa sua desaprovação por deuses estrangeiros ao distorcer levemente os seus nomes, e Mestre Zebube, "Senhor da Mosca", pode ser um exemplo. Em outras palavras, Acazias, de fato, busca conselho e socorro em um deus que ele chamou de "Mestre Exaltado", mas o deliberado erro ortográfico israelita de seu nome o deprecia como "Mestre Mosca". No entanto, Mestre Mosca pode ser um nome real, que poderia, então, indicar a razão pela qual Acazias buscou conselho nele. Cair da janela de um andar superior não necessariamente levaria ao risco de vida, mas se uma lesão resultante dessa queda infeccionasse, isso deixaria a vítima em grandes apuros. O Senhor das Moscas, então, seria um deus com capacidade para lidar com doenças transmitidas pelas moscas, similares à septicemia. O recurso de Acazias a esse deus (um deus que vive numa cidade **filisteia** como Ecrom, pelo amor de Deus) seria o mesmo que recorrer a deuses cananeus, supostamente capazes de trazer abundantes colheitas, algo que o Antigo Testamento condena em outras passagens. Quer esse deus seja o Mestre da Mosca ou o Mestre Exaltado, Elias indica que usar tal recurso implica que não há Deus em Israel ao qual recorrer quando a enfermidade vem. Isso expressa que *Yahweh* não tem utilidade no plano terreno. É uma declaração radicalmente apóstata feita pelo líder de um povo que está supostamente comprometido com *Yahweh*. Os riscos nessa história são elevados.

Esse fato não nos impede de sentir aversão ao modo pelo qual a história, então, se desenrola, com desafortunados militares perdendo a vida por seguirem as ordens do rei. Aqui, não significa que Elias os mata diretamente, como ele fez com os profetas de Baal, em 1Reis 18. Fogo do céu os matou. A implicação é de que Deus conspira com a convicção de Elias quanto aos militares merecerem morrer. Como o próprio Acazias, os soldados não estão meramente impondo-se contra outro ser humano, mas impondo-se contra Deus. O ponto está implícito na referência que eles fazem a Elias como **homem de Deus**. Se os soldados reconhecem que ele representa Deus, então deveriam comportar-se de acordo. Ser um homem de Deus, alguém que representa Deus, é mostrado pelo fato de ser capaz de chamar um poder sobrenatural.

Podemos ser propensos a imaginar que isso não é um fato; que, talvez, seja "apenas uma história". A maneira ordenada pela qual a história é contada pode sugerir que esse seja o caso — há um primeiro destacamento militar, então um segundo e, depois, um terceiro que reage diante de Elias muito distintamente. Todavia, se você tem objeções quanto ao conteúdo da narrativa, isso é tão contestável quanto ser "apenas uma história", caso seja, realmente, um fato. Isso ainda levanta a questão da razão pela qual Deus quis incluir essa história em seu livro e o que devemos aprender com ela. Jesus, certa feita, recusou a sugestão de seus discípulos para que eles fizessem descer fogo do céu sobre pessoas que o rejeitaram (Lucas 9:52-56), mas, em outras passagens, Jesus fala muito sobre pessoas consumidas pelo fogo (por exemplo, em Mateus 25:41). Como outros relatos do Antigo Testamento, esse de Elias é menos assustador do que a forma pela qual Jesus revela a pessoas, como esses soldados, que elas queimarão no inferno. Isso nos assegura que o verdadeiro Deus vencerá e que a verdade divina triunfará. Além disso, nos adverte de levar o Deus real a sério e que não podemos nos esconder atrás do fato de que apenas estamos cumprindo ordens dadas por algum mestre terreno.

As traduções bíblicas, em geral, distinguem entre "anjos" de Deus e "mensageiros" do rei, mas a palavra hebraica para **ajudante** é a mesma em ambos os casos, e a presente história aponta para a implicação desse fato. Há um rei terreno com seu ajudante ou ajudantes e um Rei celestial com seu ajudante ou ajudantes. É tentador para o rei terreno e seus ajudantes (e outros servos do rei) pensar que o rei terreno é aquele que detém poder e autoridade determinantes. Mas não é assim. O Rei celestial e seus ajudantes (sobrenaturais e terrenos) são mais valiosos.

2REIS **2:1—3:3**
O MANTO E O PODER DE ELIAS

¹Quando *Yahweh* levou Elias aos céus em um redemoinho, Elias tinha vindo com Eliseu de Gilgal. **²**Elias disse a Eliseu: "Você deveria ficar aqui, porque *Yahweh* me enviou a Betel." Elias disse: "Tão certo quanto *Yahweh* vive e tu mesmo vives, definitivamente, não te deixarei." Então, eles desceram a Betel. **³**Os discípulos dos profetas em Betel saíram a Eliseu e lhe disseram: "Você reconhece que *Yahweh* irá tirar o seu senhor de você hoje?" Ele disse: "Sim, eu mesmo reconheço isso. Fiquem em silêncio." ⁴Então, Elias lhe disse: "Eliseu, você deve ficar aqui, porque *Yahweh* me enviou a Jericó." Ele disse: "Tão certo quanto *Yahweh* vive e tu mesmo vives, definitivamente, não te deixarei." Assim, eles foram a Jericó. [...] ⁶Então, Elias lhe disse: "Você deve ficar aqui, porque *Yahweh* me enviou ao Jordão." Ele disse: "Tão certo quanto *Yahweh* vive e tu mesmo vives, definitivamente, não te deixarei." Assim, os dois foram. [...] ⁸Elias pegou o seu manto, enrolou-o e atingiu a água. Ela dividiu-se em ambas as direções, e os dois atravessaram em terra seca. ⁹Enquanto atravessavam, Elias disse a Eliseu: "Peça-me qualquer coisa que deva fazer a você antes que eu seja tirado de você." Eliseu disse: "Poderia uma partilha dupla de teu espírito vir sobre mim." ¹⁰Ele disse: "Você pediu por algo difícil. Se me vir ser tirado de você, então isso acontecerá a você. Se não, isso não acontecerá." ¹¹Eles continuaram a andar e a falar, e ali surgiu uma carruagem de fogo e cavalos de fogo. Eles separaram os dois, e Elias subiu em um redemoinho aos céus. [...] ¹⁴[Eliseu] apanhou o manto de Elias, que havia caído dele, atingiu a água e disse: "Onde está *Yahweh*, o Deus de Elias? Sim, ele?" Quando ele atingiu a água, ela se dividiu em ambas as direções, e Eliseu atravessou. ¹⁵Os discípulos dos profetas em Jericó, a uma distância dele, o viram e disseram: "O espírito de Elias se assentou em Eliseu!" Eles foram encontrá-lo e curvaram-se ao chão diante dele.

[Os versículos 16-18 relatam como os discípulos dos profetas procuraram por Elias, mas não o encontraram.]

¹⁹O povo da cidade disse a Eliseu: "Ora, a posição da cidade é boa, como meu senhor vê, mas a água é ruim e a região torna as pessoas sem filhos." ²⁰Ele disse: "Peguem-me uma tigela nova e coloquem sal nela." Eles a pegaram para ele, ²¹e ele saiu à nascente de água e jogou sal ali. Ele disse: "*Yahweh* disse: 'Estou curando essa água. A morte e a ausência de filhos não mais virão de lá.'" ²²A água está saudável até hoje, de acordo com a palavra de Eliseu, que ele falou.

> ²³De lá, ele subiu a Betel. Enquanto estava subindo a estrada, alguns meninos pequenos saíram da cidade e zombaram dele. Eles disseram: "Suba, careca, suba careca!" ²⁴Ele se virou, os viu e os derrubou em nome de *Yahweh*, e dois ursos saíram da floresta e feriram quarenta e dois dos meninos. ²⁵Ele saiu de lá para o monte Carmelo e, dali, voltou a Samaria.
>
> *[Segundo Reis 3:1-3 recapitula como Jorão se tornou rei de Efraim.]*

Certa ocasião, tive que trocar um pneu furado perto do mar Morto. Levantei o carro com o macaco e, no processo de trocar o pneu, ou desapertar ou apertar as porcas da roda, deitei no chão arenoso, mas duro. Era verão, e estava muito quente; quando me levantei, uma grande camada de pele desgrudou das minhas costas (sem doer ou deixar danos duradouros). É estranho lá embaixo, quase quatrocentos metros abaixo do nível do mar. As pessoas que vão a Israel são, em geral, aconselhadas a levar uma edição do jornal local para que possam ser fotografadas flutuando no mar Morto e lendo o jornal; então, a foto delas sai publicada na próxima edição. Isso realmente pode ser feito. Os rios do vale do Jordão desaguam no mar Morto, mas é uma via sem saída; as águas desses rios deixam o mar Morto somente pelo processo de evaporação. Os minerais na água, tão benéficos aos seres humanos em pequenas quantidades, permanecem ali, tornando a água imprópria para o consumo e tão densa que as pessoas não afundam, possibilitando que tais fotos sejam tiradas.

Esse é o cenário da primeira de uma série de histórias sobre Eliseu realizando pequenos milagres, alguns relativos à vida dos **discípulos dos profetas**. A maioria delas impacta leitores ocidentais por serem triviais (como a purificação da água), ou questionáveis (como a maldição sobre os meninos). Assim, elas merecem a nossa atenção porque nos levam a modos de pensamento distintos daqueles que naturalmente vêm à nossa mente. Será assim, quer estejamos quer não propensos a pensar que as histórias realmente ocorreram. Eu mesmo não sei o que pensar sobre essa questão. Por um lado, estou inclinado a pensar que não há fumaça sem fogo. Acho difícil acreditar que haveria tantos relatos dessa espécie sobre Elias e Eliseu, caso eles jamais fizessem algo que levantasse as sobrancelhas das pessoas. Por outro, temos observado a natureza ordenada de algumas dessas histórias; a natureza tripla do relato quanto à derradeira visita às comunidades proféticas constitui outro exemplo. Além disso, há um aspecto folclórico ou de conto de fadas em algumas delas. Desse modo, talvez, os autores da Escritura tenham escolhido esses motivos para transmitir algo da importância de Elias e de Eliseu. Se for assim, trata-se de uma forma de expressar quão importantes esses profetas realmente eram.

Em hebraico, "mar Morto" é o "mar de Sal", e pode-se imaginar que todo o suprimento de água nas vizinhanças de Jericó era afetado pelo conteúdo mineral daquele lençol freático. Todavia, a razão de Jericó existir e ser uma cidade próspera é (ainda hoje) o miraculoso fato de a área também possuir um suprimento de água doce pura. No contexto ocidental, podemos considerar o fornecimento de água como garantido, mas a maioria das comunidades humanas não é capaz de assegurar isso, e possuir ou não um bom suprimento de água é uma questão de vida ou morte. (Não está claro se o termo que traduzi por "sem filhos" significa que as mulheres tinham dificuldades de concepção ou sofriam abortos, ou mesmo se a terra era improdutiva.) Como a vacinação com uma pequena dose de algo como o bacilo da tuberculose pode imunizar as pessoas contra essa enfermidade, da mesma forma o sal removeu a salinidade da nascente de Jericó (não porque a física natural opere dessa forma; trata-se de uma transformação extraordinária). Além de ser um sinal do cuidado de Deus em relação às necessidades cotidianas de seu povo, a purificação das águas por parte de Eliseu também sinaliza que ele é um profeta da linhagem de Moisés.

Mais explicitamente, Eliseu é um profeta da linhagem de Elias. Embora Deus tenha dito a Elias para ungir Eliseu, o profeta jamais fez isso, talvez porque reconhecesse que Deus havia falado de forma metafórica. Todavia, agora Elias unge metaforicamente Eliseu ao lhe perguntar o que pode fazer por ele. (É uma pergunta prospectiva, lembrando a pergunta feita por Deus a Salomão em 1Reis 3.) Reconhecidamente, é quase como se Elias estivesse tentando evitar designar Eliseu como seu sucessor, como se estivesse procurando afastá-lo ou se livrar dele; mas, se for assim, Eliseu passou nesse teste. Os profetas, normalmente, não têm a oportunidade de se voluntariar (Isaías é a outra grande exceção); é uma comissão confiada ao indivíduo. A dupla partilha do legado de alguém é a quota designada ao primogênito, em reconhecimento ao fato de que sobre ele repousa o futuro e o bem-estar da família, e pelo cumprimento de sua responsabilidade para com pessoas vulneráveis deixadas de fora disso, como viúvas, órfãos e imigrantes. Com efeito, Eliseu está pedindo para ter os recursos que possibilitem que ele seja o sucessor de Elias. O profeta sabe que não pode decidir que Eliseu receberá o que pediu (apesar da comissão de ungi-lo); trata-se da deliberação de Deus. A narrativa, portanto, aponta para outro aspecto da relação entre a tomada de decisão divina e o voluntariado humano quanto a alguém se tornar um profeta. A divisão das águas por Elias mostra que ele é alguém da linhagem de

Moisés; então, o fato de Eliseu ser capaz de fazer o mesmo mostra que ele é o próximo nessa linhagem. (É outro milagre desnecessário. É possível vadear, ou seja, atravessar o rio a pé. Rute e Noemi o fizeram, mas isso estabelece um ponto.)

O desparecimento de Elias, igualmente, traça um paralelo ao sumiço de Moisés em Deuteronômio 34, embora Moisés tenha, de fato, morrido. Assim, o ocorrido é mais parecido com o desaparecimento de Enoque em Gênesis 5. Na tradição judaica, portanto, Elias une-se aos outros dois como pessoas que podem ser capazes de nos transmitir revelações sobre Deus; há inúmeros livros "reveladores" associados a esses nomes, embora os textos tenham sido escritos muitos séculos após os seus dias. Esse também será um motivo pelo qual é possível Moisés e Elias aparecerem a Jesus (veja Marcos 9). Nenhum deles morreu ou foi sepultado de maneira regular, e ambos podem ser imaginados como tendo subido para compartilhar da vida dos céus com outros seres celestiais como os **ajudantes** enviados por meio daquela carruagem de fogo para buscar Elias. (Assim, não há uma grande ligação com a ideia de ressurreição.)

O relato sobre os meninos e os ursos sublinha ainda mais a importância de Eliseu como servo de Deus. A referência à sua calvície, provavelmente, é a um corte de cabelo como o de um monge. Embora sugira um contraste notável com a suposição, em outras passagens, de que pessoas devotadas ao serviço de Deus deveriam deixar crescer os cabelos, isso se encaixa na presunção culturalmente difundida de que seja qual for o seu cabelo, muito longo ou muito curto, isso pode representar uma declaração. Assim, os meninos estão zombando de alguém que todos podiam reconhecer como um servo de Deus; ao lhe ordenarem a "subir", estão, na realidade, dizendo para ele deixar a cidade, ir embora. Uma vez mais, embora

Jesus, sem sombra de dúvida, tenha proibido seus discípulos de agir como Eliseu, do mesmo modo que os proibiu de agir como Elias, suas palavras mostram que a impunidade das pessoas que o menosprezam é temporária. No fim, elas pagarão com a própria vida.

2REIS **3:4–27**
O SACRIFÍCIO FINAL

⁴Ora, Messa, rei de Moabe, era um criador de ovelhas. Ele costumava pagar ao rei de Israel cem mil cordeiros e a lã de cem mil carneiros. **⁵**Quando Acabe morreu, o rei de Moabe rebelou-se contra o rei de Israel. **⁶**Naquele tempo, o rei Jorão deixou Samaria, mobilizou todo o Israel **⁷**e mandou dizer a Josafá, rei de Judá: "Dado que o rei de Moabe se rebelou contra mim, irás comigo a Moabe para batalhar?" Ele disse: "Subirei [...]. **⁸**Por qual rota devemos subir?" [Jorão] disse: "A rota pelo deserto de Edom." **⁹**Então, o rei de Israel, o rei de Judá e o rei de Edom foram e marcharam por uma rota de sete dias. Mas não havia água para o exército ou para os animais que os seguiam. **¹⁰**O rei de Israel disse: "Oh, não! *Yahweh* convocou esses três reis a fim de os entregar nas mãos de Moabe!" **¹¹**Mas Josafá disse: "Não há aqui um profeta de *Yahweh* a quem possamos inquirir de *Yahweh*?" Um dos servidores do rei de Israel replicou: "Eliseu, o filho de Safate, que derramou água nas mãos de Elias, está aqui." **¹²**Josafá disse: "A palavra de *Yahweh* está com ele." Então, o rei de Israel, Josafá e o rei de Edom desceram até ele. **¹³**Eliseu disse ao rei de Israel: "O que eu e você temos em comum? Vá aos profetas de seu pai e aos profetas de sua mãe." O rei de Israel lhe disse: "Não, porque *Yahweh* convocou esses três reis para os entregar nas mãos de Moabe." **¹⁴**[Eliseu] disse: "Tão certo quanto *Yahweh* dos Exércitos vive, diante de quem permaneço [em assistência], não fosse eu respeitoso para com Josafá, rei de Judá, não olharia para você nem o veria.

¹⁵Mas, agora, tragam-me um músico." Quando o músico tocou, a mão de *Yahweh* veio sobre ele, **¹⁶**e ele disse: "*Yahweh* disse: 'Este vale irá produzir cisternas e cisternas.' **¹⁷**Porque *Yahweh* disse: 'Vocês não verão vento, não verão chuva, mas aquele vale se encherá com água. Ambos, vocês e seu gado e seus animais beberão.' **¹⁸**Isso é uma coisa pequena aos olhos de *Yahweh*. Ele entregará Moabe em suas mãos [...]". **²⁰**Assim, de manhã, na hora de fazer a oferta, ali, a água estava vindo da direção de Edom. A área encheu-se de água.

²¹Quando todos os moabitas ouviram que os reis tinham subido para batalhar com eles, todos os que podiam amarrar um cinto para cima [em idade] deixaram-se ser convocados e permaneceram na fronteira. **²²**Quando eles se levantaram cedo, de manhã, o sol estava brilhando sobre a água e, a distância, os moabitas viram a água vermelha como sangue **²³**e disseram: "Isso é sangue! Os reis, na verdade, levantaram a espada uns contra os outros. Cada homem derrubou o seu vizinho. Agora, vamos à pilhagem, Moabe!" **²⁴**Então, eles foram ao acampamento israelita, mas os israelitas se levantaram e atacaram os moabitas. [...] **²⁶**O rei de Moabe viu que a batalha era muito dura para ele [...] **²⁷**e pegou o seu filho mais velho, que devia reinar como rei em seu lugar, e o sacrificou como oferta queimada sobre o muro. Uma grande ira veio sobre Israel, e eles partiram de lá e voltaram para a terra.

O autor de uma carta, no jornal de hoje, após as consequências da demissão, pelo presidente dos Estados Unidos, de seu comandante das forças no Afeganistão, questiona se "devemos continuar a sacrificar os nossos bravos homens e mulheres" lá. É provável que, quando estiver lendo isso, já saberemos se os Estados Unidos e seus aliados podem pensar em termos de sucesso no Afeganistão; então, o "sacrifício" pode parecer ter valido a pena. A imagem de sacrifício é reveladora nessa conexão. No comentário sobre Gênesis 22, em *Gênesis para todos*, observei como o quase sacrifício de Isaque, por parte de Abraão, propiciou ao poeta Wilfred Owen uma imagem que comparava e contrastava com o sacrifício real de nossos valentes homens (nem tantas mulheres, então), na Primeira Grande Guerra, e o mesmo ocorreu no contexto do Vietnã, por Leonard Cohen.

Sacrificar filhos e filhas é tanto o mais incompreensível quanto o mais compreensível dos atos. É inimaginável porque os filhos, para os pais, são a coisa mais preciosa do mundo. Isso ocorre por causa de nossos sentimentos humanos naturais por eles e porque representam o futuro da família e do povo. Se os filhos se forem, quem cuidará da fazenda (e de você) quando envelhecer e após a sua morte? No entanto, exatamente a importância e o valor insubstituíveis deles em seu coração é que os tornam o sacrifício mais significativo que você poderia fazer. Paradoxalmente, o sacrifício que põe em risco o seu futuro é o mesmo que você espera que o salvaguarde. Assim, **cananeus**, israelitas e moabitas, como modernos ocidentais, estavam dispostos a fazer esse sacrifício. (As regras na **Torá** instruíam os israelitas a não fazerem isso, e a história sobre Abraão e Isaque os lembraria de que Deus havia, previamente, considerado a possibilidade de pedir esse sacrifício, mas que, então, não o exigiu. Não obstante, o material nos Profetas mostra que eles não prestaram atenção nisso, e as descobertas arqueológicas confirmam que não.)

Era um ato desesperado e somente seria realizado durante uma grande crise, como a situação envolvendo Moabe. **Efraim** continua a ser um poder regional, e Moabe (do outro lado do mar Morto, visto de Judá) precisa pagar impostos a Efraim pelo "privilégio" de viver debaixo de sua proteção. O rei moabita é um criador de ovelhas, no sentido de ele governar um país cuja economia foca essa atividade. Talvez ele pague seus impostos na forma de lã, ou, no caso dos cordeiros, com os próprios animais; o texto não deixa claro o que Efraim fazia com toda aquela lã, que resultaria em toda a lã de um ou dois animais a cada pessoa por ano. É possível que Efraim usasse a lã em negociações comerciais com outros povos. Primeiro Reis 12 já forneceu uma vívida ilustração de como a morte de um rei e a ascensão de outro é um momento perigoso para qualquer regime, e não surpreende o fato de Messa escolher esse momento para declarar independência de Efraim. Igualmente, o novo rei sabe que precisa afirmar a sua autoridade de um modo decisivo, embora a tentativa de Jorão em fazer isso fracasse (como Roboão, em 1Reis 12).

As forças combinadas de Efraim e Judá, unem-se àquelas de Edom, situado ao sul de Moabe e a sudeste do mar Morto; evidentemente, Efraim também está em uma posição de inclinar-se sobre Edom. Eles marcham para baixo, no lado ocidental do mar Morto, e contornam a parte sul dele. Em sua maior parte, a região é extremamente inóspita, como já implicado na história de Eliseu e a nascente de água, em 2Reis 2, e parece que os reis não pensaram bem na logística de sua expedição. Os reis efraimita e judaíta, então, exemplificam duas maneiras de responder a tal situação — culpar Deus por seus erros sem falar com ele, ou perguntar a Deus o que está acontecendo e o que fazer. Como o menino que aconselhou Saul, em 1Samuel 9, e a menina que irá aconselhar Naamã, em 2Reis 5, um dos servidores de Jorão teve mais percepção sobre recursos espirituais que o seu chefe. Eliseu permanece, então, tão inabalável por seu rei quanto ele o será por Naamã, mas é persuadido a buscar a palavra de *Yahweh*. Novamente, como Saul, ele é ajudado nessa conexão por alguma música. Com frequência, a música possui a capacidade de tornar as pessoas abertas a realidades transcendentes de uma forma que a reflexão silenciosa ou a oração não conseguem. Na Bíblia, se você quiser buscar Deus, pode fazê-lo com o auxílio de barulho ou música, não do silêncio.

Assim, Eliseu traz a palavra de Deus aos reis. Ela promete a água da qual necessitam e que chega em abundância. Além disso, promete uma vitória conclusiva, e, inicialmente, o miraculoso suprimento de água também promete ser o meio de concretizar uma vitória maravilhosa. Esse é, então, o momento em que Messa oferece o seu sacrifício. Uma situação desesperada requer medidas igualmente desesperadas, e, como o rei, ele é aquele que deve tomá-las. E elas funcionam.

Como assim? O que é essa ira que vem sobre Israel? É a ira de *Yahweh*? É a ira de Camos, o deus moabita? É simplesmente ira — uma maneira de descrever como a vitória é transformada em catástrofe? O sacrifício funciona para galvanizar os moabitas? Funciona pela paralisação dos israelitas? Parece que os narradores da história não sabem nem pretendem explicar o que não conhecem. Embora a reflexão espiritual ou teológica, às vezes, torne possível saber coisas, nem sempre é assim. Há ocorrências estranhas na vida que não conseguimos explicar, e temos de conviver com elas com base nos indícios que Deus nos revelou sobre o grande quadro e que podemos compreender. É encorajador que as Escrituras não finjam saber tudo; então, é mais fácil confiar nelas quando elas acham que realmente sabem das coisas.

Extraordinariamente, há uma inscrição comemorativa sobre uma laje de pedra, erigida pelo próprio Messa, que pode conter o seu relato sobre esse evento, mas, sem referir-se ao sacrifício de seu filho (embora também possa ser um relato sobre algum outro conflito entre Efraim e Moabe). A inscrição, chamada de "Pedra Moabita" ou "Estela de Mesa", está agora no Louvre, em Paris. Messa também faz menção ao domínio israelita sobre Moabe e a determinação do novo rei de estender esse domínio. Ele agradece a Camos por libertá-lo, "pois Israel [isto é, Efraim] pereceu para sempre". Sua hipérbole segue o padrão encontrado em outras passagens do Antigo Testamento que, algumas vezes, declara que Israel aniquilou um povo e, então, refere-se a eles mais adiante, para mostrar que não devemos considerar aquela linguagem de modo tão literal.

2REIS **4:1-44**
UM CONTO DE DUAS MULHERES

¹Ora, certa mulher entre as esposas dos discípulos dos profetas lamentou a Eliseu: "Teu servo, meu marido, está morto, e tu mesmo sabes que o teu servo era alguém que reverenciava *Yahweh*, e um credor está vindo para tomar meus dois filhos para si como servos." **²**Eliseu lhe disse: "O que devo fazer por você? Diga-me o que você tem em sua casa?" Ela disse: "Tua serva não tem nada em casa, exceto um jarro de óleo." **³**Ele disse: "Vá e peça por recipientes para você aos de fora, de todos os seus vizinhos, recipientes vazios. Não pegue poucos. **⁴**Entre, feche a porta atrás de você e de seus filhos e derrame [óleo] no interior de todos esses recipientes. Remova [cada] um cheio." **⁵**Ela saiu de diante dele e fechou a porta atrás dela e de seus filhos. As pessoas trouxeram [recipientes] para ela, e ela ficou derramando. **⁶**Quando os recipientes estavam cheios, ela disse ao seu filho: "Traga-me outro recipiente", mas ele lhe disse: "Não há outro recipiente"; e o óleo parou. **⁷**Ela foi e contou ao homem de Deus. Ele disse: "Vá, venda o óleo e pague a sua dívida, e vocês e seus filhos podem viver do que sobrar."

⁸Certo dia, Eliseu viajou a Suném. Uma mulher importante estava lá, e ela o pressionou a comer, e, sempre que viajava, ele parava lá para comer. **⁹**Então, ela disse ao seu marido: "Ora, reconheço que é um santo homem de Deus que viaja a nós todo o tempo. **¹⁰**Vamos fazer para ele um pequeno quarto murado no telhado e colocar uma cama para ele ali, e uma mesa, uma cadeira e uma lâmpada. Quando ele vier a nós, pode parar ali." **¹¹**Um dia, ele chegou ali e parou no quarto, no telhado, e deitou ali, **¹²**e disse a Geazi, o seu rapaz: "Chame essa mulher sunamita." [...] **¹⁶**Ele disse: "Nessa época, no próximo ano, você estará segurando um filho." Ela disse: "Não, meu senhor, homem de Deus, não enganes a tua serva." **¹⁷**Mas a mulher concebeu e teve um filho naquela época, no ano seguinte, como Eliseu lhe declarou.

¹⁸A criança cresceu, mas, um dia, ele saiu ao seu pai, aos ceifeiros, **¹⁹**e disse ao seu pai: "Minha cabeça, minha cabeça!" Este disse a um rapaz: "Leve-o para a mãe dele." **²⁰**Ele o levou e o entregou à sua mãe, e ele ficou sentado no colo dela até o meio-dia, e morreu. [...] **²⁵**Ela partiu e foi ao homem de Deus, no monte Carmelo. [...] **²⁸**Ela disse: "Pedi por um filho ao meu senhor? Não disse: 'Não me encoraje'?" [...] **³²**Eliseu chegou à casa, e lá estava o menino morto, deitado em sua cama. **³³**Ele entrou e fechou a porta atrás dos dois e implorou a *Yahweh*. **³⁴**Ele subiu e deitou-se sobre o menino, colocou a sua boca sobre a boca dele, seus olhos sobre os olhos dele, suas mãos sobre as mãos dele. Enquanto se debruçava sobre ele, a carne do menino se aquecia. **³⁵**Ele retornou, foi na casa aqui e ali, então subiu e se debruçou sobre ele, e o menino espirrou sete vezes. Então, o menino abriu os olhos. **³⁶**[Eliseu] chamou Geazi e disse: "Chame a mulher sunamita." Ele a chamou, e ela veio até ele. Ele disse: "Pegue o seu filho."

[Os versículos 37-44 concluem essa história e relatam mais duas histórias de maravilhas realizadas por Eliseu.]

Entre meus amigos, há inúmeros casais jovens que desejam ter filhos, mas isso não ocorre. Eles, então, submetem-se a exames médicos variados e a tratamentos diversos. Certo casal optou pela fertilização *in vitro* e a transferência embrionária, mas o processo nunca foi bem-sucedido, e acho que o casal, agora, aceitou a ideia de jamais ter filhos. No caso de outro casal, um médico decidiu que a esposa necessitava de determinado tratamento e a encorajou a pensar que isso poderia resolver o problema. Imagino, então, que tenha sido difícil viver com aquele encorajamento. A mulher não sabe se deve acreditar no médico (e se, talvez, ela não acreditar, o tratamento não dará certo?). A pessoa não deseja que o encorajamento seja algo que leve a uma decepção pior do que a frustração que ela já sente. Então, no ano passado, essa mulher engravidou, e a pergunta que não queria calar é se, dessa vez, a gravidez não terminaria num aborto (refleti sobre isso, mas não ousei perguntar ao casal se essa possibilidade passava pela mente deles). Todavia, duas semanas atrás o bebê deles nasceu!

É possível que a mulher sunamita experimentasse um desencorajamento mais profundo que a minha primeira amiga, quando fez as transferências embrionárias sem sucesso, ou que a minha segunda amiga teria experimentado caso ela jamais concebesse ou mesmo abortasse. É como se essa mulher de Suném tivesse feito as pazes com a ideia de não poder ter filhos e, então, aplicasse a sua energia em outras direções, como oferecer hospitalidade a um profeta andarilho. A exemplo de muitas narrativas do Antigo Testamento, essa história mostra como as mulheres podem ser pessoas de iniciativa e ação — elas não estão restritas a fazer o que seu marido diz. Suném é uma vila situada na fértil planície central de **Efraim**, não distante de Jezreel, portanto abaixo do monte Carmelo, no qual Eliseu possui a sua base. Como de costume, a história assume que o andar térreo de uma casa compreende os aposentos regulares da família e que o telhado é um lugar para privacidade ou para fazer algo especial. É a apreciação de Eliseu pelo cuidado da mulher por ele que o leva a encorajá-la a perguntar o que ele pode fazer por ela. A sunamita responde que já possui tudo de que necessita, e é Geazi que indica que ela não tem filho e que seu marido é idoso. A implicação não é de que ela seja incapaz de ter filhos, mas de que, cedo ou tarde, ela será deixada por conta própria. Quem, então, cuidará dela?

Não há "Portanto, assim diz o Senhor" e nenhuma oração na resposta de Eliseu. Ele é um **homem de Deus**; é assim que a mulher o chama. Isso implica que ele possui poder sobrenatural. Agora, é plenamente possível acreditar que alguém tem poder sobrenatural ou mesmo reconhecer que Deus tem poder para curar e dar uma nova vida, mas não ser capaz de imaginar que esse poder será exercido em favor dela. É algo que só acontece com outras pessoas, não comigo, pensamos. E, quase sempre, estamos certos. A maioria dos casais sem filhos não tem a experiência que o casal de meu exemplo teve. Contudo, de algum modo, o fato de alguns casais terem essa experiência bem-sucedida pode ser um encorajamento para a maioria que não tem.

O fato de a mulher ter um período difícil para acreditar no que Eliseu diz não constitui nenhum obstáculo para que isso se realize; o que Deus faz não é, necessariamente, dependente da nossa fé. No entanto, o cumprimento da promessa de Eliseu é apenas metade dessa história. Talvez o menino sofra os efeitos da insolação, por estar fora, no campo, no calor do período de colheita. Novamente, a sua mãe é aquela que exerce a iniciativa, ignorando as objeções do marido por sua pressa em ir à base de Eliseu no monte Carmelo. "E se ele não estiver lá?" Todavia, ele está lá e fica surpreso não pelo ocorrido ao menino, mas porque "***Yahweh*** escondeu isso de [mim] e não [me] contou". Apenas por ser um homem de Deus com percepção e poder sobrenaturais, isso não significa que você pode ver e fazer tudo. Eliseu tenta enviar Geazi para ver o que pode ser feito pelo menino, mas a mulher não se deixa convencer por essa ação, de modo que Eliseu também vai. O processo pelo qual o menino é ressuscitado, uma vez mais, pressupõe que a própria pessoa de Eliseu contém um poder misterioso. A vida pode fluir dele para o menino. As histórias sobre Jesus usando saliva e barro para curar um homem cego e de precisar repetir a ação em um caso (Marcos 8; João 9) traçam um paralelo a essas narrativas sobre Eliseu. A última história no capítulo 4 relata Eliseu alimentando miraculosamente cem pessoas com um número relativamente pequeno de pães; portanto, isso, igualmente, acabará por mostrar como Jesus exerce um ministério como o de Eliseu. Não se pode produzir generalizações com base nas histórias sobre o modo de operar curas; mas, simplesmente, sentir-se perplexo e esperançoso diante do que Deus, algumas vezes, faz.

A história sobre a viúva de um dos **discípulos dos profetas** ilustra certas dinâmicas sobrepostas. Jesus expressa que havia muitas viúvas em Israel nos dias de Elias (Lucas 4:25), e a situação não tinha mudado na própria época de Jesus. Não há segurança social ou benefícios para as viúvas; a família estendida e os vizinhos é que devem ajudar a viúva quando ela estiver em dificuldades, mas a pressuposição do relato em questão é de que toda a comunidade enfrenta problemas. A viúva não está necessariamente a salvo de tais problemas pelo fato de o seu marido ser uma pessoa devotada a Deus e envolvida no ministério. Obviamente, a mulher (ou o marido dela, antes de morrer) tinham obtido um empréstimo, na esperança de que a situação melhorasse; talvez contassem com uma colheita abundante o suficiente para eles pagarem o empréstimo. Isso não ocorreu. O efeito colateral do empréstimo seria, então, que o pagamento seria feito com o trabalho dos filhos. Isso não significava que eles seriam escravos, e, se o sistema funcionasse de acordo com a **Torá**, eles estariam livres após algum tempo, mas o arranjo não seria muito divertido para a mãe, muito menos para os filhos.

Por não termos experiências miraculosas como essas envolvendo as duas mulheres, é tentador que as consideremos "apenas histórias", e não há maneira de estabelecer se são apenas isso ou não. Talvez isso faça pouca diferença. Caso relatem eventos reais, a ocorrência de tais coisas a nós são improváveis. Seja como for, as histórias estão presentes na Escritura para nos convidar a refletir sobre a capacidade de Deus de realizar coisas extraordinárias e também de estarmos abertos a ser agentes de Deus em alcançar, de algum modo, mulheres que não podem ter filhos ou que perderam filhos ou maridos.

2REIS 5:1—6:7
UMA DOENÇA DE PELE REMOVIDA E IMPOSTA

¹Ora, Naamã, comandante do exército do rei de Aram, era alguém importante para o seu senhor e altamente considerado, pois, por meio dele, *Yahweh* tinha dado libertação a Aram, mas o homem era um poderoso guerreiro com uma desordem de pele. ²Os arameus tinham saído em ataque e capturaram de Israel uma pequena garota, que servia à esposa de Naamã. ³Ela disse à sua senhora: "Se apenas o meu senhor estivesse na presença do profeta em Samaria. Então, ele removeria essa desordem dele." ⁴[Naamã] foi e falou ao seu senhor: "A menina de Israel disse isso e aquilo", ⁵e o rei de Aram disse: "Saia e vá, e eu mandarei uma carta ao rei de israel." Então, ele foi, levou consigo dez talentos de prata, seis mil siclos de ouro e dez peças de roupas, ⁶e levou a carta ao rei de Israel: "Quando esta carta chegar a ti: bem, enviei o meu servo, Naamã, a ti para que possas remover a desordem de pele dele." ⁷Quando o rei de

Israel leu a carta, ele rasgou as suas roupas e disse: "Sou Deus, para matar ou fazer viver, para este homem enviar alguém para que eu o cure da desordem de pele? Porque, certamente, você pode reconhecer e ver que ele está buscando uma disputa comigo." ⁸Quando Eliseu, o homem de Deus, ouviu que o rei de Israel tinha rasgado as suas roupas, mandou dizer ao rei: "Por que rasgaste tuas roupas? Ele deveria vir a mim, para poder reconhecer que há um profeta em Israel."

⁹Naamã chegou com seus cavalos e carruagens e parou à porta da casa de Eliseu. ¹⁰Eliseu enviou um ajudante para dizer: "Vá e lave-se sete vezes no Jordão, e a sua pele voltará para você e estará limpa." ¹¹Naamã ficou furioso e foi embora. Ele disse: "Bem, eu disse a mim mesmo: 'Ele definitivamente sairá, ficará em pé, clamará em nome de *Yahweh*, seu Deus, acenará com sua mão no lugar e removerá a doença. ¹²Não são Abana e Farfar, os rios em Damasco, melhores que toda a água em Israel? Não poderia me lavar nelas e ser limpo?'" Assim, ele se virou e saiu com raiva. ¹³Mas seus servidores vieram à frente e lhe falaram. Eles disseram: "Pai, tivesse o profeta falado a ti uma grande coisa, tu não farias? Quanto mais quando ele te disse: 'Lave-se e seja limpo'?" ¹⁴Assim, ele desceu e mergulhou sete vezes no Jordão, de acordo com a palavra do homem de Deus, e sua pele voltou como a de um menino, e estava limpa. ¹⁵Ele retornou ao homem de Deus, ele e toda a sua comitiva, chegou e ficou diante dele, e disse: "Está certo, reconheço que não há Deus em toda a terra, exceto em Israel. Assim, agora, aceite um presente do teu servo." ¹⁶Ele disse: "Tão certo quanto *Yahweh* vive, diante de quem permaneço [em assistência], não aceitarei." [Naamã] o pressionou, mas ele recusou. ¹⁷Naamã disse: "Não poderá, então, ser dado ao teu servo duas mulas carregadas com terra, pois o teu servo não mais fará oferta queimada ou sacrifício a qualquer outro deus, exceto a *Yahweh*? ¹⁸Com relação a esse assunto, que *Yahweh* perdoe o teu servo: quando o meu senhor vai à casa de Rimom, para curvar-se ali, ele se apoia em meu

braço, de modo que eu também tenho que me curvar ali, na casa de Rimom — quando eu me curvar na casa de Rimom, que *Yahweh* perdoe o teu servo nessa questão." **19ª**Ele lhe disse: "Vá e fique bem."

[A passagem de 2Reis 5:19b—6:7 relata como Geazi mente a Naamã, dizendo que Eliseu mudou de ideia sobre o presente e, por isso, Eliseu declara que a doença de pele virá sobre Geazi. Então, fala sobre outro dos milagres "triviais" de Eliseu.]

Ontem foi o quarto domingo do mês e, como de costume, não tivemos um sermão "apropriado"; o reitor sentou-se numa cadeira e convidou a congregação a nos contar o que eles ouviram Deus nos dizer fora das leituras da Escritura (trata-se de uma igreja pequena e, assim, ao contrário de igrejas maiores, isso é praticável). A filosofia dessa prática é a consciência de que pessoas comuns tendem a mostrar tanta percepção espiritual quanto reitores e professores de teologia (procuro manter-me em silêncio durante o período de compartilhar, embora não tenha logrado fazer isso ontem). Uma ou duas pessoas que, com frequência, se manifestam nessas discussões também enviam, de tempos em tempos, *e-mails* encorajadores e reflexivos entre a congregação.

A história de Naamã ilustra como pessoas comuns, às vezes, veem coisas que os líderes não conseguem ver. As traduções, tradicionalmente, citam o problema de Naamã como lepra, mas essa palavra tem sofrido mudanças em seu significado ao longo dos séculos e, agora, ela é equivocada. A palavra hebraica não denota uma deformidade que faz os membros da pessoa definharem, mas uma doença de pele. Embora não significasse que as pessoas afetadas deviam evitar o contato com outras, elas tinham que ser cautelosas quanto a isso.

Enquanto estivesse com essa doença de pele, ela não podia ir ao santuário oferecer sacrifícios, e qualquer um que tivesse um contato próximo com ela poderia "pegar" o tabu vinculado ao doente. Assim, alguém que desejasse ir ao santuário deveria ter cautela e evitar essa proximidade com pessoas enfermas (por isso, Lucas 17 fala sobre algumas pessoas com essa doença de pele que mantiveram certa distância de Jesus). Uma teoria plausível sobre o motivo de uma doença de pele poder ser vista assim é que ela dava uma aparência degenerativa ao corpo do enfermo, similar à decomposição após a morte (veja a história sobre a enfermidade de Miriã em Números 12). Portanto, a doença evocava a morte, que é incompatível com estar diante de Deus. A pessoa não podia ir à presença de Deus quando a sua aparência era de morte.

Nada podia ser feito com relação a essa doença de pele, apenas esperar que sumisse. Ocorre que essa pobre menina, prisioneira de guerra, conhece alguém capaz de fazer algo a respeito. Seria plenamente perdoável caso essa menina pensasse consigo: "Esse general **arameu** merece essa doença, ainda mais pelo que fez a nós, israelitas, e a mim, em particular"; mas, em vez disso, ela conta à sua senhora sobre o profeta que poderia remover a enfermidade.

O rei de Aram mostra alguma sabedoria ao se mostrar disposto a acreditar na menina, embora o preço a ser pago presumido por ele sugere ter havido algumas experiências ruins com o sistema de saúde arameu (mas, na realidade, o problema é descrito como uma desordem, em lugar de uma doença; a narrativa fala constantemente em "remover" a desordem e sobre "limpeza" em vez de cura, de modo que essa não é uma história de cura). O rei **efraimita** tem menos desculpas por sua reação insensata. Pode-se, talvez, compreender a atitude de Naamã em relação a Eliseu, que nem mesmo se dispõe a ir à porta para ver o grande general, mas apenas envia um de seus ajudantes com algumas instruções aparentemente estúpidas. Afinal, Naamã sabe como o exercício de talentos espirituais deve funcionar, e não é por um banho num córrego lamacento. Uma vez mais, são pessoas comuns, membros de sua comitiva, que demonstram ter percepção espiritual. Eles percebem que uma das características dos dons espirituais é que jamais pode-se prever como eles funcionarão. Não há regras, pois Deus não opera por meio de regras.

Embora não haja regras, pode haver uma justificativa, apenas vista posteriormente. Com frequência, nos intriga (ou mesmo nos agonia) o motivo pelo qual Deus cura algumas pessoas, não outras. Aqui, Naamã obtém a purificação quando há inúmeras pessoas com essa desordem em Israel, resignadas a viver com ela. Naamã obtém a purificação porque Deus deseja demonstrar que há um profeta em Israel, que Deus está falando e agindo ali. Há algo significativo a respeito do Jordão, ainda que não seja mais notável que os rios em Damasco; ele está localizado na terra na qual o Deus de Israel está, especialmente, em ação.

Naamã obtém a ação divina e, assim, passa a compartilhar a sabedoria de pessoas comuns como a menina e o seu próprio servidor, ambos anônimos. Embora o relato do Antigo Testamento foque, principalmente, a ação de Deus com Israel, de tempos em tempos o texto lembra aos seus leitores que o trabalho de Deus com Israel tem como alvo maior todas as nações da terra, e essa história constitui um exemplo. Naamã passa a reconhecer que não há Deus em toda a terra, exceto em Israel. Todavia, dificilmente ele pode permanecer em Canaã como um residente estrangeiro, a exemplo de Rute, a moabita, ou de Urias, o hitita. Há um emprego esperando por ele em sua terra natal. Ele nos faz recordar dos sábios do

Oriente Médio que viajaram para ver Jesus e adorá-lo e, então, tiveram que voltar para sua nação. Como Naamã pode fazer isso? Ele foi à terra santa, na qual **Yahweh** está especialmente ativo e, assim, leva de volta consigo solo israelita suficiente sobre o qual possa, diariamente, ir e oferecer suas orações e sacrifícios. Seria como se ele voltasse à terra santa e, quando tivesse que aparentar adoração ao deus dos arameus, em seu coração estaria adorando *Yahweh*. Há muçulmanos, hoje, que fazem isso, em lugar de segregarem-se de suas comunidades e arriscarem a sua vida.

Em Lucas 4, Jesus sugere um significado distinto na purificação de Naamã por Eliseu em vez de o profeta favorecer um israelita com a mesma desordem que o arameu; é uma espécie de juízo sobre o próprio Israel. Se esta é uma nota de advertência nessa história, outra nota é o relato sobre Geazi. Pode-se dizer que ele está sendo apenas prático, pois parece ser o ajudante sênior de Eliseu e, talvez, seja sua responsabilidade cuidar das finanças domésticas. Todavia, a sua ação confunde a mensagem que emerge da ação do **homem de Deus** e do Deus que está por trás dele, pagando um terrível preço por isso.

2REIS **6:8–23**
CAVALOS E CARRUAGENS DE FOGO AO REDOR DE ELISEU

⁸Quando o rei de Aram estava travando uma guerra contra Israel, ele tomou conselho com seus assessores, dizendo: "Meu acampamento estará em tal lugar", ⁹mas o homem de Deus mandava dizer ao rei de Israel: "Cuidado para não passar por este lugar, porque os arameus estão descendo para lá." ¹⁰Assim, o rei de Israel enviava ao lugar do qual o homem de Deus lhe tinha falado e advertido e tomava cuidado ali, mais de uma ou

duas vezes. **¹¹**A mente do rei de Aram ficou agitada quanto a essa questão. Ele convocou seus assessores e lhes disse: "Vocês devem me dizer quem de nós está do lado do rei de Israel!" **¹²**Um de seus assessores disse: "Não, meu rei e senhor, porque Eliseu, o profeta em Israel, é quem conta ao rei de Israel as coisas que tu falas em teu quarto." **¹³**Ele disse: "Vá e veja onde ele está. Mandarei buscá-lo."

Eles lhe disseram: "Ele está lá em Dotã." **¹⁴**Ele enviou cavalos e carruagens para lá e uma força poderosa. Eles chegaram à noite e cercaram a cidade. **¹⁵**O assistente do homem de Deus levantou-se de manhã e saiu: ali, a força estava cercando a cidade, com cavalos e carruagens. Seu rapaz lhe disse: "Oh, não, meu senhor, o que faremos?" **¹⁶**Ele disse: "Não tenha medo, porque há mais conosco do que com eles." **¹⁷**Eliseu suplicou: "*Yahweh, abre os olhos dele para que veja.*" *Yahweh* abriu os olhos do rapaz, e ele viu: e ali, as montanhas ao redor de Eliseu estavam cheias de cavalos e carruagens de fogo. **¹⁸**[Os arameus] desceram contra ele, e Eliseu pediu a *Yahweh*: "Atinge essa nação com um clarão." Ele os atingiu com um clarão de acordo com a palavra de Eliseu. **¹⁹**Eliseu lhes disse: "Este não é o caminho nem esta é a cidade. Sigam-me, e os levarei ao homem que vocês estão procurando", e ele os levou a Samaria. **²⁰**Quando eles chegaram a Samaria, Eliseu disse: "*Yahweh, abre os olhos dessas pessoas para que possam ver.*" *Yahweh* abriu os olhos deles, e eles viram; eles estavam dentro de Samaria. **²¹**Quando os viu, o rei de Samaria disse: "Devo matá-los, pai, devo matá-los?" **²²**Ele disse: "Você não os matará. Irá matá-los como pessoas que você capturou com sua espada e seu arco? Coloque comida e água diante deles para que possam comer e beber e ir para o senhor deles." **²³**Ele lhes preparou um grande banquete, e eles comeram e beberam. Então, ele os despediu, e eles foram ao seu senhor, e os invasores arameus não mais invadiram Israel.

Ao longo dos recentes anos, a minha forma de orar tem sido moldada pela consciência dos profetas de que, quando oramos, participamos dos debates no gabinete celestial de Deus. Histórias como aquela de Micaías, em 1Reis 22, ilustram como Deus não fica sentado sozinho no céu tomando decisões, da mesma forma que não toma todas as ações necessárias no mundo sem utilizar outros agentes. Deus preside um gabinete e toma decisões à luz de seus debates. Os profetas não escutam apenas; eles tomam parte, e isso é o que fazemos em oração. Eis por que orar é importante; como em qualquer reunião, se algumas pessoas não participam, então isso influencia o curso do debate e as decisões que são feitas. Mesmo apenas citar um nome em oração, como faço, com frequência lembra o corpo de tomada de decisões para não esquecê-las. O céu é um lugar muito mais complexo do que, em geral, imaginamos, e o que acontece na terra relaciona-se ao que acontece no céu.

Vinculado a esse fato está o modo pelo qual Eliseu, às vezes, tem ciência dos planos militares dos **arameus**; talvez porque seu acesso às reuniões do gabinete signifique poder ouvir os representantes celestiais de nações como Aram, relatando seus eventos e planos. Esse conhecimento resulta na frustração do rei arameu, para a nossa diversão, mas não para ele. As entidades que participam dos debates do gabinete não são apenas as que tomam decisões, mas as forças que agem, como 1Reis 22 também sugere (não que suas ações sempre estejam de acordo com a vontade do presidente do gabinete, a julgar por algumas passagens do Antigo Testamento e pela nossa própria experiência). Não há separação entre as áreas judiciais ou legislativas da executiva. Eliseu sabe que é assim e precisa que seu assistente compreenda isso para que não entre em pânico. Que chance um profeta e seus ajudantes têm contra o exército arameu? Resposta: chances enormes quando se percebe as dinâmicas reais do que ocorre na terra. Existe todo um outro domínio de realidade e de atividade que o assistente precisa levar em conta. O que se vê (com olhos naturais) não é a única pista à disposição.

Portanto, o acesso de Eliseu ao gabinete e ao seu presidente significa poder pedir por ação na terra e ver as coisas acontecerem. Nem sempre funciona. Na história sobre a mulher sunamita, ele mesmo foi surpreendido pelo fato de Deus não lhe revelar sobre a morte do menino. Algumas vezes, os profetas pedem coisas (argumentam por elas no gabinete) e perdem o debate; pelo menos, Jeremias pode testificar dessa experiência. Nem sempre é possível fazer prevalecer o seu ponto no debate (isto é, nem sempre as suas orações são respondidas), mas, às vezes, a resposta vem. Nessa ocasião, Eliseu a recebe, e isso o capacita a impor outra experiência frustrante sobre os arameus de uma forma que achamos divertida, mas eles não.

Igualmente, esse é um grande exemplo de como agir como um pacificador. Eliseu, algumas vezes, traz julgamento sobre o povo, embora isso seja mais frequente em Israel do que sobre estrangeiros. A exemplo de Elias (e Jesus), o profeta está mais interessado em trazer juízo sobre as pessoas de Deus do que sobre outros povos. Somos sábios ao nos ressentir da forma pela qual os profetas trazem tal julgamento: eles são uma ameaça a nós. Do mesmo modo que ele mostra misericórdia pelo arameu Naamã, ele também demostra misericórdia pelo exército de Aram. Não sejamos apenas suaves, ele diz, com efeito. Deixemos Deus mostrar algum poder sobre eles — não "cegá-los" (uma palavra que as traduções modernas utilizam), mas "ofuscá-los", temporariamente. Mostremos que eles abocanharam mais do que conseguem mastigar. Então, exibiremos magnanimidade na vitória e lhes daremos uma festa. A seguir, vamos mandá-los para casa sãos e salvos.

Imagine a história contada por eles ao voltarem para casa! Não causa surpresa que tenham interrompido as hostilidades por um tempo, embora a narrativa seguinte indique que os arameus precisavam repetir o curso de aprendizado.

Você pode pensar que o modelo sobre como a oração funciona e emerge de uma história como essa e de relatos da experiência de profetas é um tanto antropomórfico. Pode pensar o mesmo sobre o modelo deles para uma compreensão da inter-relação entre a atividade de forças celestiais e terrenas. Tudo bem; conceba outro modelo, mas assegure-se de considerar as realidades que a história pressupõe. O que vemos na terra não é tudo o que existe na realidade, e a oração não é designada para nos mudar, mas alterar o que acontece. Até concebermos outro modelo que represente essas realidades, seria sábio de nossa parte não abandonarmos o modelo de Eliseu como se não fosse sofisticado o suficiente.

2REIS **6:24—7:20**
ATIREM NO MENSAGEIRO

²⁴Depois disso, Ben-Hadade, rei de Aram, mobilizou todo o seu exército e subiu e sitiou Samaria. **²⁵**Houve uma grande fome em Samaria. Assim, eles a sitiaram até que uma cabeça de jumento passasse a valer oitenta siclos [de prata], e um quarto de litro de esterco de pomba valesse cinco siclos [de prata]. **²⁶**O rei de Israel estava passando pelo muro quando uma mulher gritou para ele [...]: **²⁸ᵇ**"Essa mulher me disse: 'Desista do seu filho, e nós o comeremos hoje, e comeremos o meu filho amanhã', **²⁹**e cozinhamos o meu filho e o comemos. No dia seguinte, eu disse a ela: 'Desista de seu filho, e nós o comeremos', mas ela escondeu o seu filho." **³⁰**Quando o rei ouviu as palavras da mulher, ele rasgou as suas roupas, e, enquanto ele passava pelo muro, as pessoas viram: ali, por baixo da roupa, pano de saco sobre a sua carne. **³¹**Ele disse: "Isso e mais possa

Deus fazer a mim se a cabeça de Eliseu, filho de Safate, permanecer hoje sobre ele." ³²Eliseu estava sentado em casa, e os anciãos estavam sentados com ele. [O rei] tinha enviado um homem adiante dele. [...] ³³ᵇEle disse: "Ora, esse problema é de *Yahweh*. Por que deveria esperar mais por *Yahweh*?"

CAPÍTULO 7

¹Eliseu disse: "Ouçam a palavra de *Yahweh*. *Yahweh* disse isto: 'A esta hora, amanhã, uma medida de farinha [valerá] um siclo, duas medidas de cevada por um siclo, no portão de Samaria." ²O oficial, em cujo braço o rei se apoiava, replicou ao homem de Deus: "Se *Yahweh* fizesse janelas nos céus, poderia isso acontecer?" [Eliseu] disse: "Ora, você irá ver isso com os seus próprios olhos, mas não comerá disso."

³Havia quatro homens com desordem de pele no portão da cidade. Eles disseram uns aos outros: "Por que estamos sentados aqui até morrermos? ⁴Se dissermos: 'Vamos entrar na cidade', há fome na cidade e morreremos lá, e, se sentarmos aqui, morreremos. Vamos nos render ao acampamento arameu. Se nos deixarem viver, viveremos. Se nos matarem, morreremos." ⁵Então, eles partiram ao anoitecer para o acampamento arameu, mas chegaram na borda do acampamento arameu, e ali não havia ninguém. ⁶O Senhor tinha feito o exército ouvir o som de carruagens, o som de cavalos, o som de um imenso exército. Eles disseram uns aos outros: "Ora, o rei de Israel contratou contra nós os reis dos hititas e os reis do Egito", ⁷e tinham partido e fugido ao anoitecer. Eles deixaram as suas tendas, cavalos e jumentos, o acampamento como estava, e fugiram por sua vida. ⁸Então, esses homens com desordem de pele chegaram à borda do acampamento, entraram em uma tenda, comeram e beberam, carregaram prata, ouro e roupas de lá, e saíram e os enterraram. [...] ⁹Mas eles disseram uns aos outros: "Não estamos agindo certo. Este dia é um dia de boas notícias. Estamos mantendo silêncio. Esperaremos até a luz da manhã, então a [nossa] desobediência irá nos descobrir. Vamos voltar e contar à casa do rei [...]."

> **¹⁶**Então, o povo saiu e saqueou o acampamento arameu, e uma medida de farinha [valeu] um siclo, e duas medidas de cevada por um siclo, de acordo com a palavra de *Yahweh*. **¹⁷**A cargo do portão, o rei tinha indicado o oficial em cujo braço ele se apoiara, e as pessoas o pisotearam no portão, e ele morreu, conforme o homem de Deus tinha falado.
>
> *[Os versículos 17b-20 resumem essa nota de encerramento da história.]*

De vez em quando, medito sobre o motivo de tantos cristãos hoje se preocuparem com a guerra mais do que os cristãos das épocas passadas. Não é simplesmente por estarem seguindo Jesus — pelo menos, a maioria das gerações anteriores de cristãos não pensava dessa maneira, e muitos judeus, agnósticos e ateus compartilham da atitude moderna. Será uma reação quanto à natureza do armamento moderno, que faz coisas terríveis às pessoas? Pelo fato de os modernos meios de comunicação tornarem impossível ficarmos alheios ao que ocorre no campo de batalha? Por que os combatentes retornam da guerra terrivelmente feridos no corpo e no espírito em vez de morrerem em campo, de tal modo que o custo da guerra permanece visível em sua vida subsequente? Segundo algumas estimativas, vinte por cento dos combatentes no Iraque e no Afeganistão desenvolverão transtorno de estresse pós-traumático, tal como um entorpecimento emocional. A pessoa não tem qualquer sentimento, positivo ou negativo — nem alegria ou amor, nem ódio ou hostilidade.

Essa narrativa sobre o cerco a Samaria me leva a pensar que o efeito da guerra não é tão diferente dos seus efeitos no século XX. Mulheres estão comendo os seus bebês. Se isso não requer um desapego emocional, não sei mais o que demanda.

Essa não é a única passagem no Antigo Testamento que relata essa desesperada atitude. O sítio a uma cidade era uma tática característica dos conflitos militares no mundo antigo e de execução simples. O inimigo posicionava-se fora dos limites de uma cidade (talvez a capital do povo adversário, como no relato em questão) e interrompia as linhas de suprimento daquela cidade. A comida destinada à população sitiada torna-se sua, enquanto você permanece acampado até que a fome force a rendição da cidade ou a fraqueza torne os seus habitantes uma presa fácil. Ninguém, normalmente, comeria um guisado de cabeça de jumento, mas situações desesperadas geram ações desesperadas. (Presumo que o esterco de pomba fosse um combustível para cozinhar, todavia pode ser uma expressão para alguma espécie de sementes ou cascas pouco apetitosas.)

Nesse ínterim, as pessoas experimentam uma ruptura moral. Imagino que não devamos pensar que as mulheres mataram os seus bebês simplesmente para os comerem, embora eu talvez esteja sendo um pouco melindroso. No entanto, sob as circunstâncias de um cerco, os bebês são muito mais vulneráveis que os adultos, parcialmente porque a amamentação de sua mãe seria interrompida pela falta de nutrição e, em consequência, os bebês simplesmente morriam. Sob tais condições, às vezes, o canibalismo surge. Mas quão desesperadora é a situação para que mães sejam capazes de comer o corpo de seus bebês? Essa história pressupõe que é responsabilidade do rei resolver as disputas entre as pessoas da comunidade, que elas têm o direito de pedir ao rei que as resgate da injustiça e da opressão e restabeleça a ordem pela instalação da justiça e da liberdade. A mulher está questionando se o rei irá cumprir com a sua responsabilidade para decidir um caso de suposta fraude ou dolo. Ela perdeu qualquer noção da monstruosidade da sua ação de comer os bebês.

Por seu turno, o protesto dela leva o rei a revelar o seu próprio senso de desesperança diante de Deus e o seu ressentimento em relação a Eliseu. O rei está ressentido por Eliseu lhe ter requerido a libertação dos **arameus**, permitindo que, agora, eles estejam novamente em posição de causar tamanho sofrimento a **Efraim**? Está culpando Eliseu, como agente de Deus, por trazer juízo sobre Efraim? Será o cerco um cumprimento da palavra de Eliseu? O profeta está falhando em usar o poder inerente a ele como **homem de Deus**? Está falhando em interceder a Deus pelo término do cerco? Que esperança o rei pode ter quanto ao futuro? Açoitar o profeta é uma forma de açoitar o Deus que está trazendo tão terrível aflição sobre a cidade. Igualmente, é uma recusa a assumir qualquer responsabilidade, como se a ação de Deus tivesse algo a ver com a maneira pela qual o rei tem liderado o seu povo. Há algum contraste entre a forma pela qual o rei envia um ajudante hostil e o fato de os anciãos, os membros mais importantes da comunidade, estarem sentados com Eliseu, aparentemente buscando, de algum modo, descobrir o que Deus irá fazer, em vez de apenas ceder ao desespero, como o rei e seu ajudante.

Considerando que, anteriormente, Deus fechou os olhos dos arameus e abriu os olhos do assistente de Eliseu, agora Deus abre os olhos dos arameus para que vejam o que o assistente viu, no episódio anterior, embora, de modo irônico, eles presumam que as carruagens e os cavalos pertencem a outros exércitos terrenos, não aos exércitos celestiais. Ao contrário de Naamã, mas a exemplo dos homens em Lucas 17, aqueles homens com desordem de pele estavam isolados de suas famílias. Não está bem claro por que eles estão segregados; não há nada no Antigo Testamento que exija isso, e eles mesmos consideraram voltar à cidade caso quisessem, mas naquelas circunstâncias isso não seja sábio, pois também não há comida lá. Talvez estejam sob uma quarentena temporária, como Miriã; ou a comunidade tenha concluído que a doença deles fosse resultante de pecado, como Miriã. É possível, ainda, que colocá-los sob quarentena fosse uma das maneiras de a comunidade evitar qualquer coisa que pudesse desagradar a Deus e, assim, abrir a possibilidade de Deus agir em benefício deles. É, então, perfeito que os que estão sob quarentena sejam aqueles que descobrem o que Deus fez. Por outro lado, o homem que não acredita que Deus irá agir em benefício da cidade perde a chance de compartilhar dos resultados dessa ação divina.

2REIS **8:1–29**
FOI APENAS UMA COINCIDÊNCIA

¹Eliseu falou à mulher cujo filho ele trouxe à vida, dizendo: "Parta e vá, você e a sua casa, e permaneça em algum lugar ou outro, porque *Yahweh* convocou uma fome e, de fato, virá sobre a terra por sete anos." **²**A mulher partiu e agiu de acordo com a palavra do homem de Deus. Ela foi, ela e a sua casa, e permaneceu na Filístia por sete anos. **³**Ao fim dos sete anos, a mulher retornou da terra dos filisteus e foi apelar ao rei sobre a sua casa e suas terras. **⁴**O rei estava falando com Geazi, o rapaz do homem de Deus, dizendo: "Diga-me todas as grandes coisas que Eliseu tem feito." **⁵**Ele estava contando ao rei como ele havia trazido o morto à vida, quando a mulher cujo filho ele havia trazido à vida chegou para apelar ao rei sobre sua casa e suas terras. Geazi disse: "Meu rei e senhor, esta é a mulher e este é o seu filho a quem Eliseu trouxe à vida." **⁶**O rei perguntou à mulher, e ela lhe contou, e o rei designou um oficial para ela, dizendo: "Devolva tudo o que pertencer a ela e toda a renda de suas terras, desde o dia em que ela deixou o país até agora."

7Eliseu foi a Damasco, quando Ben-Hadade, o rei de Aram, estava doente. Ele foi informado: "O homem de Deus veio aqui." **8**O rei disse a Hazael: "Leve um presente com você e vá ao encontro do homem de Deus e inquira de *Yahweh* por ele: 'Recuperar-me-ei dessa doença?'" **9**Hazael foi ao encontro dele e levou um presente com ele, todas as coisas boas de Damasco, quarenta camelos carregados. Ele foi e apresentou-se diante dele e disse: "Teu filho, Ben-Hadade, rei de Aram, enviou-me a ti, dizendo: 'Recuperar-me-ei dessa doença?'" **10**Eliseu lhe disse: "Vá, diga-lhe: 'Definitivamente, te recuperarás.' Mas *Yahweh* me mostrou que ele, definitivamente, morrerá." **11**Ele manteve a sua face congelada até que [Hazael] ficasse embaraçado, e o homem de Deus chorou. **12**Hazael disse: "Por que estás chorando, meu senhor?" Ele disse: "Porque eu sei o mal que você fará aos israelitas. As suas fortalezas, você incendiará. Os seus jovens, você matará com a espada. Os seus pequenos, você irá rasgar em pedaços. As suas mulheres grávidas, você abrirá." **13**Hazael disse: "O que é teu servo, um cão, para que ele possa fazer esse poderoso feito?" Eliseu disse: "*Yahweh* me mostrou você como rei sobre Aram." **14**Ele deixou Eliseu e foi ao seu senhor, e ele lhe disse: "O que Eliseu disse a você?" Ele disse: "Ele me disse: 'Definitivamente, te recuperarás.'" **15**Mas, no dia seguinte, ele pegou um pano, mergulhou-o na água e o estendeu sobre sua face, e ele morreu. Assim, Hazael reinou em seu lugar.

[Os versículos 16-29 resumem os reinados de Jeorão/Jorão e Acazias, em Judá, durante os reinados de Jorão/Jeorão, em Efraim. Ambas as nações, portanto, tiveram um rei cujo nome podia ser escrito de duas maneiras. (Para esclarecer, irei referir-me ao rei judaíta como Jeorão, e ao rei efraimita como Jorão.)]

Ontem, recebi a visita de uma aluna de outro *campus* de nosso seminário que desejava conversar sobre pós-graduação.

A visita surgiu do fato de ela estar incluída na lista do seminário dos alunos anglicanos/episcopais, uma lista que obtive por almejar convidá-los para uma reunião. Na realidade, não percebi que a lista incluía estudantes de todos os nossos *campi* e, assim, recebi notas intrigantes de pessoas em lugares como Seattle, questionando o motivo de convidá-las a jantar em Pasadena e se eu iria pagar o bilhete aéreo. Caso tivesse percebido a natureza da lista, jamais teria convidado essa aluna, que mora a duas horas de carro. Seja como for, eu a convidei, e ela veio, e isso conduziu a outras conversações que, talvez, a auxiliem em suas ambições. Tudo não passou de uma coincidência.

A coincidência desempenha um grande papel na história da mulher sunamita. Foi por acaso que ela conheceu Eliseu, pois ocorreu de ele atravessar o caminho dela, embora não foi por coincidência que ela sugeriu ao marido apoiar o profeta, nem que fosse capaz de ter um filho e, então, que pedisse a intervenção de Eliseu quando a criança morreu (2Reis 4). Foi aquela consequência anterior que, por fim, resultou no alerta para refugiar-se em outro lugar durante os anos de fome.

A história é alusiva ao pano de fundo. Talvez a fome seja "apenas uma daquelas coisas" como algumas ondas de fome, relatadas em Gênesis (um profeta podia ainda falar sobre isso como algo trazido por Deus); mas, talvez, esse seja um ato de castigo sobre **Efraim** por sua falta de fé, como, por implicação, tem sido o caso das fomes anteriores, citadas em relação a Elias e Eliseu. A mulher, então, recebe um alerta por ser uma das poucas pessoas que dá atenção a Eliseu. Ao que tudo indica, seu marido está morto e, assim, ela é o cabeça efetivo da família (seu marido já era idoso quando o menino nasceu). Desse modo, ela está numa posição similar à de Noemi, na história de Rute. Buscar refúgio em outro país é o que Elimeleque e Noemi foram obrigados a fazer; estamos familiarizados com o modo pelo qual isso ocorre em nosso próprio mundo, quando a pobreza e a falta de trabalho forçam pessoas a se mudarem de regiões das Américas, da Ásia, da Europa Oriental e da África para os Estados Unidos e Europa Ocidental. As duas mulheres passam a ser responsáveis pelo destino da família e por sua terra. O relato fornece outra ilustração da forma natural com que uma mulher pode exercer essa responsabilidade. No sentido formal, ela apenas faria isso se o seu marido estivesse morto, mas as histórias do Antigo Testamento mostram que não havia suposição de que uma mulher não pudesse exercer responsabilidades por sua família, sua terra e seu destino. Para a sunamita, obviamente, a mudança colocou em perigo a propriedade da família muito mais seriamente do que no caso de Noemi, talvez apenas porque antigas convenções estavam se desintegrando, como mostra a história de Acabe e a vinha de Nabote.

Algumas das incertezas sobre a narrativa resultam do fato de todo esse episódio servir de cenário para uma nova coincidência. A sunamita e sua família retornam ao país, e ela precisa apelar ao rei pela restauração de sua terra, que, evidente e naturalmente, foi entregue aos cuidados de outra pessoa. Como no caso da história anterior, a responsabilidade do rei inclui um compromisso de cuidar para que a sociedade funcione de uma forma adequada e justa, de acordo com os princípios estabelecidos por Deus a esse respeito, e as pessoas detêm o direito de apelar ao rei quando seus vizinhos não estão agindo em conformidade e quando as disputas não podem ser resolvidas entre eles. Ela vai à presença do rei no exato momento em que o assistente de Eliseu está contando ao rei o que o profeta fez por ela. Ao lerem essa história, será que os israelitas questionavam sobre o que tinha acontecido à desordem de pele que Eliseu havia imposto sobre Geazi e que devia afligi-lo e aos seus descendentes para sempre (2Reis 5)? Concluíam que isso não impediu Geazi de seguir tendo uma vida normal? Ou concluíam que ele tinha se arrependido e encontrado restauração?

Por seu turno, o pano de fundo da segunda história reside bem antes, no relato sobre a instrução de Deus a Elias para o profeta realizar três unções (1Reis 19). Elias jamais realizou uma unção literal, embora tenha passado o seu manto a Eliseu, e este, agora, talvez estivesse efetivamente comissionando Hazael; logo adiante, ele efetuará a unção literal de Jeú. Obviamente, Hazael é um oficial na corte real de Damasco. O texto não esclarece o motivo de Eliseu ir a Damasco, mas sua reputação o precedia, e Ben-Hadade envia Hazael para consultá-lo. A exemplo de outras figuras internacionais no Antigo Testamento, como seu compatriota Naamã, ele reconhece que o poder de **Yahweh** e o poder e a percepção de seu profeta não estão restritos a Israel, portanto ele fornece um contraponto à história com a qual 2Reis inicia, sobre um efraimita que envia representantes para consultar um deus estrangeiro quando ele adoece. O poder e o discernimento de *Yahweh* são exercidos onde ele desejar.

Elias simplesmente disse a Hazael para mentir ao seu senhor? A história em 2Reis já ilustrou a disposição de Deus de enviar palavras de engano a alguém, como um ato de juízo. Todavia, talvez a mensagem de Eliseu contenha uma ambiguidade mais sutil e, ao mesmo tempo, arrepiante; ela reflete a misteriosa interação entre a vontade divina e a consciência, por um lado, e as probabilidades, as iniciativas e as responsabilidades humanas, por outro, além da misteriosa tensão entre a disposição divina de punir e a dor divina por fazer isso. Não, a enfermidade do rei não é fatal, de modo que, num sentido, ele irá se recuperar. No entanto, ele não se recuperará porque algo mais intervirá. Será que Hazael não possui ambições de ser rei? O sucesso subsequente de seu reinado de quarenta anos, talvez, torna isso pouco provável. Deus pretende que Hazael mate Ben-Hadade? A história não declara isso, embora deixe claro que Deus e Eliseu sabem que Hazael deseja matá-lo e não, exatamente, o proíbem de fazê-lo. É possível que o interesse deles resida em outro lugar, com a dificuldade que sobrevirá a Efraim como resultado do reinado de Hazael, motivo pelo qual Eliseu chora; eis por que essa história é contada. Ele reconhece que esse será o meio de Deus castigar Efraim pela falta de fé? Ou o seu choro destina-se a demover Hazael de suas intenções como assassino e rei?

2REIS **9:1-37**
O HOMEM QUE DIRIGE COMO UM LOUCO

¹Ora, Eliseu, o profeta, convocou um dos discípulos dos profetas e lhe disse: "Amarre as suas roupas, pegue este frasco de óleo e vá a Ramote-Gileade. **²**Quando chegar lá, procure por Jeú, filho de Josafá, filho de Ninsi. Quando você chegar, tire-o do meio de seus companheiros e leve-o para uma sala interior. **³**Pegue o frasco de óleo, derrame-o sobre a sua cabeça e diga: '*Yahweh* disse isto: "Eu o unjo rei sobre Israel."' Então, abra a porta e fuja. Não se demore." **⁴**Então, o rapaz foi (o rapaz do profeta) a Ramote-Gileade. **⁵**Quando ele chegou ali, os comandantes do exército estavam sentados juntos. Ele disse: "Eu tenho uma palavra para ti, comandante." Jeú disse: "Para qual de nós?" Ele disse: "Para ti, comandante." **⁶**[Jeú] levantou-se e entrou na casa, e [o rapaz] derramou óleo sobre a sua cabeça e lhe disse: "*Yahweh*, o Deus de Israel, disse: 'Eu o unjo rei sobre o povo de *Yahweh*, sobre Israel. **⁷**Você deve eliminar a casa de Acabe, seu senhor, e eu tomarei reparação de Jezabel pelo sangue de meus servos, os profetas, e o sangue de todos os servos de *Yahweh* [...].'"

¹⁶Jeú subiu em sua carruagem e foi a Jezreel, porque Jorão estava ali, na cama [doente]. Acazias, o rei de Judá, tinha descido para ver Jorão. **¹⁷**A sentinela estava de pé na torre, em Jezreel e viu o grupo de Jeú chegando. Ela disse: "Vejo um grupo [...]. **²⁰ᵇ**A condução é como a condução de Jeú, filho de Ninsi, porque ele dirige loucamente." **²¹**Jorão disse: "Preparem-na!", e eles prepararam a sua carruagem, e Jorão, rei de Israel, saiu, com Acazias, rei de Judá, cada um em sua carruagem. Saíram ao encontro de Jeú e o encontraram na terra de Nabote, o jezreelita. **²²**Quando Jorão viu Jeú, ele disse: "As coisas estão bem, Jeú?" Ele disse: "O que pode estar bem durante as imoralidades de sua mãe, Jezabel, e suas muitas formas de adivinhação?" **²³**Jorão deu meia-volta e fugiu, dizendo a Acazias: "Traição, Acazias!", **²⁴**enquanto Jeú pegou o arco em sua mão e atingiu Jorão entre os ombros. A flecha atravessou o seu coração, e ele caiu em sua carruagem. [...]

³⁰Jeú chegou a Jezreel. Quando Jezabel ouviu, ela colocou máscara sobre os seus olhos, arrumou o seu cabelo e olhou pela janela. **³¹**Quando Jeú atravessou o portão, ela disse: "As coisas estão bem, Zinri, assassino do seu senhor?" **³²**Ele levantou seu rosto para a janela e disse: "Quem está comigo? Quem?" Dois ou três oficiais olharam para ele. **³³**Ele disse: "Joguem-na para baixo!" Eles a jogaram, e o seu sangue respingou sobre o muro e os cavalos, e eles a pisotearam. **³⁴**Ele entrou, comeu, bebeu e disse: "Cuide dessa mulher amaldiçoada e enterre-a, porque ela é filha de um rei." **³⁵**Assim, eles foram enterrá-la, mas não conseguiram encontrar nada dela, somente o crânio, os pés e as palmas das mãos. **³⁶**Ele retornaram e lhe contaram, e ele disse: "É a palavra de *Yahweh* que ele falou por meio de seu servo Elias, o tesbita: 'Na terra de Jezreel, os cães comerão a carne de Jezabel. **³⁷**A carcaça de Jezabel será como esterco sobre a superfície dos campos na terra de Jezreel, para que as pessoas não sejam capazes de dizer: "Essa é Jezabel."'"

Meus pais amavam tanto a atriz de cinema Bette Davis que deram o nome dela à minha irmã. Eles se casaram em 1938, no ano em que a atriz ganhou um Oscar por seu papel principal no filme *Jezebel*. Como "Jezebel", ela é Julie Marsden, uma sulista bela, poderosa, orgulhosa, sensual e amorosa, às vésperas da Guerra Civil, em Nova Orleans. (Não irei pensar o que tudo isso implica sobre a minha mãe ou o meu pai.) Essa não é de forma alguma a única maneira na qual a história transformou Jezabel em uma figura de fantasia sexual. A cultura popular fez o mesmo uma década e pouco mais tarde, na canção de Frankie Laine, *Jezebel*, e canções de sucesso mais recentes usaram o mesmo tema. Jezabel é a tentadora, a sedutora, a enganadora.

Esse não é o quadro do Antigo Testamento sobre Jezabel. Na posição de rainha, ela era uma mulher que sabia usar seu poder para apoiar o seu homem, e era uma devota séria do **Mestre**, que também sabia como usar o poder dela nessa conexão. Ela havia usado a sua posição ajudando Acabe a tomar a terra que, logicamente, pertencia ao palácio e para que a religião de sua terra natal, a **Fenícia**, fosse devidamente reconhecida em **Efraim**. Décadas se passaram, e ela é, agora, a rainha-mãe. A viúva do rei anterior, que era, portanto, a mãe do rei atual, continuava sendo uma figura importante no Oriente Médio, e Jezabel crescera como uma personagem poderosa e assertiva na corte. Jeú sabe que o termo correto para o seu encorajamento à adoração do Mestre em Efraim é "imoralidades". O ponto sobre essa expressão não é haver um elemento sexual em suas atividades. Ocorre que as práticas da religião fenícia podem ser consideradas corretas na Fenícia (ou não; isso depende de quais são essas práticas), mas, com certeza, não são certas em Israel. Elas envolvem uma infidelidade a **Yahweh**, equivalente à traição de um marido ou de uma esposa.

Elias havia causado a morte de quatrocentos profetas, embora a narrativa não diga, na verdade, o que Deus pensou de sua ação. Deus lhe tinha dito para ungir Jeú, mas ele não o fez, tampouco Eliseu. Assim, Eliseu comissiona um dos **discípulos dos profetas** para realizar a unção. Talvez fosse para manter a discrição que Eliseu não fez isso pessoalmente e que, pela mesma razão, o jovem profeta ungiu Jeú em um lugar privado, embora isso siga o mesmo padrão do evento em que Samuel unge Saul. Mais adiante, o capítulo deixa claro o motivo pelo qual Jeú está do outro lado do Jordão, em Ramote-Gileade, uma importante cidade da fronteira entre Efraim e **Aram**. O exército estava lá para defendê-la contra os arameus, mas o rei havia se ferido e retornado a Jezreel para se recuperar. Não fica explícito que Jeú é o comandante-chefe na ausência do rei, mas se ele é, tecnicamente, um dos oficiais seniores, a palavra do profeta, imediatamente, o torna em muito mais.

O jovem profeta anônimo fala muito mais do que Eliseu comissiona, embora o que ele diga reafirme palavras anteriores de Deus, e é improvável que devemos concluir que ele foi além de sua comissão. Há dois elementos no juízo imposto por Deus. Jeú deve eliminar o governo da linhagem de Acabe. O fato de Acazias também ser descendente de Onri podia dar a Jeú uma justificativa para lançar-se à morte do rei judaíta quando este tenta fugir, sem sucesso. A mensagem de Deus refere-se, especificamente, a Acabe, o pai do rei atual, Jorão, a cujo reinado Jeú irá, de fato, pôr fim. A comissão divina não cita o próprio pai de Acabe, Onri, cuja linhagem Jeú irá, igualmente, eliminar. Onri não conta tanto para 1 e 2Reis. Acabe foi o verdadeiro responsável pela degeneração religiosa em Efraim. É cada traço dele que precisa ser eliminado. Quando o rei pergunta a Jeú se as coisas estão bem, isso significa, mais literalmente: "Há **paz**?" Pode-se imaginar que ele esteja interessado no que está acontecendo em Ramote-Gileade, na esperança de que seja esse o motivo de Jeú ter corrido até Jezreel. No entanto, não pode mais haver paz ou bem-estar para a casa de Acabe.

O outro elemento no juízo é que cada traço de Jezabel também deve ser eliminado. Nas palavras do profeta, a base para o julgamento dela não é a adoração a falsos deuses, encorajada por Acabe como resultado da chegada da rainha, mas o assassinato dos devotos de *Yahweh* que ela mesma incentivou. Com justiça poética, a morte de seu filho ocorre no próprio terreno do qual ela ajudou o rei a tomar posse, ao tramar a morte de seu legítimo proprietário. Nas palavras de Jeú a Jorão, a menção ao compromisso religioso de Jezabel encontra lugar naquela alusão às suas "imoralidades".

Em certo sentido, Jeú encontra o seu par em Jezabel. Como seu filho, ela pergunta a Jeú se as coisas estão bem ("Há paz?"), mas ela o faz com evidente ironia ou cálculo. Ela sabe que o jogo terminou e que a resposta de Jeú a Jorão se aplica também a ela. Jezabel insiste em referir-se a ele como Zinri, que é, na verdade, o nome do precursor de Jeú e modelo de oficial do exército, que havia assassinado o seu rei e assumido o trono. Zinri reinou por apenas uma semana e, então, suicidou-se, sendo substituído pelo próprio sogro de Jezabel, Onri. Com efeito, ela estava insinuando que aqueles que vivem pela espada morrem pela espada, embora, no caso de Jeú, ela estivesse errada. O golpe de Jeú resultará no estabelecimento de sua própria linhagem em Efraim, que permanecerá no poder por quase um século, a última dinastia importante antes da queda de Efraim diante dos **assírios**.

Ao contrário da impressão dada pela forma com que Jezabel se tornou uma figura da fantasia sexual, ao arrumar-se quando soube da aproximação de Jeú, a rainha-mãe não tem a intenção de seduzi-lo, mas ir ao encontro de sua morte com a dignidade exigida por sua posição como "filha de um rei". Contudo, se Jeú tem qualquer intenção sincera de facilitar esse desejo final, ele age tardiamente, e é frustrado; o resultado de sua demora é o cumprimento da própria palavra de Deus.

2REIS 10:1-35
O GRANDE SACRIFÍCIO PARA BAAL

¹Ora, Acabe tinha setenta descendentes em Samaria. Jeú escreveu cartas e as enviou a Samaria, aos oficiais em Jezreel, aos anciãos e aos guardiães de Acabe, dizendo: "Logo, quando essa carta alcançar vocês [...], **³**vejam quem é o melhor e mais íntegro dos descendentes de seu senhor, coloquem-no no trono de seu pai e lutem pela casa de seu senhor." **⁴**Mas eles ficaram muito, muito temerosos e disseram [...]: **⁵ᵇ** "Somos teus servos. Qualquer coisa que disseres, faremos. Não faremos ninguém rei. Faze o que for bom aos teus olhos." **⁶**Então, ele lhes escreveu uma segunda carta: "Se vocês estão do meu lado e irão ouvir a minha voz, peguem as cabeças dos homens (os descendentes de seu senhor) e venham até mim amanhã, a esta hora, em Jezreel." Os descendentes do rei, setenta deles, estavam com as pessoas importantes da cidade, que os criavam. **⁷**Quando a carta chegou até eles, pegaram os descendentes do rei e mataram todos os setenta. Eles colocaram suas cabeças em cestos e as enviaram a ele, em Jezreel. **⁸**Um ajudante veio e lhe disse: "Eles trouxeram as cabeças dos descendentes do rei." Ele disse: "Coloquem-nas em duas pilhas junto ao portão da cidade até de manhã." **⁹**Pela manhã, ele saiu, apresentou-se a todo o povo e disse: "Vocês estão certos. Sim. Eu mesmo conspirei contra o meu senhor e o matei, mas quem derrubou todos esses? **¹⁰**Reconheçam como não cairá por terra nada da palavra de *Yahweh*, que *Yahweh* falou com respeito à casa de Acabe, já que *Yahweh* fez o que ele falou por meio de seu servo Elias." **¹¹**Jeú eliminou todos os que permaneciam da casa de Acabe em Jezreel, e todas as suas pessoas importantes, seus amigos e seus sacerdotes, até não permitir nenhum sobrevivente remanescente a ele. [...] **¹⁷**Ele chegou a Samaria e matou todas as pessoas que restavam de Acabe em Samaria até tê-las eliminado, de acordo com a palavra de *Yahweh* que ele falou a Elias.

¹⁸Jeú, então, reuniu todo o povo e lhes disse: "Enquanto Acabe pouco serviu ao Mestre, Jeú servirá a ele muito mais. **¹⁹**Assim, agora, convoquem todos os profetas do Mestre, todos os seus servos e todos os seus sacerdotes. Ninguém deve faltar, porque tenho um grande sacrifício para o Mestre. Nenhum que faltar viverá." [...] **²⁵**Mas, quando acabou de fazer a oferta queimada, Jeú disse aos batedores e aos oficiais: "Venham e os matem. Ninguém deve escapar." Os batedores e oficiais os mataram à espada, os deixaram e foram à cidade da casa do Mestre. **²⁶**Eles levaram para fora as colunas da casa do Mestre e as queimaram. **²⁷**Eles demoliram as colunas do Mestre e demoliram a casa do Mestre e transformaram [o local] em latrina, como é até este dia. **²⁸**Jeú eliminou o Mestre de Israel; **²⁹**no entanto, Jeú não se desviou das ofensas de Jeroboão, o filho de Nebate, com as quais ele causou a ofensa de Israel (os bezerros de ouro em Betel e Dã). **³⁰**Mas *Yahweh* disse a Jeú: "Porque você agiu bem, fazendo o que era certo aos meus olhos (de acordo com tudo o que estava em minha mente, você agiu em relação à casa de Acabe), os seus filhos até a quarta [geração] se assentarão no trono de Israel."

[Os versículos 31-35 encerram e resumem o relato sobre o reinado de Jeú.]

Em minha cidade natal, Birmingham, na Inglaterra, anualmente, no dia 30 de agosto, a Igreja Católica Romana lembra o martírio de uma mulher chamada Margaret Ward. No reinado de Elizabeth I, quando a prática da fé católica romana era contrária à lei inglesa, um padre católico, chamado

William Watson, estava encarcerado em Londres. Margaret Ward o ajudou a escapar, mas foi descoberta, torturada e, por fim, enforcada em 1588, nesse dia (muitas outras dioceses marcam a ocasião em uma data diferente, por motivos que desconheço). Houve, claro, execuções análogas de protestantes durante as décadas nas quais a prática da fé protestante era proibida por lei. Em Massachusetts, um século depois, dezenove mulheres e cinco homens foram enforcados após serem considerados culpados por bruxaria. Ao longo da história cristã, tem sido prática recorrente a execução de cristãos uns pelos outros com base na contravenção grave da fé cristã considerada apropriada.

Elias e Jeú teriam sido mais compreensivos com tais ações do que a maioria dos cristãos de hoje. Certamente, ninguém se surpreende por Jeú ser um homem que pode ser tão violento quanto Elias, naquele banho de sangue em Samaria; não se alcança tão elevado posto militar sendo susceptível, e a forma de Jeú dirigir a sua carruagem também sugere a espécie de energia agressiva que ele possuía. Inicialmente, a história não comenta o que Deus pensa de sua ação, mas não temos que considerar a consciência divina para concluirmos que Deus poderia, decerto, imaginar que qualquer golpe instigado por Jeú seria algo sangrento, e no devido tempo o capítulo explicita a aprovação de Deus quanto aos atos praticados por ele contra a casa de Acabe.

Na verdade, os golpes sem derramamento de sangue são raros, por motivos que podem ser defensáveis em mais de um terreno. A história de Israel já considera como certo que um novo governante deve ser sábio para descartar qualquer pessoa identificada com o antigo regime; podemos ver essa dinâmica subjacente à história de Davi. No entanto, além disso, a história de Jeú, como a de Elias, vê o juízo de Deus sendo realizado por meio desses eventos. Obviamente, as ações de

Acabe, Jorão e Jezabel não podem ser toleradas, mas elas não podem ser meramente interrompidas. O ponto sobre a ação contra eles não é o de efetuar uma vingança pessoal e, talvez, nem mesmo o de deter alguém mais de cometer os mesmos erros, mas de eliminar um mal e declarar juízo sobre ele.

A ação inicial de Jeú, após os assassínios em Jezreel, a cidade-chave no vale central, é de enviar uma mensagem a Samaria, nas montanhas, a capital da nação. Na prática, ele desafia a corte do rei a decidir em qual lado eles estão. Caso sejam leais a Jorão e à linhagem de seu pai, Acabe, eles devem coroar alguém dessa linhagem como sucessor de Jorão. Não é preciso considerar o número "setenta" muito literalmente; entre outros, Gideão também é descrito como tendo setenta "filhos" (em ambos os casos, eles podem ser filhos, mas também podem incluir netos). Isso indica que há muitos para se escolher dentre os descendentes de Acabe, pelos quais os guardiães têm alguma responsabilidade (esse é o sentido no qual eles são descritos como "guardiães de Acabe"). O desafio de Jeú é um pouco similar ao de Golias: "Escolham o seu campeão, e nós lutaremos."

A narrativa prossegue com um humor macabro. Primeiro, os guardiães, anciãos e oficiais de Samaria precisam ter tanta coragem quanto os israelitas tiveram ao aceitarem o desafio de Golias, e a única pessoa nessa história com coragem davídica é o próprio Jeú. Então, Jeú lhes envia uma segunda carta, com uma deliciosa ambiguidade presente na palavra hebraica para "cabeças"; isso também ocorre na tradução. "Tragam as cabeças para mim", ele diz. Ele está se referindo aos homens que são os líderes da comunidade ("os cabeças") ou às cabeças que estão sobre os ombros desses homens, no momento? A liderança em Samaria adota o sentido que significa a morte dos descendentes de Acabe, benéfica a Jeú, da mesma forma que a morte de inúmeras pessoas, certa feita, beneficiou Davi.

O humor macabro de Jeú prossegue quando ele convoca um grande festival em honra ao **Mestre**, no qual um grande sacrifício deve ser oferecido. Ele toma os cuidados para que apenas adoradores do Mestre, ninguém mais, estejam presentes, e que todos os que são adoradores do Mestre estejam lá; então, Jeú os transforma no próprio sacrifício.

O Antigo Testamento é ambíguo sobre a pena de morte; ele é mais propenso a ameaçar do que implementar, na prática, a ameaça. O texto assume a mesma atitude quanto à ação de uma pessoa como Jeú. Ele age por comissão e aprovação divinas, embora também implique que a ação não é incompatível com o homem Jeú. Além disso, um século mais tarde, Deus revela ao profeta Oseias o nome de seu segundo filho, Jezreel, porque ele "em breve cuidará da casa de Jeú pelo derramamento de sangue em Jezreel, e porá fim à monarquia da casa de Israel" (Oseias 1:4). A história de Jeú exemplifica um motivo recorrente no Antigo Testamento. Deus se torna tão profundamente envolvido nos eventos que encoraja pessoas a fazer coisas e, assim, alcançar as suas próprias ambições, pela morte e destruição de outras pessoas, quando Deus sabe que tais são, de fato, merecedoras desse juízo. Todavia, o Antigo Testamento não insinua que os agentes de morte e destruição não sejam responsáveis por seus erros e que não estão sujeitos à punição por isso. O motivo reaparece no Novo Testamento: tais dinâmicas estão presentes na execução de Jesus.

O aspecto escabroso da história é que não podemos presumir que o mero fato de Deus nos usar (ou usar outras pessoas) como meios de sua ação no mundo revele algo sobre a correção moral de nossas ações (ou das ações de outras pessoas). Jeú enfatiza que suas ações são os meios pelos quais a palavra de Deus é cumprida, mas isso não significa que ele esteja fora do gancho moral.

2REIS **11:1–21**
DUAS ALIANÇAS INCOMUNS

¹Quando Atalia, a mãe de Acazias, viu que seu filho estava morto, levantou-se e eliminou toda a descendência real, **²**mas Jeoseba, filha do rei Jeorão, irmã de Acazias, tomou Joás, o filho de Acazias, e o escondeu dentre os filhos do rei que seriam assassinados, ele e sua ama, em um quarto. Assim, elas o esconderam de Atalia, e ele não foi morto. **³**Ele ficou com ela, na casa de *Yahweh*, escondido por seis anos, enquanto Atalia estava reinando sobre o país. **⁴**No sétimo ano, Joiada mandou chamar os centuriões sobre os cários e sobre os batedores e os trouxe a ele na casa de *Yahweh*. Ele selou uma aliança com eles e os fez declararem um juramento na casa de *Yahweh*. Depois lhes mostrou o filho do rei. **⁵**Ele lhes ordenou: "Isso é o que vocês devem fazer. Um terço de vocês vem no sábado e mantém guarda sobre a casa do rei. **⁶**Um terço fica no portão Sur. Um terço fica no portão atrás dos batedores. Vocês devem manter guarda sobre esta casa. [...] **⁸**Devem cercar o rei por todos os lados, cada homem com suas armas na mão. Qualquer um que se aproximar das fileiras deve ser morto. Estejam com o rei quando ele sair e quando ele entrar [...]." **¹²**Então, ele trouxe o filho do rei para fora, colocou o diadema e a declaração sobre ele, proclamando-o rei, e o ungiu. Eles aplaudiram e disseram: "Vida longa ao rei." **¹³**Atalia ouviu o som dos batedores [e] do povo e foi ao povo na casa de *Yahweh*. **¹⁴**Ela viu, ali, o rei em pé, junto à coluna, de acordo com o costume. Os oficiais e suas trombetas estavam junto ao rei, e todo o povo do país estava se regozijando e tocando trombetas. Atalia rasgou as suas roupas e gritou: "Traição, traição!" **¹⁵**Mas Joiada, o sacerdote, ordenou aos centuriões que estavam designados sobre o exército e lhes disse: "Levem-na para fora [...]." **¹⁷**Joiada selou uma aliança entre *Yahweh*, o rei e o povo, para serem o povo de *Yahweh*, e entre o rei e o povo. **¹⁸**Todo o povo do país foi à casa do Mestre e a derrubou. [...] **²⁰**Todo o povo do país regozijou-se, enquanto a cidade ficou quieta. Atalia foi morta à espada por eles na casa do rei. **²¹**Joás tinha sete anos de idade quando se tornou rei.

A noção de **aliança** tem sido muito importante na história dos Estados Unidos e no desenvolvimento da democracia americana como uma forma de compreender as relações na comunidade humana. Etimologicamente, a palavra "aliança" inclui a ideia de pessoas "se unindo" para concordar sobre algo; uma aliança é um acordo, mas o acordo diz respeito não apenas a alguns fatos, mas à maneira de as pessoas viverem juntas. Quando os colonizadores, em New Plymouth, formularam o Pacto Mayflower, em 1620, eles estabeleceram uma aliança uns com os outros em prol da "melhor ordem e preservação" da comunidade deles sob Deus. Idealmente, viver sob um relacionamento de aliança implica que a nação constitui um grupo de pessoas que aceita responsabilidade mútua sob Deus. Não muito tempo depois do Pacto Mayflower, Thomas Hobbes e John Locke, na Europa, também desenvolviam uma forma secular de aliança com base no pensamento político que, igualmente, veio a influenciar o pensamento norte-americano. Assim, surgiram as constituições, que são alianças sem serem religiosas.

O pensamento de aliança, tão importante na história das colônias norte-americanas, via-se como uma continuação do exemplo da aliança estabelecida por Joiada. As convergências e diferenças são dignas de nota.

A essência do pensamento pactual é o estabelecimento de um compromisso quando não há uma autoridade externa capaz de impô-lo a você e nenhuma lei que lhe possa aplicar sanções caso você quebre os termos desse compromisso. Na falta dessas possibilidades, você assume um compromisso deliberado e sério, bem como solenemente jura a sua aceitação dessa obrigação. Descumprir o compromisso significa desapontar a si mesmo, ficar aquém de seus próprios padrões, falhar consigo mesmo. No relato em questão, a primeira aliança é uma obrigação solene que Joiada extrai dos grupos de guardas do palácio quando ele lhes confidencia o golpe que está prestes a tentar.

A subsequente e mais ampla aliança de Joiada era distinta por envolver Deus, o rei, o povo e, por implicação, abranger as três partes em todas as combinações possíveis. Trata-se de uma aliança entre Deus e o rei, portanto pressupõe algo para o qual o desenvolvimento da democracia pactual norte-americana virou as costas. Judá tem vivido com as consequências da influência da casa de Onri. Paradoxalmente, apesar do assassinato de Acazias por Jeú, a casa de Onri vive em Judá de uma forma que não ocorre em **Efraim**. No reino efraimita, Jeú cuidou para que toda a casa fosse eliminada. Em Judá, os eventos ocorreram de modo contrário.

Compreender todo o cenário demanda alguma recapitulação. O pai de Acazias e rei predecessor de Judá era Jeorão, que se casou com uma mulher da família real efraimita chamada Atalia. A ligação de alguns pontos sugere que ela era filha de Acabe e de Jezabel, mas quer fosse filha quer não, era irmã de alma de Jezabel. Em outras palavras, ela partilhava os compromissos religiosos de Jezabel, sua determinação e energia, sua capacidade de controlar o marido quanto ao que julgava certo e sua crueldade. Embora as atitudes em relação a *Yahweh*, em Judá, jamais tenham saído do controle com a mesma intensidade que em Efraim, Atalia estabeleceu um novo nível inferior. O seu marido morreu na meia-idade, e o filho deles, Acazias, assumiu o trono, com Atalia como a poderosa rainha-mãe. O assassinato de seu filho por Jeú a levou à decisão de eliminar os demais membros (homens) da família real, seguindo a fórmula consagrada pelo tempo. Isso possibilita que ela mesma governe como rainha, a única a reinar em Jerusalém nos tempos do Primeiro Templo.

Infelizmente para ela, o seu expurgo não foi tão completo quanto imaginava. Uma das filhas de seu marido, com outra esposa, garantiu que um dos netos de Atalia, ainda bebê, sobrevivesse. Essa mulher, evidentemente, conspira com Joiada, "o sacerdote", para assegurar a sobrevivência do menino — que seria, mais tarde, chamado de sumo sacerdote. Havia, evidentemente, certa tensão entre os dois grupos em Jerusalém. Havia pessoas identificadas com Atalia e simpatizantes da adoração ao **Mestre**, das quais se podia esperar resistência ao golpe e uma tentativa de matar o jovem príncipe quando ele fosse revelado. Igualmente, existiam pessoas apegadas ao compromisso com *Yahweh*. Elas incluíam Jeoseba e Joiada, além dos cários e dos batedores, grupos de guardas palacianos.

Eles esperam até o menino completar sete anos de idade e, então, preparam o seu próprio golpe. Embora Joás viesse a ser, obviamente, um rei marionete até crescer, a aliança precisa envolvê-lo. A aliança de Deus com a linhagem de Davi investe promessas nele; ela também impõe expectativas sobre ele. Ele precisa manter o compromisso de ser "um homem segundo o coração de Deus" no sentido de ser alguém comprometido com *Yahweh*. O diadema e a "declaração" que são colocados sobre o menino expressam os dois lados desse compromisso; na **Torá**, a "declaração" é o documento que detalha os termos da aliança com o povo como um todo e que é colocada no **baú** da aliança.

A aliança, igualmente, envolve o relacionamento entre o rei e o povo. Salmos 72 descreve a natureza dessa expectativa mútua. O rei tem a responsabilidade de cuidar para que a vida da comunidade seja exercida com base no compartilhamento dos que têm com os que não têm, em vez de os primeiros se aproveitarem dos segundos. O povo, por seu turno, tem a responsabilidade de reconhecer a autoridade do rei.

Além disso, a aliança envolve o relacionamento entre o povo e Deus. A existência da monarquia não exime o povo do compromisso quanto à sua relação com Deus. O rei não fica entre eles, do mesmo modo que os sacerdotes também não. "O povo do país" parece ser uma referência às pessoas comuns que o sacerdote espera, com sucesso, que fiquem do lado certo naquele conflito.

2REIS 12:1–21
A VIDA APENAS NÃO É JUSTA

¹Joás tornou-se rei no sétimo ano de Jeú, e ele foi rei por quarenta anos em Jerusalém. O nome de sua mãe era Zíbia, de Berseba. ²Joás fez o que era certo aos olhos de *Yahweh* todos os seus dias, como Joiada, o sacerdote, o ensinou. ³Eles apenas não removeram os lugares altos; as pessoas ainda estavam sacrificando e queimando incenso nos lugares altos.

⁴Joás disse aos sacerdotes: "Toda a prata das ofertas santas que são trazidas à casa de *Yahweh* [...] ⁵os sacerdotes devem receber para si mesmos, cada qual de seu assessor, e eles mesmos devem reparar os danos na casa, onde quer que o dano seja encontrado." ⁶Mas, no vigésimo terceiro ano do rei Joás, os sacerdotes não tinham reparado os danos na casa. ⁷Assim, o rei Joás chamou o sacerdote Joiada e os [outros] sacerdotes e lhes disse: "Por que vocês não estão reparando os danos na casa? Então, agora, não recebam a prata de seus assessores, mas deem-na para os danos na casa." ⁸Os sacerdotes concordaram em não receber dinheiro do povo e não reparar os danos da casa. ⁹Joiada, o sacerdote, pegou um baú e fez um furo em sua tampa. Ele o colocou junto ao altar, à direita quando uma pessoa entrava na casa de *Yahweh*. ¹⁰Quando viam que a quantidade de prata no baú era grande, o escriba real subia com o sumo sacerdote e pegavam e contavam a prata encontrada na casa de *Yahweh*. ¹¹Eles colocavam a prata que tinha sido

quantificada nas mãos dos trabalhadores designados para a casa de *Yahweh*. Eles a davam aos carpinteiros e construtores que estavam trabalhando na casa de *Yahweh*, **¹²**e aos pedreiros e cortadores de pedra, e para obter madeira e pedra lavrada para reparar os danos na casa de *Yahweh*, e para qualquer coisa relacionada à casa de *Yahweh*. [...] **¹⁵**Eles não mantinham uma prestação de contas dos homens em cujas mãos entregavam a prata para dar aos trabalhadores, porque estavam agindo honestamente. [...]

¹⁷Naquele tempo, Hazael, rei de Aram, subiu e batalhou contra Gate e a capturou. Quando Hazael virou a sua face para subir a Jerusalém, **¹⁸**Joás, rei de Judá, pegou todas as coisas sagradas que Josafá, Jeorão e Acazias, seus antecessores como reis de Judá, tinham consagrado, e suas próprias coisas santas, e todo o ouro que pode ser encontrado nos tesouros da casa de *Yahweh* e na casa do rei, e os enviou a Hazael, rei de Aram, e ele foi embora de Jerusalém.

¹⁹Os demais atos de Joás, tudo o que ele fez, estão, de fato, escritos nos anais dos reis de Judá. **²⁰**Seus servidores levantaram-se, formaram uma conspiração e mataram Joás em Bete-Milo, que desce para Sila. **²¹**Jozabade, filho de Simeate, e Jeozabade, filho de Somer, de seus servidores, o mataram. Após morrer, ele foi enterrado com seus ancestrais, na cidade de Davi, e Amazias, seu filho, reinou em seu lugar.

O homem que teria sido o meu chefe, em meu emprego atual, David Hubbard, entrevistou-me pela primeira vez durante um almoço, num hotel de Londres, em 1981. Ele era um dos mais criativos e inovadores líderes do ensino teológico nos Estados Unidos e transformou um seminário importante, mas convencional, de porte médio, no maior e mais complexo seminário em todo o mundo. Curiosamente, como eu, ele tinha uma esposa com deficiência e também era professor de Antigo Testamento. Quatro anos antes de, efetivamente, eu começar a trabalhar no corpo docente do seminário, ele se aposentou e, dois anos mais tarde, morreu, com uma idade inferior à minha agora, uma idade na qual imaginávamos que ele ainda teria uma década ou duas à sua frente, seja para ficar sentado na praia de Santa Bárbara com sua esposa, seja para fazer muitas coisas no campo da educação teológica ou no ensino do Antigo Testamento.

Trata-se de uma história suficientemente comum. É a história de Joás (exceto pelo fato de David Hubbard não ter sido vítima de um complô do corpo docente). Primeiro e Segundo Reis estão, com frequência, interessados em mostrar como tanto reis quanto pessoas obtêm o que merecem nesta vida; como Deus disse, certa feita, ao profeta Eli, em 1Samuel 2:30: "Porque a quem me honra eu honrarei, mas quem me despreza será desprezado." E, em grande parte do tempo, os dois livros podem fornecer evidências de que isso ocorre. Quando 2Crônicas reconta essas histórias, de modo característico, o texto estabelece o ponto de tentar explicar as aparentes exceções. É difícil manter junto a generalização ("as coisas geralmente funcionam bem") e a realidade das exceções ("com frequência, elas não funcionam"). Igualmente, é tentador fingir que inexistem exceções (assim, quando as coisas dão errado para as pessoas, deve ser porque elas pecaram) ou abandonar a generalização e questionar-se por que a vida, na verdade, funciona de uma forma totalmente aleatória (então, temos "o problema do sofrimento"). Primeiro e Segundo Reis nos convidam a uma posição menos confortável de crer tanto na generalização quanto na realidade das exceções.

Joás era apenas um menino quando foi colocado no trono por Joiada e seus associados, e isso torna natural citar a forma pela qual Joiada teria continuado a agir como mentor do jovem rei enquanto ele crescia. (Seu nome também pode ser grafado Jeoás, mas também há um rei efraimita com as duas grafias, de modo que manterei *Joás* para o rei judaíta e *Jeoás* para o rei efraimita.) Nem Jeoacaz nem Joás viram qualquer necessidade de fazer algo quanto aos **lugares altos**. Além disso, a história também levanta uma ponta do véu que encobre algumas questões complexas sobre o templo e o sacerdócio, e sobre a relação da monarquia e o templo, sem, todavia, resolvê-las. O templo caíra em ruínas ao longo de alguns anos? Joiada tinha negligenciado outros aspectos de suas responsabilidades? Ou a necessidade de reparos estava ligada à adoração do Mestre, encorajada por Atalia? Em lugar de responder a essas perguntas, a narrativa concentra-se em elogiar o rei por assumir a responsabilidade de tomar devida ação.

Sua presunção é de que as ofertas trazidas pelo povo deveriam ser suficientes para financiar as reformas necessárias. Embora, às vezes, os ofertantes trouxessem ofertas em espécie que seriam sacrificadas na prática, quando as pessoas vinham de longas distâncias, em geral, era mais simples levar equivalentes em valores, ou mesmo podiam vender seus animais no templo, convertendo suas ofertas em dinheiro — daí as menções, nos Evangelhos, a cambistas no templo. Os assessores, então, são pessoas que realizam os cálculos relevantes e, assim, facilitam o processo pelo qual o dinheiro entra no cofre dos sacerdotes (embora "dinheiro" seja um termo enganoso, já que o dinheiro ainda não estava em uso em Judá, de modo que a narrativa cita a "prata"). Desse modo, os sacerdotes podem usar a prata que recebem dos assessores para pagar os homens que trabalham na reparação do templo.

O problema é que eles falham em realizar o serviço. A história não diz por quanto tempo eles prevaricaram, nem afirma que eles estavam desviando o dinheiro para suas próprias contas bancárias. Repetindo, o foco do relato reside na ação de Joás, o que inverte ainda mais a relação entre palácio e templo, e entre Joás e seu mentor — que estaria, àquela altura, ficando velho. Sua nova organização tira a coleta do dinheiro e a sua distribuição das mãos dos sacerdotes e as coloca sob o controle de alguém do palácio. Talvez isso implique que pastores sábios devem focar o pastoreio e deixar a administração para pessoas que entendem do assunto. Somente a transferência da prata para um baú envolve os sacerdotes — especificamente, os sacerdotes que guardavam a entrada do templo. Esses eram os sacerdotes que impediam a entrada de pessoas que pudessem contaminar o templo; por exemplo, eles instruíam as pessoas portadoras de desordens de pele (a exemplo do que encontramos em algumas dessas histórias) se elas deveriam permanecer fora do santuário durante algum tempo.

Portanto, que rapaz excelente e sábio era Joás! Então, tudo cai por terra. Primeiro, Hazael (ungido de **Yahweh**! — veja 1Reis 19; 2Reis 8) decide estender a sua esfera de influência, talvez por interesses comerciais, e, assim, ameaçar Judá e Jerusalém. Isso leva Joás a comprar a retirada de Hazael, rompendo o compromisso com o templo que o capítulo tem focado, embora a narrativa não diga, exatamente, que ele agiu de maneira errada ao fazer isso. E, por fim, ele perde a vida por meio de uma conspiração de seu próprio grupo de servidores, que historicamente pode estar relacionada à maneira pela qual as relações entre palácio e templo se tornaram mais complexas com o passar dos anos (essa é a implicação da versão de Crônicas sobre essa história).

2REIS 13:1—14:29
O DEUS QUE NÃO CONSEGUE RESISTIR À TENTAÇÃO DE SER MISERICORDIOSO

¹No vigésimo terceiro ano de Joás, filho de Acazias, rei de Judá, Jeoacaz, filho de Jeú, tornou-se rei sobre Israel, em Samaria, por dezessete anos. ²Ele fez o que era desagradável aos olhos de *Yahweh* e seguiu a ofensa de Jeroboão, filho de Nebate, que ele levou Israel a cometer. Ele não se desviou disso. ³Assim, a ira de *Yahweh* se acendeu contra Israel, e ele os entregou nas mãos de Hazael, rei de Aram, e de Ben-Hadade, filho de Hazael, continuamente. ⁴Jeoacaz suplicou o favor de *Yahweh*, e *Yahweh* o ouviu, porque ele viu a aflição de Israel, porque o rei de Aram os afligia. ⁵*Yahweh* deu a Israel um libertador, e eles saíram de debaixo das mãos de Aram, e os israelitas viveram em suas tendas como tinham vivido anteriormente. ⁶Mas eles não se desviaram das ofensas que a casa de Jeroboão levou Israel a cometer. Eles andaram nelas, e mais, Aserá permaneceu de pé em Samaria. [...] ⁸Os demais atos de Jeoacaz, tudo o que ele fez e seu poder estão, de fato, escritos nos anais dos reis de Israel. ⁹Jeoacaz dormiu com seus ancestrais e foi enterrado em Samaria. Jeoás, seu filho, tornou-se rei em seu lugar. ¹⁰No trigésimo sétimo ano de Joás, rei de Judá, Jeoás, filho de Jeoacaz, se tornou rei de Israel, em Samaria, por dezesseis anos. ¹¹Ele fez o que era desagradável aos olhos de *Yahweh*. Não se desviou de todas as ofensas de Jeroboão, filho de Nebate, que ele levou Israel a cometer. Ele andou nelas. [...]

¹⁴Ora, Eliseu estava doente com a enfermidade da qual morreu, e Jeoás, o rei de Israel, desceu até ele. Chorou sobre ele e disse: "Pai, pai, as carruagens de Israel e a sua cavalaria!" ¹⁵Eliseu lhe disse: "Pegue um arco e flechas." Ele pegou para si um arco e flechas. ¹⁶[Eliseu] disse ao rei de Israel: "Coloque a sua mão no arco." Ele colocou a sua mão no arco. Eliseu pôs as mãos sobre as mãos do rei ¹⁷e disse: "Abra as janelas que dão para o leste." Ele as abriu, e Eliseu disse: "Atire!" Ele atirou,

e Eliseu disse: "A flecha da libertação de *Yahweh*! Uma flecha da libertação contra Aram! Você derrubará Aram em Afeque, de modo a terminar isso!" **¹⁸**Então, ele disse: "Pegue as flechas", e ele as pegou. Ele disse ao rei de Israel: "Golpeie o chão." Ele golpeou o chão três vezes e, então, parou. **¹⁹**O homem de Deus ficou nervoso com ele e disse: "Você deveria ter golpeado o chão cinco ou seis vezes! Então, teria derrubado Aram, de modo a terminar isso, mas, agora, você derrubará Arão [somente] três vezes."

²⁰Eliseu morreu e foi sepultado. Ora, agressores de Moabe invadiam o país na virada do ano, **²¹**e, certa vez, as pessoas estavam enterrando alguém e, ali, viram os invasores. Então, eles jogaram o homem no túmulo de Eliseu, e, quando o homem tocou os ossos de Eliseu, ele voltou à vida e ficou em pé!

²²Embora Hazael, rei de Aram, afligisse Israel todos os dias de Jeoacaz, **²³***Yahweh* foi gracioso com eles e teve compaixão deles. Ele voltou o seu rosto para eles pelo bem de sua aliança com Abraão, Isaque e Jacó. Ele não estava disposto a aniquilá-los, e não os lançou de diante de seu rosto até agora. [...] **²⁵**Jeoás, filho de Jeoacaz, tomou de volta, das mãos de Ben--Hadade, filho de Hazael, as cidades que ele tinha tomado de Jeoacaz, seu pai, em guerra. Por três vezes, Jeoás o derrubou e recuperou cidades israelitas.

[O capítulo 14 resume os reinados de Amazias, em Judá, e de Jeroboão, em Efraim.]

Ontem, na igreja, a pessoa que estava fazendo a primeira leitura das Escrituras, dos Profetas, ao subir ao púlpito, revelou: "Não queria, realmente, ler esta passagem." Após a leitura, nosso reitor disse que lutara contra isso durante toda a semana. Ele iria pregar sobre a leitura dos Evangelhos, mas convidou a congregação a compartilhar os pensamentos e reações que tiveram em relação à primeira passagem. Ela veio de Amós 7 e incluía uma vívida advertência quanto ao juízo da ira de Deus sobre o sacerdote que havia dito a Amós para que este calasse a boca e não mais profetizasse. Como lidamos com tais passagens? Claro que alguém indicou (na verdade, fui eu) que Jesus, em suas advertências, é tão vívido e direto quanto Amós. Assim, como nos relacionamos com esse Deus e com esse Jesus?

Essas histórias em 1 e 2Reis suscitam a mesma questão, pois continuam descrevendo a maneira pela qual Deus fica irado com Israel e age contra o povo por causa da desobediência. Segundo Reis 13 nos encoraja a levantar a cabeça e ver que o abandono de Deus jamais se revela completo ou final. Há uma consistência sobre a vida de **Efraim**. Pode-se dizer que a nação foi concebida no pecado, o pecado de Jeroboão, filho de Nebate (1Reis 12). Reis como Jeoacaz e Jeoás ainda trilham os caminhos de Jeroboão e estão pagando o devido preço sob a forma das invasões de Hazael — o rei **arameu** cuja unção Deus tinha comissionado, exatamente, com esse propósito. No entanto, Jeoacaz suplica a Deus por misericórdia, e Deus responde mandando-lhes um libertador (não sabemos quem foi ele), a exemplo do que ocorria no livro de Juízes. Os israelitas estão livres para voltar às suas casas ("tendas" é uma expressão arcaica para suas casas; apenas uns poucos pastores viviam, literalmente, em tendas).

Não há menção à ação de Deus como sendo uma resposta ao arrependimento de Jeoacaz e à desistência do culto aos **Mestres** e a **Aserá**. O motivo de Deus exercer misericórdia é "porque ele viu a aflição de Israel, porque o rei de Aram os afligia". A aflição vista por Deus era uma aflição que ele mesmo havia comissionado, mas Deus não pôde resistir à súplica de Jeoacaz para colocar um fim nela. Literalmente,

Jeoacaz "suavizou o rosto de **Yahweh**". Deus estava focado em endurecer o rosto contra Efraim; Jeoacaz logrou direcionar o foco de *Yahweh* para o que o povo estava atravessando e, assim, suavizar o seu rosto endurecido. Talvez seja possível inferir o que Deus estava pensando; que ao mostrar sua misericórdia aos israelitas, eles poderiam se arrepender, se desviar dos Mestres e voltar a ele. Contudo, isso não aconteceu.

A parte de encerramento do capítulo expressa, mais detalhadamente, o que está ocorrendo no coração de Deus e esboça algumas ideias-chave do Antigo Testamento sobre Deus. A ação divina é uma expressão da graça de Deus. É a primeira referência à graça divina desde a oração de Salomão na dedicação do templo (1Reis 8—9), mas a graça subjaz em toda a história. A ação de Deus também é expressão de sua compaixão. É a primeira menção a compaixão de Deus em 1 e 2Reis, mas sabemos sobre compaixão pelo sentimento maternal por seu filho, exibido por uma das mães em 1Reis 3. Terceiro, a ação de Deus resulta do compromisso com a **aliança** de Deus, especialmente, com os ancestrais de Israel. O problema com aquele compromisso era não haver condições concretas atreladas a ele, de maneira que Deus não pode deixar de ser fiel àquela aliança e suas promessas simplesmente por Israel não cumprir a sua parte do pacto. A aliança, nesse caso, não era um pacto.

Tudo isso significava que Deus não estava disposto (pode-se dizer que Deus não era capaz) de aniquilar os israelitas ou lançá-los fora "até agora". Quando será esse "agora"? Profetas como Elias e Eliseu, além de reis como Jeoacaz e Jeoás, viveram no século IX a.C.; Hazael morreu por volta de 806 a.C. Todavia, para o autor desses livros, o "agora" é muito mais tarde. Os **assírios** tiraram Efraim do cenário, praticamente, um século depois, em 722 a.C., mas o período coberto por esses livros abrange a melhor parte de outros dois séculos posteriores. Não há menção sobre a nação de Efraim para ver. Essa passagem, portanto, expressa uma notável e ousada declaração de fé. Os únicos efraimitas que se pode ver são algumas pessoas que se refugiaram em Judá, quando a nação de Efraim caiu, e outras que, agora, têm imigrantes assírios vivendo no meio delas, muitas das quais se esqueceram do que significa pertencer a Efraim — mas, Deus não se esqueceu. Elas ainda estão diante de seu rosto. Alguns séculos mais, e a área de Efraim será parte de Israel novamente. Jesus veio de lá. Costumo repassar essas dinâmicas da experiência de Efraim quando me sinto desalentado pelo quase desaparecimento da igreja na Europa.

As histórias de encerramento sobre Eliseu fazem as pessoas modernas coçarem a cabeça e sentir certo desconforto, embora elas sejam mais inteligíveis aos que vivem em sociedades tradicionais. As histórias não se encaixam no modo de as pessoas modernas enxergarem o mundo. Podemos ver suas presunções como preocupantemente próximas à magia, e/ou podemos meramente dizer que não acreditamos nelas. Assim, como de costume, necessitamos perguntar os motivos pelos quais Deus está disposto a ter tais relatos em seu livro. Uma implicação da primeira história emerge do que Jeoás diz a Eliseu em seu leito de morte: "Pai, pai, as carruagens de Israel e a sua cavalaria!" (São palavras que o próprio Eliseu usou quando Elias foi trasladado por Deus: veja 2Reis 2.) É tentador pensar que o servo por meio de quem Deus opera seja crucial para sua segurança e sucesso. Eliseu quer que Jeoás veja o outro lado da moeda e que assuma a responsabilidade, debaixo de Deus, por tomar posse do poder divino, mas Jeoás obtém um sucesso apenas parcial ao fazer isso. A segunda história sugere um ponto inverso; Eliseu não para de operar coisas apenas porque está morto. Ainda há vida nele.

2REIS 15:1—16:20
COMO NÃO DAR A CÉSAR

[O capítulo 15 resume o reinado de Azarias (Uzias) e Jotão, em Judá, e de Zacarias, Salum, Menaém, Pecaías e Peca, em Efraim. Entre outras coisas, a tumultuada história da monarquia efraimita, nesse período, significa o cumprimento da advertência de Deus a Jeú quanto ao destino de sua linhagem.]

CAPÍTULO 16

¹No décimo sétimo ano de Peca, filho de Remalias, Acaz, filho de Jotão, tornou-se rei de Judá. ²Acaz tinha vinte anos de idade quando se tornou rei e reinou dezesseis anos em Jerusalém. Ele não fez o que era direito aos olhos de *Yahweh*, seu Deus, como Davi, seu ancestral. ³Andou no caminho dos reis de Israel. Ainda, ele passou o seu filho pelo fogo, de acordo com as práticas abomináveis das nações que *Yahweh* desapropriou diante dos israelitas, ⁴e sacrificou e queimou incenso nos lugares altos, nas colinas e debaixo de cada árvore florescente. ⁵Então, Rezim, rei de Aram, e Peca, o filho de Remalias, rei de Israel, subiram a Jerusalém para batalhar. Eles sitiaram Acaz, mas não conseguiram prevalecer. ⁶Naquele tempo, Rezim, rei de Aram, recuperou Elate para Aram. Ele expulsou os judaítas de Elate, e os edomitas vieram a Elate e vivem ali até este dia.

⁷Acaz enviou ajudantes a Tiglate-Pileser, rei da Assíria, dizendo: "Sou teu servo e teu filho. Sobe e liberta-me das mãos do rei de Aram e das mãos do rei de Israel, que estão se levantando contra mim." ⁸Acaz pegou o ouro e a prata encontrados na casa de *Yahweh* e nos tesouros do rei e os enviou ao rei da Assíria como um presente, ⁹e o rei da Assíria o ouviu. O rei da Assíria subiu a Damasco, a capturou, a deportou para Quir e matou Rezim. ¹⁰O rei Acaz foi ao encontro de Tiglate-Pileser, o rei

da Assíria, em Damasco, e viu o altar em Damasco. O rei Acaz enviou a Urias, o sacerdote, um retrato do altar e a planta dele, para toda a sua construção, **¹¹**e Urias, o sacerdote, construiu o altar. De acordo com tudo o que o rei Acaz tinha enviado de Damasco, assim Urias, o sacerdote, fez, antes de o rei Acaz chegar de Damasco. **¹²**Quando o rei chegou de Damasco e viu o altar, moveu-se em direção ao altar, subiu nele, **¹³**ofereceu sua oferta queimada e sua oferta de cereal, derramou a sua libação e aspergiu o sangue de suas ofertas de comunhão sobre o altar. **¹⁴**O altar de bronze que estava diante de *Yahweh*, ele o moveu da frente da casa (entre o [novo] altar e a casa de *Yahweh*) e o colocou junto ao lado do [novo] altar, ao norte. **¹⁵ᵃ**O rei Acaz ordenou a Urias, o sacerdote: "Ofereça a oferta queimada da manhã e a oferta de cereal da tarde, a oferta queimada do rei e a sua oferta de cereal, a oferta queimada de todo o povo do país, sua oferta de cereal e suas libações, no grande [novo] altar. Todo o sangue da oferta queimada e todo o sangue do sacrifício você deve aspergir sobre ele."

[Os versículos 15b-20 encerram o reinado de Acaz.]

Uma recente graduanda de nosso seminário estava me contando, na sexta-feira, que o corpo docente do seminário estava dividido entre pessoas que evitam dizer coisas com as quais os alunos discordariam e aquelas que não se importam em dizê-las. O problema (segundo ela) em se dizer coisas com as quais os alunos discordariam é isso resultar em avaliações baixas dos estudantes, o que, por sua vez, pode impedir o professor de obter estabilidade. Desse modo, a segunda categoria de professores tende a incluir aqueles que já possuem a desejada estabilidade. Ora, se essa graduanda estiver certa, a lógica do professor está cheia de furos; os alunos possuem diversas visões, de maneira que, independentemente do que o professor afirme, decerto ele obterá a discordância de alguns deles. Sou daqueles que faz questão de dizer as coisas, e não é por esse motivo que recebo avaliações negativas (a não ser que os alunos estejam ocultando os motivos reais). Além disso, nas reuniões sobre estabilidade, jamais ouvi tais considerações sendo levadas em conta. Todavia, claro que as coisas que dizemos e fazemos são influenciadas por nossas suposições sobre as visões das pessoas com poder sobre nós (por exemplo, nossos alunos, ou nossa congregação, no caso de sermos pastores).

Esse é o problema de Acaz, ou um deles. Ele é desafortunado por viver num período no qual o horizonte político de Israel se expande exponencialmente. Ao longo de todo o Antigo Testamento, até aqui, o único grande poder com o qual Israel tem que se preocupar é o Egito, mas nos séculos recentes os problemas decorrem de seus vizinhos imediatos, como Moabe, Edom e Amom, a leste, bem como **Filístia**, **Fenícia** e **Aram**, a oeste, noroeste e nordeste. Agora, os **assírios** têm desenvolvido um império na Mesopotâmia e na região norte do Iraque moderno, além de estender a sua esfera de influência e afirmação de controle rumo ao oeste, em prol do potencial de comércio que existe naquela direção ("É a economia, estúpido"). Geograficamente, isso significa que as ambições assírias afetam mais diretamente Aram e **Efraim**, não apenas por sua posição nas rotas de comércio, embora elas também afetem Judá. O apelo de Acaz ao rei assírio, com base em ser seu servo e filho, pressupõe que Judá aceita ser vassalo da Assíria; fundamentado nessa oferta é que Judá pode apelar pelo auxílio da Assíria.

O capítulo 15 relata como o reino de Menaém, em Efraim, recebe a primeira invasão de Tiglate-Pileser por volta de 740 a.C. (no capítulo 15, o nome do rei da Assíria é citado como Pul). Seus próprios registros mencionam o tributo que ele recebeu de Menaém, levantado com a aplicação de impostos sobre as pessoas comuns. A história sugere que esse foi o preço pago por Menaém pelo apoio assírio — talvez contra inimigos internos, ou contra aqueles outros inimigos locais. Tiglate, então, invadiu Efraim uma década depois, no tempo do rei Peca, ocupou grande área do norte de Efraim, incluindo a Galileia (que era a chave para controlar as rotas de comércio), e deportou muitos de seus habitantes. Do livro de Isaías, também aprendemos como esses desenvolvimentos começaram a afetar Judá durante o reinado de Peca. Efraim e Aram se tornaram aliados, em vez de inimigos, motivados pelo desejo de resistir à Assíria; assim, eles forçam Judá a apoiá-los nesse objetivo. Mas a reação de Judá foi apelar diretamente à Assíria por suporte contra Efraim e Aram.

Esses eventos sugerem outra faceta sobre a complexidade do desafio envolvido em ser o povo de Deus em meio ao mundo real. Aqui, uma incorporação política do povo de Deus (Efraim) está se aliando a outra nação (Aram) com o objetivo de resistir ao avanço de uma superpotência; então, ao se unir com esse aliado, passa a ameaçar a outra incorporação do povo de Deus (Judá) e a invadir o seu território. Então, essa segunda incorporação do povo de Deus apela pelo apoio da superpotência contra o seu próprio irmão e ainda é responsável pelo fato de a superpotência empreender a sua primeira invasão a Efraim.

Além do mais, isso, de modo inevitável, leva o seu rei a fazer várias concessões à superpotência. Reconhecidamente, Acaz dificilmente pode lançar toda a culpa nessa pressão. Segundo Reis descreve Acaz como envolvido no mesmo tipo de culto tradicional que caracteriza o próprio reino de Efraim, além de acrescentar o costume **cananeu** de sacrificar uma criança como demonstração de compromisso com Deus, à qual Deus deve responder positivamente. A história pode também implicar que o envolvimento do rei na oferta dos primeiros sacrifícios sobre o seu novo **altar** levante questões adicionais. É um rei, tal qual Jeroboão, que sobe pessoalmente ao altar para oferecer sacrifício; quando Davi e Salomão "oferecem sacrifícios", a história pode assumir que, na verdade, eram os sacerdotes que realizavam o ritual sacrificial real em nome do rei. É pouco provável que todas as ações questionáveis de Acaz possam ser atribuídas à pressão assíria.

Acaz precisou enviar um incentivo financeiro para motivar os assírios a protegerem Judá contra Efraim e Aram. Ele também demonstrou sua subserviência ao introduzir no templo um altar que seguia o modelo daquele encontrado em Damasco, a capital dos arameus, agora sob o controle da Assíria. O Antigo Testamento não sugere que, toda vez que um altar é construído, ele deve seguir a prescrição de Deus, da mesma forma que não precisamos quando construímos uma igreja. Todavia, é uma questão ímpar quando, deliberadamente, um altar é projetado para obter a aprovação da superpotência, tornando-se uma forma de dar a César o que é de Deus. Segundo Reis expressa a sua crítica implícita de uma forma distinta de Isaías, mas a complementa. O ponto de Isaías a Acaz é que o desafio e a segurança de Judá residem na confiança em **Yahweh**, mas, para Acaz, isso não aparentava ser uma forma prática de viver no mundo.

O encerramento do relato sobre o novo altar fornece um resumo útil da rodada de adoração do templo, praticada em determinado período na história de Israel. As ofertas ao amanhecer dão graças pelo descanso da noite e dedicam o dia a Deus. As ofertas ao entardecer dão graças pelo dia e buscam a proteção divina para a noite que se aproxima. Da mesma forma que as ofertas queimadas e as libações de vinho (que sobem totalmente a Deus), há as ofertas de cereal e os "sacrifícios" — que são os sacrifícios de comunhão, os quais as pessoas e Deus compartilham, já que parte é queimada e parte é consumida como uma refeição festiva do povo na presença de Deus. Em certo nível, a adoração é bastante ortodoxa, mas ela foi submetida às demandas da situação política.

2REIS **17:1-41**
A QUEDA DO REINO DO NORTE

¹No décimo segundo ano de Acaz, rei de Judá, Oseias, filho de Elá, tornou-se rei sobre Israel, em Samaria, por nove anos. **²**Ele fez o que era desagradável aos olhos de *Yahweh*, mas não como os reis de Israel que estavam antes dele. **³**Salmaneser, o rei da Assíria, subiu contra ele, e Oseias tornou-se seu servo e lhe enviou uma oferta. **⁴**Mas o rei da Assíria descobriu traição em Oseias. [...] **⁵**O rei da Assíria subiu contra todo o país. Ele subiu a Samaria e a sitiou por três anos. **⁶**No terceiro ano de Oseias, o rei da Assíria tomou Samaria. Ele transportou Israel para a Assíria e os estabeleceu em Hala e Habor, o rio Gozã e as cidades da Média. **⁷**Isso aconteceu porque os israelitas tinham ofendido *Yahweh*, o Deus deles, que os havia tirado do Egito. Tinham reverenciado outros deuses **⁸**e vivido pelas leis das nações que *Yahweh* tinha desapropriado de diante dos israelitas. [...] **¹³***Yahweh* tinha testificado contra Israel (e Judá) por meio de todo profeta, de todo vidente, dizendo: "Afastem-se de seus caminhos errados, guardem os meus mandamentos e leis, de acordo com todo o ensino que eu ordenei aos seus ancestrais e enviei a vocês por meio de meus servos, os profetas." **¹⁴**Mas eles não ouviram, endureceram o pescoço, como os ancestrais deles que não confiaram em *Yahweh*, o Deus deles. **¹⁵**Eles rejeitaram suas leis, sua aliança que ele selou com os ancestrais deles, e suas declarações com as quais ele os acusou. Eles foram atrás do vazio e se tornaram vazios, [foram] atrás

> das nações ao redor deles, quando *Yahweh* lhes tinha ordenado para não agirem como elas. [...] **¹⁹**Judá também não guardou os mandamentos de *Yahweh*, o Deus deles, mas andou pelas leis de Israel, que ele tinha praticado. [...] **²³ᵇ**Assim, Israel foi tirado de seu solo e levado para a Assíria, até este dia.
>
> **²⁴**O rei da Assíria trouxe pessoas da Babilônia, de Cuta, de Ava, de Hamate e de Sefarvaim e as assentou nas cidades de Samaria no lugar dos israelitas. Eles tomaram posse de Samaria e se estabeleceram em suas cidades. **²⁵**Quando eles primeiro se assentaram lá, não reverenciavam *Yahweh*, e *Yahweh* enviou leões entre eles, e eles se tornaram matadores no meio deles. [...] **²⁷**Então, o rei da Assíria ordenou: "Envie para lá um dos sacerdotes que você exilou de lá. Eles devem ir e se estabelecer lá e lhes ensinarem os requisitos do Deus da terra." [...] **²⁹**Mas as diferentes nações fizeram o seu próprio deus, cada uma delas, e os colocaram na casa dos lugares altos, que o povo de Samaria tinha feito. [...] **³³**Eles reverenciavam *Yahweh*, mas serviam aos seus próprios deuses, de acordo com os requisitos das nações das quais eles tinham sido exilados. **³⁴**Até hoje eles estão agindo de acordo com os requisitos anteriores. Eles não estão reverenciando *Yahweh* e não estão agindo de acordo com as leis e os requisitos, colocados sobre eles, e o ensino e o mandamento que *Yahweh* deu aos descendentes de Jacó, a quem foi dado o nome de Israel. [...] **⁴¹ᵇ**Os filhos e netos deles estão agindo como seus ancestrais fizeram, até este dia.

Suponho que as pessoas devem pensar que sou o típico sujeito "certinho" e elas não estão exatamente erradas, mas há histórias em meu passado que me constrangem, das quais elas nada sabem nem ficarão sabendo agora por mim. Essas lembranças ainda me trazem vergonha, mas trata-se de um sentimento de vergonha que não é desmoralizante; já fiz um acordo de paz com as minhas ações e busco perdão por elas. O significado positivo da vergonha é que ela segue me inibindo de agir da mesma forma novamente. Também conheço histórias sobre confusões nas quais outras pessoas se envolveram e que são similares às minhas. Todavia, em certos casos, as consequências têm sido mais avassaladoras que no meu caso, mas essas histórias também são importantes para mim; elas reforçam a motivação de evitar reincidir nessas confusões.

Tais dinâmicas operam num nível corporativo, nesse relato sobre a devastadora queda de **Efraim**, que encerrou a sua existência como nação. Uma vez mais, precisamos lembrar que essas narrativas não são meros relatos jornalísticos ou registros em diários. São mais como memórias sobre as quais pode-se refletir, com algum distanciamento, sobre a significância da experiência deles. Ou melhor, elas são como aquela espécie de memória por meio da qual alguém reflete sobre a vida e a experiência de algum membro de sua família (e alguém com quem o escritor tenha tido uma relação bem tempestuosa). Primeiro e Segundo Reis constituem uma reflexão posterior de **Judá** sobre a vida de Efraim, seu irmão, reflexão que visa não apenas compreender a história de Efraim, para seu próprio bem, mas descobrir o que Judá precisa aprender em prol de sua própria vida.

Um contexto possível para a primeira edição dessas memórias é o século imediatamente seguinte. Embora Samaria tenha caído em 722 a.C., Judá continuou existindo como nação até 587 a.C. Assim, por mais de um século depois da queda, a história de Efraim permanece como uma advertência a Judá, que precisa aprender com o destino de sua nação irmã. É necessário ler a história de Efraim à luz de onde ela terminou e da avaliação teológica e religiosa que esse capítulo oferece.

Contudo, isso não ocorreu assim: "Judá, também, não guardou os mandamentos de **Yahweh**, o Deus deles, mas andaram pelas leis de Israel, que ele tinha praticado." O próximo contexto para uma edição dessas memórias abrange as décadas que seguem à consequente queda de Judá, em 587 a.C., o período no qual o relato 1 e 2Reis irá terminar.

Um contexto adicional no qual podemos imaginar a história sendo lida, e talvez um contexto para outra edição, é a vida de Judá, mais tarde, naquele mesmo século. Sob o domínio da **Assíria** e da **Babilônia**, Efraim e Judá passam por experiências análogas. Religiosamente, eles resistiram à autoridade de *Yahweh* e, politicamente, resistiram à soberania da superpotência; e ambas as resistências levaram à mesma consequência. Deus levantou a Assíria e, depois, a Babilônia, como meios de punir as duas nações, e uma das formas de fazer isso foi pelo transporte de parte de seus habitantes. Nos dois casos, uma leitura superficial da história poderia sugerir que toda a população tenha sido transportada, mas, em ambos, isso parece uma simplificação exagerada. Todavia, os assírios, provavelmente, transportaram mais de Efraim do que os babilônios exilaram de Judá; os assírios também assentaram pessoas de outros povos em Efraim (o que os babilônios não fizeram). Havia uma movimentação mais frequente das pessoas no Império Assírio. O Antigo Testamento não registra o retorno de efraimitas; eles se tornaram as "dez tribos perdidas de Israel".

Portanto, em certo sentido, a população de Efraim tornou-se miscigenada. Houve pessoas em Efraim que conseguiram fugir do exílio (o Antigo Testamento fala sobre alguns efraimitas indo para Judá, e, para alguns deles, isso pode ter sido temporário. Além disso, a forma pela qual as coisas, em geral, funcionam sugeriria que outros conseguiram refúgio temporário em lugares como Moabe e Amom). Segundo Reis descreve uma classe diferente de mistura: a nova população combinou a adesão a *Yahweh* com a adesão aos deuses que trouxeram com eles de sua terra natal.

Essa mescla é, então, o pano de fundo para as relações entre Judá e Samaria, como descrito em Esdras e Neemias, em cuja época a superpotência passou a ser a **Pérsia**. Então, "Samaria" passa a ser o nome da área que, outrora, era Efraim. Ambos, Judá e Samaria, são províncias do Império Persa. A liderança em Samaria quer compartilhar da vida religiosa de Judá e Jerusalém, mas a liderança judaíta tem receio de que o alegado interesse dos samaritanos esteja muito entremeado com o interesse político em controlar Judá.

Essas memórias fornecem aos judaítas certa justificativa religiosa para resistir. Em suas relações com Samaria, eles precisam recordar as origens da comunidade ali e a natureza mesclada de seu compromisso religioso. Igualmente, em sua própria vida, o povo judaíta ainda sofre a influência da religião tradicional dos povos vizinhos. Não precisaria muito para que qualquer sincretismo da religião dos samaritanos afetasse o povo de Judá. Eles também precisavam aprender com essas memórias. "O passado nunca está morto. Nem sequer é passado", escreveu William Faulkner, em seu romance/drama *Réquiem por uma freira* [Lisboa: Nova Veja, 2013].

Há duas bases para a crítica das memórias de Efraim e Judá, nesse capítulo, e por sua advertência implícita à comunidade posterior. O texto fala muito sobre leis, requisitos, mandamentos e ensino, e, aqui, ele terá em mente a espécie de expectativas expressas na **Torá** e, provavelmente, em Deuteronômio. Há inúmeras ligações entre Deuteronômio e os livros seguintes (Josué, Juízes, Samuel, Reis); Deuteronômio esboça como Israel devia viver na terra prometida, e a história registrada nos livros seguintes detalha como eles falharam em fazer isso. A segunda base é o ensino dos profetas. Primeiro e Segundo Reis relatam profetas como Elias e Micaías, mas, durante os anos derradeiros da vida de Efraim, Amós e Oseias é que atuam em Samaria, advertindo sobre a catástrofe que paira sobre a nação, mas os profetas receberam a mesma atenção dispensada à Torá, ou seja, nenhuma. Uma vez mais, a geração posterior, para a qual esses livros são escritos, precisa aprender essa lição e passar a considerar com mais seriedade a Torá e os Profetas.

2REIS **18:1–37**
O PÁSSARO NA GAIOLA

¹No terceiro ano de Oseias, filho de Elá, rei de Israel, Ezequias, filho de Acaz, começou a reinar como rei de Judá. **²**Ele tinha vinte e cinco anos de idade quando se tornou rei e reinou vinte e nove anos em Jerusalém. O nome de sua mãe era Abia, filha de Zacarias. **³**Ele fez o que era certo aos olhos de *Yahweh*, de acordo com tudo o que Davi, seu ancestral, tinha feito. **⁴**Ele foi aquele que removeu os lugares altos, quebrou as colunas, cortou a Aserá e despedaçou a serpente de bronze que Moisés havia feito, porque até aquele tempo os israelitas estavam fazendo ofertas a ela (era chamada "O Bronze"). **⁵**Era em *Yahweh*, o Deus de Israel, que ele confiava. Depois dele, não houve ninguém como ele entre todos os reis de Judá ou antes dele. **⁶**Ele se apegou a *Yahweh*. Ele não deixou de segui-lo, mas guardou os mandamentos que *Yahweh* tinha decretado a Moisés. **⁷***Yahweh* estava com ele. Aonde quer que ele fosse, era bem-sucedido. Mas ele se rebelou contra o rei da Assíria e não o serviu, **⁸**e ele mesmo derrotou os filisteus, até Gaza e suas fronteiras, desde a torre das sentinelas até a cidade fortificada. [...]

¹³No décimo quarto ano do rei Ezequias, Senaqueribe, rei da Assíria, subiu contra todas as cidades fortificadas de Judá e as tomou. **¹⁴**Ezequias, rei de Judá, enviou mensagem ao rei da Assíria, em Láquis, dizendo: "Eu te ofendi. Afasta-te de mim.

O que colocares sobre mim, eu o suportarei." O rei da Assíria exigiu de Ezequias, rei de Judá, trezentos talentos de prata e trezentos e trinta talentos de ouro. **¹⁵**Ezequias lhe deu toda a prata encontrada na casa de *Yahweh* e nos tesouros da casa do rei. [...]

¹⁷O rei da Assíria enviou o Tartã, o Rabe-sares e o Rabsaqué, de Láquis, ao rei Ezequias, em Jerusalém, com uma grande força. [...] **¹⁸ᵇ**Eliaquim, filho de Hilquias, o encarregado da casa, Sebna, o escriba, e Joá, filho de Asafe, o cronista, saíram até eles. **¹⁹**O Rabsaqué lhes disse: "Vocês deveriam dizer a Ezequias: 'O grande rei, o rei da Assíria, disse isto: "Que confiança é essa na qual você se sustém? **²⁰**Você diz [a você mesmo]: 'Apenas as palavras dos lábios de alguém são estratégia e força para a batalha.' Agora, em quem você confia para ter se rebelado contra mim? **²¹**Certo. Você agora está confiando no suporte desse caniço quebrado, no Egito. Quando alguém se apoia nele, ele perfura a palma da mão dele. Eis o que o faraó, o rei do Egito, é para todas as pessoas que confiam nele. **²²**Mas, se você disser para mim: 'Confiamos em *Yahweh*, nosso Deus', não é ele aquele cujos lugares altos e altares Ezequias removeu? [...] **²⁵**É agora, sem *Yahweh*, que eu subi a este lugar para destruí-lo? Foi *Yahweh* que me disse: 'Suba a esse país e o destrua.' [...]**³²ᵇ**E não escutem Ezequias quando ele enganar vocês, dizendo: '*Yahweh* nos resgatará.' Os deuses das nações, qualquer uma delas, resgataram o seu país da mão do rei da Assíria?"" [...] **³⁷**Então, eles foram [...] a Ezequias, com suas roupas rasgadas, e lhe contaram as palavras do Rabsaqué.

Quando meus filhos ainda eram bebês, costumávamos praticar exercícios de confiança com eles, embora não esteja certo se tínhamos certeza [nós ou eles] de que era isso o que fazíamos. Eles saltavam, de um lugar elevado, como um muro, sabendo que o pai ou a mãe deles os apanharia. Crianças pequenas (caso tenham motivos para pensar que seus pais são confiáveis), provavelmente fazem isso com facilidade. Ao crescerem, descobrem que nem todo mundo é confiável e podem hesitar em saltar. Minha esposa, como psiquiatra, costumava fazer as pessoas praticarem exercícios formais de confiança, que envolvem levar o paciente a se deixar cair de costas e ser amparado pelos braços de alguém, posicionado atrás dele. Ao fazer isso, há um momento a partir do qual se atinge um ponto sem retorno. A pessoa, ao se permitir cair além daquele ponto, perde a capacidade de interromper a queda. O paciente estabelece um compromisso e fica na total dependência da pessoa designada a ampará-la. É preciso confiar naquela pessoa.

Essa é a posição de Judá, bem como a posição de Ezequias como seu líder. A princípio, tem-se a impressão de que Ezequias é, inequivocamente, um grande homem, mas, então, o retrato se torna um pouco mais nebuloso. Talvez, seja adequado ele ser descrito como alguém cuja grande retidão é comparável a Davi, porque este foi, na verdade, uma pessoa um pouco ambígua. As pessoas que leem a Bíblia estão divididas entre as que acham ser útil ter histórias de grandes heróis, que podem ser uma inspiração, e de heróis falhos, que podem ser um encorajamento, e a Escritura atende ambas as necessidades na forma de descrever os seus heróis. Assim, Ezequias é mais radical em seu compromisso com **Yahweh** do que qualquer outro rei judaíta até então. Ele é o primeiro rei a fechar os **lugares altos** e, igualmente, a destruir as colunas (associados ao estilo de adoração dos **cananeus**), e a **Aserá**. Você pode ler sobre a origem da serpente de bronze em Números 21; isso começou como um meio sacramental de Deus curar pessoas, mas, acabou se tornando algo similar a um ídolo para o povo.

Além de agir sabiamente nos assuntos religiosos, Ezequias, inicialmente, também foi bem-sucedido nas áreas militar e política. Suas campanhas contra os **filisteus** foram, provavelmente, parte de sua preparação para se insurgir contra a **Assíria**, mas sua rebelião contra a superpotência foi desastrosa. A ação provocou a reação do rei assírio, no ataque a Judá, em 701 a.C. Senaqueribe registrou o próprio relato sobre a invasão em uma inscrição, na capital, Nínive. Ele fala sobre o cerco e a conquista de quarenta e seis cidades fortificadas de Ezequias (as quais ele, ironicamente, cedeu aos filisteus) e a obtenção de enormes quantidades de despojos. Quanto a Ezequias, ele o aprisionou em Jerusalém, "como um pássaro engaiolado". Considero a passagem de 2Reis 18:13-16 como um resumo do evento; o que vem a seguir, então, fornece os detalhes. Contudo, embora seja fácil, em princípio, relacionar essa história aos registros assírios, é difícil separar o que é "história pura" de uma narrativa designada a trazer uma mensagem sobre confiança em Deus.

Não está claro se Ezequias não deveria ter se rebelado contra a Assíria, nem os seus sucessores contra a **Babilônia**. O que fica evidenciado é que a rebelião resultou na grande questão espiritual, religiosa e política que Ezequias teve de enfrentar, bem como na qualidade que o tornou um herói: "Era em *Yahweh*, o Deus de Israel, que ele confiava." Nesse capítulo, eu traduzi a palavra como "confiar" embora em outros lugares ela seja traduzida por "acreditar ou crer". Nos livros de Reis os dois verbos aparecem, pela primeira vez, no capítulo anterior; **Efraim** não confiou em Deus. Elas aparecem pela segunda vez na abertura do elogio a Ezequias que acabei de citar, e prossegue por todo o confronto entre os assírios e os judaítas que domina o capítulo.

Senaqueribe está sitiando Láquis, a maior cidade judaíta depois de Jerusalém. Láquis fica abaixo da cadeia de montanhas na qual Jerusalém está localizada, no sopé ocidental da cordilheira, mais perto das rotas de comércio e daquelas cidades filisteias, guardando a rota que leva às montanhas. Como sua inscrição indica, o rei assírio logrou êxito na conquista da cidade (na verdade, ele erigiu um marco comemorativo dessa conquista particular em seu palácio, na cidade de Nínive). Enquanto faz isso, Senaqueribe envia alguns de seus oficiais para informar a Ezequias que as garras assírias estão apertando. Jerusalém é o único obstáculo que falta ser retirado para a completa subjugação de Judá. Seria sábio render-se agora. O rei assírio sabe que Jerusalém será o seu maior desafio, por sua localização nas montanhas, com uma boa posição de defesa. Ele poupará para si muitos problemas se puder obter a rendição de Ezequias, e o rei de Judá escapará de maior sofrimento caso desafie Senaqueribe a empreender um cerco que, provavelmente, seria longo.

No argumento dos oficiais, a palavra "acreditar" ou "confiar" desempenha um papel-chave. A questão "No que você está confiando?" é reveladora. Isaías 30 e 31 deixa claro que Judá está depositando a sua confiança no Egito como um aliado, ao se rebelar contra a Assíria. Isaías indica considerações teológicas que fazem dessa política uma estupidez; os assírios apontam para considerações políticas. Os judaítas estão se comportando como se confiassem nas palavras dos egípcios e que, portanto, eles seriam a chave para uma vitória militar. Não é assim. Sem perceberem, o que os assírios proferem é uma palavra profética aos judaítas.

Suponha que os judaítas estejam fazendo o que sabemos que eles devem fazer e estejam confiando em Deus. O argumento dos assírios mostra-se, então, muito perspicaz. E quanto ao fato de Ezequias ter destruído inúmeros santuários de Deus em Judá (isto é, os lugares altos)? Isso significa que ele ainda pode confiar em Deus? O próximo argumento assírio é ainda mais sagaz. Foi o próprio Deus quem enviou os assírios naquela expedição. Eles são agentes de Deus. É como se os oficiais tivessem lido Isaías, porque, em seu livro, o profeta diz exatamente isso. A Assíria é o bastão empunhado por Deus para trazer castigo sobre Judá (Isaías 10).

Até aqui, eles não cometeram um único erro, mas, então, cometem um erro calamitoso. Mesmo se Deus quisesse resgatar Judá das mãos de Senaqueribe, seria ele capaz de fazê-lo? Os deuses de quaisquer outros povos conseguiram resgatá-los da Assíria? Trata-se de um erro terrível, pois revela que Senaqueribe fala em Deus apenas como um meio de manipular as pessoas. Ele, na verdade, não acredita que Deus esteja ativo no mundo de uma forma que possa afetá-lo. Bem, pelo menos, ele não acredita que *Yahweh*, o Deus de Israel, seja capaz disso.

Os líderes judaítas retornam ao seu rei horrorizados com a blasfêmia de Senaqueribe, mas, na realidade, a blasfêmia representa boas notícias. *Yahweh*, decerto, não logrará resistir à tentação de colocar Senaqueribe em seu devido lugar.

2REIS **19:1–37**
O QUE FAZER COM UMA CARTA ARDILOSA

¹Quando o rei Ezequias ouviu isso, ele rasgou as suas roupas e cobriu-se de pano de saco. Ele foi à casa de *Yahweh* **²**e enviou Eliaquim, que era o encarregado da casa, Sebna, o escriba, e os sacerdotes seniores, vestindo pano de saco, ao profeta Isaías, filho de Amoz. **³**Eles lhe disseram: "Ezequias disse isto: 'Este é um dia de angústia, repreensão e desgraça, porque [é como se] filhos estivessem prestes a nascer, mas não há força suficiente para dar à luz. **⁴**Talvez *Yahweh*, o teu Deus, ouça todas as palavras do Rabsaqué, a quem o seu senhor, o rei da Assíria, enviou para insultar o Deus vivo, e o repreenda pelas palavras que *Yahweh*, o teu Deus, ouviu, e irás levantar uma súplica pelos remanescentes que podem ser encontrados.'" **⁵**Então, os oficiais do rei Ezequias chegaram a Isaías, **⁶**e Isaías lhes disse: "*Yahweh* disse: 'Não tenha medo das palavras que você ouviu, com as quais os rapazes do rei da Assíria blasfemaram de mim. **⁷**Ora, estou colocando um espírito nele, ele ouvirá um relatório e voltará para o seu país, e eu o farei cair pela espada em seu país.'" **⁸**O Rabsaqué retornou e encontrou o rei da Assíria em batalha contra Libna (porque [o Rabsaqué] tinha ouvido que ele se movera de Láquis). **⁹**Então, ele ouviu sobre Tiraca, o rei do Sudão: "Ora, ele saiu para batalhar contra ti." Assim, ele enviou ajudantes a Ezequias, dizendo: **¹⁰**"Vocês devem dizer isso a Ezequias, rei de Judá: 'O seu Deus, em quem você está confiando, não deveria enganá-lo, dizendo: "Jerusalém não será entregue nas mãos do rei da Assíria." **¹¹**Ora, você ouviu o que os reis da Assíria têm feito a todos os países, devotando-os, e você será resgatado [...]?'"

¹⁴Ezequias pegou a carta das mãos dos ajudantes e a leu, e subiu à casa de *Yahweh*. Ezequias a estendeu diante de *Yahweh*. **¹⁵**Ezequias suplicou diante de *Yahweh* e disse: "*Yahweh*, Deus de Israel, que se assenta [entronizado] sobre os querubins: Tu és Deus, tu somente, sobre todos os reinos da terra. Tu fizeste os céus e a terra. **¹⁶***Yahweh*, inclina teus ouvidos e ouve. *Yahweh*, abre teus olhos e vê. Ouve as palavras de Senaqueribe que ele enviou para insultar o Deus vivo. **¹⁷***Yahweh*, os reis da Assíria realmente colocaram à espada as nações e seus territórios. [...] **¹⁹**Mas, agora, *Yahweh*, nosso Deus, livra-nos de sua mão, para que todos os reinos da terra possam reconhecer que tu, *Yahweh*, és Deus, tu somente." **²⁰**Então, Isaías, filho de Amoz, enviou a Ezequias, dizendo: "*Yahweh*, o Deus de Israel, disse: 'Ouvi a súplica que você fez a mim acerca de Senaqueribe, o rei da Assíria.'"

[Os versículos 21-37 detalham a palavra de juízo de Deus com respeito ao rei da Assíria e o seu cumprimento.]

Na Inglaterra, eu costumava ser o diretor de um seminário; esse cargo é um cruzamento entre ser presidente e reitor, nos Estados Unidos. De segunda a sexta-feira, meu assistente abria a correspondência, mas, aos sábados, essa tarefa era minha e, portanto, eu era a primeira pessoa a ver as cartas mais complicadas. Entre elas, poderia haver uma contando que os bispos estavam reduzindo o número de pessoas a serem admitidas no ano seguinte. Ou que a universidade à qual somos filiados poderia mudar as regras que regem os cursos de uma forma que seria difícil implementar no seminário. Talvez um reitor local estivesse reclamando do comportamento de um dos alunos em sua paróquia. (Ou mesmo um estranho seminário na Califórnia poderia estar me oferecendo um emprego.) Nessas ocasiões, então, eu ficava satisfeito em fazer o que Ezequias fez nessa história. Não creio que eu, literalmente, tenha me levantado, em meu escritório, e mostrado uma dessas cartas difíceis a Deus, exclamando: "Olha isso!" Mas em minha imaginação era isso o que eu fazia.

O início de 2Reis 19 relata como Ezequias fez isso metaforicamente. Na primeira vez em que as forças da **Assíria** subiram as montanhas, desde Láquis, seus líderes tinham permanecido em frente das muralhas de Jerusalém, enquanto a sitiavam, e declararam como seria impossível para Deus preservar a cidade. Em certo sentido, não há nada novo aqui que levasse Ezequias a rasgar as suas roupas e vestir **pano de saco**. A cidade permanece sob cerco por um tempo, embora a determinação expressa pelos oficiais, evidentemente, ameace forçar Ezequias ainda mais. O remanescente de Judá lembra os restos de uma refeição, reflete Ezequias; Senaqueribe assumiu o controle e/ou destruiu grande parte do país. No contexto ocidental, se uma mulher está prestes a dar à luz, mas, por alguma razão, não consegue fazê-lo, o obstetra rapidamente opta por fazer uma cesariana. Em uma sociedade tradicional, a mulher e a criança morrem. Esse é o destino que ameaça Jerusalém, como Ezequias enxerga.

Ezequias não está devastado apenas por essa perspectiva sombria, mas pelo desprezo do rei assírio por Deus. Quando alguém blasfema contra Deus e você está por perto, é quase como se você precisasse ter cuidado para não ser pego no fogo cruzado ou pela explosão prestes a ocorrer. Será sábio de sua parte deixar bem claro que você não tem qualquer associação com a blasfêmia.

Além de ir ao templo para se apresentar diante de Deus, Ezequias envia seus oficiais para descobrir a reação de Isaías quanto ao ocorrido. É, de fato, estranho que 2Reis não faça mais menção a profetas como Isaías, Miqueias, Oseias e Amós (não confundir com o pai de Isaías, Amoz), que estavam em plena atividade naquele período, nem mencione profetas posteriores, como Jeremias; talvez porque esses profetas tenham os seus próprios livros. Uma razão para incluir esses relatos sobre Isaías é que eles também são relatos sobre Ezequias, um dos grandes heróis de 2Reis, mas Isaías é integral a eles. Aqui, a mensagem inicial do profeta aos oficiais de Ezequias esboça a mensagem que Isaías dá, em maior extensão, na parte final do capítulo.

Trata-se de um toque sutil referir-se aos oficiais do rei assírio como seus "rapazes"; é provável que seja um termo mais técnico do que o termo traduzido expressa, mas, seja como for, isso sublinha a insignificância deles. Deus não tem nada a temer em relação a eles e, portanto, Judá, também nada tem a temer. O ponto está implícito de outra forma, no modo pelo qual Isaías introduz a sua mensagem, usando a expressão: "***Yahweh***, o Deus de Israel, disse isto" (nas traduções tradicionais, lemos: "Assim diz o Senhor"). Uma história como essa reflete o pano de fundo dessa sentença. Quando o oficial chefe do rei da Assíria entregou o seu ultimato aos ajudantes de Ezequias, ele o introduziu, dizendo: "O grande rei, o rei da Assíria, disse isto [...]." Essa era a forma padrão de um ajudante introduzir a mensagem de seu rei. Ele está transmitindo algo que o rei lhe disse antes de ele partir para entregar a mensagem.

Os profetas que usam essa forma de expressão também estão transmitindo mensagens que um rei lhes formulou antes de eles partirem para entregá-la; e esse Rei é muito mais impressionante que o autointitulado "Grande rei" da Assíria. Deus está em posição de simplesmente mandar o assim chamado "Grande rei" de volta para casa. A declaração de Deus poderia ser cumprida pelo rei ouvir um relato verdadeiro quanto a problemas em sua casa ou por ouvir rumores falsos nesses termos; o espírito poderia ser, portanto, um espírito de engano, de medo fundamentado ou irracional. Com frequência, não é possível saber como será o cumprimento de uma profecia até ela acontecer. O que, na verdade, ocorre é que o rei ouve um relato verídico sobre problemas vindos do sul e, então, mais tarde, ele retorna para casa e é assassinado. Para Ezequias, o avanço daquele exército do sul foi comparável à chegada da cavalaria ao topo da colina na hora certa, pois a atenção do rei da Assíria sobre Jerusalém é desviada. Embora, a princípio, seja fácil relacionar os eventos em 2Reis 18 e 19 com os registros assírios, torna-se mais difícil encaixá-los na história do Egito. Todavia, o pano de fundo da menção do capítulo a Tiraca é que a dinastia do Sudão, de fato, governou o Egito em alguns períodos de sua história, de modo que as ações de um general sudanês são as ações do Egito. Há, aqui, uma importante ironia. Tanto Isaías quanto os políticos assírios advertiram Ezequias de não confiar no Egito; não obstante, no fim, é o Egito que Deus usa para livrar Jerusalém da pressão assíria. Uma vez mais, isso mostra como a profecia não é designada a ser uma espécie de previsão literal de como os eventos se desenrolarão. O cumprimento de uma profecia é, em geral, surpreendente.

A reação do rei da Assíria a esse evento é que leva Ezequias a apresentar a carta no templo, como a provocar Deus, e dizer: "Dê uma olhada nisso então!" Esse é um grande modelo para oração. É assim que Ezequias realmente se dirige a Deus, reafirmando verdades sobre *Yahweh* ser o Senhor de todo o mundo (incluindo o Império Assírio), instando Deus a olhar, ouvir e libertar, deixando para Deus exatamente o que fazer, e encerrando com o lembrete de que libertar Judá da Assíria poderia contribuir para que todo o mundo reconhecesse *Yahweh*.

2REIS 20:1-21
COMO GANHAR E PERDER A SIMPATIA DE DEUS

¹Naqueles dias, Ezequias ficou mortalmente enfermo. O profeta Isaías, filho de Amoz, foi até ele e lhe disse: "*Yahweh* disse isto: 'Coloque a sua casa em ordem, porque você irá morrer, não se recuperará.'" ²Ele virou o rosto para a parede e suplicou a *Yahweh*: ³ "Oh, *Yahweh*, lembra-te de como andei diante de ti em verdade, fui íntegro em espírito e fiz o que é agradável aos teus olhos." Ezequias chorou e chorou. ⁴Isaías ainda não tinha deixado o pátio intermediário quando a palavra de *Yahweh* veio a ele: ⁵"Volte e diga a Ezequias, o governante do meu povo: '*Yahweh*, o Deus de Davi, o seu ancestral, disse: "Ouvi a sua súplica. Vi as suas lágrimas. Agora, irei curar você. No terceiro dia, você subirá à casa de *Yahweh*. ⁶Acrescentarei quinze anos à sua vida e resgatarei você e esta cidade das mãos do rei da Assíria. Protegerei esta cidade para o meu bem e o bem de Davi, meu servo."'" ⁷Isaías disse: "Peguem uma pasta de figos." Eles pegaram e a colocaram sobre a inflamação, e ele se recuperou.

8Ezequias tinha dito a Isaías: "Qual é o sinal de que *Yahweh* me curará e de que subirei à casa de *Yahweh* no terceiro dia?" **9**Isaías disse: "Este será o sinal de *Yahweh* para você de que *Yahweh* fará a coisa que ele declarou. Deve a sombra avançar dez degraus ou recuar dez degraus? **10**Ezequias disse: "É fácil para a sombra avançar dez degraus, não recuar dez degraus." **11**Então, o profeta Isaías clamou a *Yahweh*, e ele fez a sombra recuar dez degraus sobre os degraus que havia descido, na escadaria de Acaz.

12Naquele tempo, Merodaque-Baladã, filho de Baladã, o rei da Babilônia, enviou uma carta e um presente a Ezequias porque ele tinha ouvido que Ezequias estava enfermo. **13**Ezequias ouviu sobre eles e lhes mostrou tudo em sua tesouraria: a prata, o ouro, as especiarias e o excelente azeite, sua casa de equipamentos e tudo o que podia ser encontrado em seus armazéns. Não houve nada que Ezequias não lhes mostrou em sua casa e em todo o seu reino. **14**O profeta Isaías foi ao rei Ezequias e lhe disse: "O que esses homens disseram? De onde eles vieram?" Ezequias disse: "De um país distante, Babilônia." **15**[Isaías] disse: "O que eles viram em sua casa?" Ezequias disse: "Eles viram tudo em minha casa. Não houve nada que eu não lhes tenha mostrado em meus armazéns." **16**Isaías disse a Ezequias: "Ouça a palavra de *Yahweh*. **17**'Agora, dias virão nos quais tudo em sua casa e tudo o que seus ancestrais armazenaram até este dia será transportado para a Babilônia. Nem uma única coisa permanecerá', *Yahweh* disse. **18**'Alguns de seus filhos, que sairão de você, dos quais você será pai, serão levados e serão eunucos no palácio do rei da Babilônia.'" **19**Ezequias disse a Isaías: "A palavra que *Yahweh* falou é boa." Ele disse: "Não é assim, se é para haver bem-estar e estabilidade em meus dias?" **20**Os demais atos de Ezequias, todo o seu poder, e como ele fez o açude e o canal e trouxe água para a cidade, estão, de fato, escritos nos anais dos reis de Judá. **21**Ezequias dormiu com seus pais, e Manassés, seu filho, reinou em seu lugar.

Ann, minha esposa, teve esclerose múltipla durante quarenta e dois anos, até falecer, um ano atrás. Nós e outras pessoas oramos por sua cura em inúmeras ocasiões, de diversas formas, apoiados por um numeroso contingente de figuras notáveis no mundo da oração para cura. Ela jamais ficou curada. No entanto, Deus não ignorou todas essas orações, mas deu a Ann um ministério que ela exerceu durante o tempo que teve de viver em sua crescente incapacidade. Além disso, Deus moldou outro homem em mim, por ter de conviver com isso. Algumas vezes, as pessoas afirmam que a oração é designada para nos mudar, não para mudar Deus, e essa é uma meia verdade perigosa. A oração é designada para mudar o coração de Deus, mas é parte de um relacionamento, e não é possível predizer, antes do tempo, como as interações nessa relação irão funcionar.

Ezequias provou que a oração pode, sim, mudar Deus. É típico que um profeta como Isaías afirme o que irá acontecer como se isso fosse imutável, mas a maneira pela qual as histórias, então, se desenrolam, indicam que não é bem assim. Isso pode constituir más notícias, pois quando Deus lhe deseja fazer algo bom, mas você não responde com confiança e comprometimento, essa resposta pode mudar a mente de Deus (pode não mudar — a esse respeito, também os relacionamentos com Deus, como qualquer outra relação, não são previsíveis). A boa notícia é que, quando Deus lhe diz que coisas ruins irão lhe acontecer, a sua resposta pode mudar a mente de Deus. A história de Ezequias mostra que, ao sermos ameaçados por coisas ruins, isso pode não ter relação com merecimento. Ezequias é acometido por uma enfermidade que parece decretar o fim de sua vida, mas o relato não afirma que isso era uma punição por seu pecado. Na verdade, o modo pelo qual a sua história é contada até aqui torna Ezequias uma espécie de herói espiritual. A conexão de alguns pontos sugere que ele deve ter por volta de quarenta anos, e essa não é uma idade ruim em uma sociedade tradicional; assim, ele não podia reclamar por ser acometido de uma doença fatal. É apenas uma daquelas coisas que acontecem na vida. Todavia, ele pode apelar para a sua vida de compromisso com **Yahweh**, e suplicar por sua cura. Ao que parece, isso é algo que Deus leva em conta ao responder à sua oração, embora o texto explicite que são as suas lágrimas que movem Deus.

É claro que muitas pessoas comprometidas não têm a mesma experiência (a história de Josias, seu bisneto, ilustrará esse ponto). Aqui também o relacionamento de Deus conosco não é previsível. Isso não significa que ele seja aleatório. Deus pode levar em conta outras coisas, não nossas necessidades e desejos (como bem mostra a história de Jó). Significa que sempre é válido comportar-se como uma criança em relação ao seu pai e recusar-se a aceitar, muito facilmente, um não como resposta. A narrativa também é notável ao mostrar como Isaías (a exemplo de Eliseu) mescla a expressão da palavra de Deus com o uso de medicina tradicional. O "tratamento" de banhar-se no rio Jordão quando se tem uma doença de pele dificilmente seria eficaz no combate a uma enfermidade potencialmente fatal, mas Deus parece gostar de usar meios físicos como uma forma sacramental.

Na realidade, a referência a ir à casa de Deus sugere ligações com relatos como os de Naamã e do próprio bisavô de Ezequias, Uzias, que foi atingido por uma doença de pele como punição de Deus. Caso Ezequias tivesse alguma doença de pele, ele não poderia ir ao templo, e a promessa de liberdade rápida para fazer isso seria significativa. Isso pode explicar o foco sobre esse aspecto de sua cura ao pedir por um sinal. A natureza do sinal não é clara. Não há necessidade de inferir que Deus mudou os movimentos reais dos planetas, embora, claro, Deus seja capaz disso. Para o sinal funcionar, apenas algumas mudanças incomuns no processo para que a sombra recuasse seriam suficientes para dar a Ezequias o sinal escolhido.

O fato de Ezequias ser uma pessoa mais ambígua do que está implícito em algumas declarações sobre ele, incluindo a sua autodescrição a Deus, talvez sublinhe o significado da referência a Deus ter sido movido por suas lágrimas, não por sua autodefesa. A ambiguidade é enfatizada pela derradeira história que nos é contada sobre ele. Nos dias de Ezequias, a **Assíria** está no auge de seu poder. Possivelmente, ninguém imaginava que o declínio daquele império estivesse tão próximo, mas, quando você é a superpotência, todos o odeiam e desejam ver a sua queda ou, ainda melhor, almejam ocupar o seu lugar. Ficará evidente que a **Babilônia** será a superpotência da vez. A referência adicional à doença de Ezequias sugere que a abertura, "Naquele tempo", não significa que o rei babilônio tenha enviado uma comitiva a Judá após a recuperação de Ezequias; a visita a precedeu. Contudo, a comitiva não veio apenas para uma visita cordial, mas é um sinal da crescente afirmação da Babilônia, embora o contexto particular possa ser uma revolta recente da Babilônia contra o poder da Assíria ao buscar o apoio de Judá. O fato de Ezequias mostrar todos os seus recursos à comitiva babilônica é uma mostra de que ele está disposto a ser envolvido em tal aliança.

Isaías sabe algo que Ezequias desconhece. Talvez um político astuto pudesse perceber para onde o vento estava soprando, mas as superpotências, em geral, mostram uma grande capacidade de reinvenção, e a Assíria poderia ser mais um exemplo. A ciência de Isaías de que isso não acontecerá exibe uma reflexão profética em vez de uma sagacidade política. "Ouça a palavra de *Yahweh*", ele diz. Sim, a Babilônia irá dominar os reinos de poder no Oriente Médio e substituirá a Assíria como a potência na Mesopotâmia que controla o destino de Judá. Pode parecer, então, que Ezequias está cavalgando o cavalo certo, ao se aliar com a Babilônia. Contudo, *Yahweh* capacita Isaías a ver além da ascensão da Babilônia. Assim que ela assumir o poder, a sua relação com Judá será muito diferente daquela que busca agora. O Império Babilônio é que será responsável pelo término da vida de Judá como nação, a exemplo da Assíria, que levou **Efraim** à extinção. Os babilônios transportarão a liderança judaíta ao **exílio**, da mesma forma que a Assíria fez com os efraimitas. E, caso você seja a superpotência, será mais seguro ter eunucos cuidando de sua casa; esse será o destino de alguns dos descendentes de Ezequias. Não fica claro quão cínica a resposta de Ezequias é. Talvez esteja adequadamente grato pela calamidade não ocorrer por enquanto.

A nota de encerramento relata o seu trabalho vital na proteção do abastecimento de água de Jerusalém durante os tempos de cerco (veja 2Crônicas 32).

2REIS **21:1–26**
COMO SER O BANDIDO

¹Manassés tinha doze anos de idade quando se tornou rei, e ele reinou cinquenta e cinco anos em Jerusalém. O nome de sua mãe era Meu prazer está nela. **²**Ele fez o que era desagradável aos olhos de *Yahweh*, de acordo com as práticas abomináveis das nações que *Yahweh* desapropriou diante dos israelitas. **³**Ele reconstruiu os lugares altos que Ezequias, seu pai, tinha destruído, estabeleceu altares para o Mestre e fez uma Aserá, como Acabe, rei de Israel, tinha feito. [...] **⁵**Ele construiu altares para todo o exército celestial nos dois pátios na casa de *Yahweh*. **⁶**Ele fez o seu filho passar pelo fogo e praticou adivinhação

e o estudo de presságios. [...] ⁹Manassés levou [Israel] a se desviar para fazer pior do que as nações que *Yahweh* aniquilou diante dos israelitas. ¹⁰*Yahweh* falou por meio de seus servos e profetas: ¹¹"Porque Manassés, rei de Judá, fez essas coisas abomináveis (ele fez um mal maior do que os amorreus fizeram antes dele) e também fez Judá ofender com seus pedaços [de madeira], ¹²portanto, *Yahweh*, o Deus de Israel, disse isto: 'Agora, estou trazendo tal dificuldade sobre Jerusalém e Judá que os ouvidos de todos os que o ouvirem irão zumbir. ¹³Sobre Jerusalém, esticarei a linha de medir de Samaria e a escala da casa de Acabe. Limparei Jerusalém como quem limpa um prato e a virarei de bruços. ¹⁴Abandonarei os remanescentes de minha propriedade e os entregarei nas mãos de seus inimigos. Eles serão despojados e saqueados por todos os seus inimigos, ¹⁵porque fizeram o que é desagradável aos meus olhos e me provocaram desde o dia em que os tirei do Egito até este dia.'"
¹⁶ªDe fato, Manassés derramou tanto sangue inocente até encher Jerusalém de um extremo ao outro.

[Os versículos 16b-22 relatam como Amom, filho de Manassés, sucedeu o pai e deu continuidade às suas políticas.]

²³Os servidores de Amom conspiraram contra ele e mataram o rei em sua casa, ²⁴mas o povo do país matou todos os que tinham conspirado contra o rei Amom. [...] ²⁶Ele foi enterrado em seu túmulo, no jardim de Uzá, e Josias, seu filho, tornou-se rei em seu lugar.

Às vezes, eu gostaria de saber o que irá acontecer no futuro, embora, ao pensar nisso, não tenha certeza se é uma boa ideia. Quando minha esposa foi diagnosticada com esclerose múltipla, se eu soubesse como a doença progrediria ao longo de quatro décadas, não sei se conseguiria lidar com esse conhecimento. Não obstante, à medida que as décadas passavam, consegui lidar. Em dias recentes, li um ou dois relatórios sobre a detecção precoce do mal de Alzheimer. Será que eu gostaria de saber que desenvolverei a doença, considerando que não há tratamento disponível e que nada posso fazer a respeito? Creio que não! Todavia, possuímos um instinto natural de querer saber o que o futuro nos reserva e, em certas circunstâncias, esse conhecimento pode ser útil, pois podemos fazer algo a respeito e evitar o problema. Assim, investimos uma enorme quantidade de recursos em pesquisa nas ciências física, econômica, e assim por diante, na esperança de que esse conhecimento possa aumentar a nossa sensação de controle.

Esse instinto é o pano de fundo para o recurso da adivinhação e outras formas de estudar presságios, uma característica recorrente da vida de Israel. Isso será uma preocupação extra, caso você seja o rei (o responsável por uma família, um pastor ou um presidente de seminário), porque o rei não tem que pensar apenas em seu próprio destino, mas no de todo o povo pelo qual é responsável. Muitas das histórias em 1 e 2Reis mostram como, algumas vezes, é possível as pessoas descobrirem o que irá acontecer e, então, adotar a ação apropriada; é **Yahweh** quem torna isso possível, e são pessoas como os profetas que intermedeiam esse conhecimento. Todavia, não é possível ter certeza de que *Yahweh* irá lhe contar o que você quer saber, de modo que o controle, na realidade, não é seu. Segundo Reis retrata Manassés como uma versão extrema de um homem que deseja o conhecimento (esse é o foco da maneira pela qual ele encoraja a adoração nos **lugares altos** e o culto ao **Mestre** e a **Aserá**); a narrativa despreza as imagens de Manassés, descrevendo-as como "pedaços [de madeira]" (ou, talvez, de excremento).

Uma característica distinta de sua adoração é o envolvimento na adoração ao exército celestial, os planetas e as estrelas. Trata-se de uma crença amplamente difundida de que os movimentos de planetas e de estrelas podem revelar acontecimentos futuros; daí a popularidade da astrologia na cultura ocidental. Manassés também recorre a várias formas de adivinhação, que podem incluir a observação de órgãos internos de animais. Descobrir o futuro podia envolver o contato com familiares mortos, a exemplo de Saul (1Samuel 28), imaginando que, agora, eles tenham acesso a um conhecimento ainda vedado aos vivos. O sacrifício de crianças estaria relacionado a fazer contato com a morte. Tudo isso está em franco conflito com a maneira pela qual a **Torá** instruía Israel sobre a relação com Deus.

Apesar de seu envolvimento, Manassés reina por cinquenta e cinco anos, de modo que há certa ironia no fato de ele se tornar o modelo de como não se comportar como rei de Judá. Reconhecidamente, esse tempo de reinado inclui um período durante o qual ele reinou com Ezequias, seu pai, possivelmente pela enfermidade deste (veja os comentários em 1Reis 15), mas, mesmo desconsiderando esse período, tratou-se de um longo reinado, digno de um exemplo de fidelidade. Uma vez mais, 1 e 2Reis não reivindicam total efetividade por suas generalizações sobre como o compromisso leva à bênção e a transgressão leva à maldição.

O nome de sua mãe era Hefzibá, isto é, "Meu prazer está nela". Pode-se, igualmente, entender Hefzibá como "Minha delícia", um título que Deus, mais tarde, confere a Jerusalém, em Isaías 62:4. O nome que ela dá ao filho significa "Aquele que [me] faz esquecer" (talvez o filho a fez esquecer da dor do parto ou de alguma perda, como a morte de um filho anterior). Esses nomes contêm muitas ironias. A mais sombria é que a sua forma de exercer liderança significa que Jerusalém deixa de ser a cidade na qual Deus se deleita. A menção aos

amorreus é reveladora nesse sentido. Lá atrás, Deus havia dito a Abraão que a descendência do patriarca não poderia entrar na terra da promessa até que a desobediência dos amorreus estivesse completa (Gênesis 15:16). A desobediência de Judá está, agora, completa, do mesmo modo que a desobediência dos amorreus se tornou completa. Na realidade, Judá superou os amorreus, o que é uma acusação e tanto, e Judá está prestes a perder a terra, a exemplo do que ocorreu aos amorreus. Judá já havia sofrido uma redução drástica, mas Deus irá lançar fora até mesmo o pouco que restou. Não há esperança na ideia de "remanescentes" que é, aqui, expressa. (Claro que, como de costume, Deus não conseguirá ser tão determinado assim.)

Pode haver considerações políticas e/ou religiosas por trás do assassinato de Amom por seus oficiais e da eliminação dos assassinos pelo "povo do país" e a instalação de seu sucessor (por exemplo, podem ser pessoas que ficaram ao lado da **Assíria**, e/ou pessoas que tomaram o partido do Egito e/ou, ainda, pessoas que defendiam a independência de Judá), mas a história não está interessada nesses fatores. Por implicação, a narrativa vê a vontade de Deus sendo trabalhada na morte de Amom e na ascensão de Josias. Existem eventos cuja interpretação é complexa, mas há eventos que não precisam de nenhuma interpretação.

2REIS **22:1—23:24**
ÚLTIMA CHANCE PARA LEVAR A TORÁ E OS PROFETAS A SÉRIO

¹Josias tinha oito anos de idade quando se tornou rei, e ele reinou trinta e um anos em Jerusalém. O nome de sua mãe era Jedida, filha de Adaías, de Bozcate. ²Ele fez o que era certo aos olhos de *Yahweh*. Ele andou em todo o caminho de Davi, seu ancestral. Ele não se desviou para a direita nem para a

esquerda. ³No décimo oitavo ano do rei Josias, o rei enviou Safã, filho de Azalias, filho de Mesulão, à casa de *Yahweh*, dizendo: ⁴"Vá a Hilquias, o sumo sacerdote, para que ele possa pesar a prata que foi trazida à casa de *Yahweh*, que os guardas da entrada coletaram do povo. ⁵Eles deverão entregá-la nas mãos dos trabalhadores designados à casa de *Yahweh* [...]."
⁸Hilquias, o sumo sacerdote, disse a Safã, o escriba: "Encontrei um Rolo de Ensino na casa de *Yahweh*." Hilquias deu o rolo a Safã, e ele o leu. [...] ¹¹Quando o rei ouviu as palavras no Rolo de Ensino, ele rasgou as suas roupas. ¹²O rei ordenou a Hilquias, o sacerdote, a Aicam, filho de Safã, a Acbor, filho de Micaías, a Safã, o escriba, e a Asaías, o servidor do rei: ¹³"Vão, inquiram *Yahweh* por mim, pelo povo e por todo o Judá sobre as palavras desse rolo que foi encontrado, pois grande é a ira de *Yahweh* que se acendeu contra nós, porque nossos ancestrais não ouviram as palavras desse rolo, para agirem de acordo com tudo o que está escrito a nosso respeito." ¹⁴Então, Hilquias, o sacerdote, foi, com Aicam, Acbor, Safã e Asaías, até Hulda, a profetisa, a esposa de Salum, filho de Ticvá, filho de Harás, guardador das vestimentas. Ela vivia em Jerusalém, no Mixná [Bairro]. Eles lhe falaram, ¹⁵e ela lhes disse: "*Yahweh*, o Deus de Israel, disse isto: 'Digam ao homem que os enviou a mim: ¹⁶"*Yahweh* disse isto: 'Agora, irei trazer aflição sobre este lugar e sobre os seus habitantes, todas as palavras do rolo que o rei de Judá leu. [...] ¹⁹[Mas] porque a sua mente abrandou e você se curvou diante de *Yahweh* quando ouviu o que eu tinha falado contra este lugar e seus habitantes (tornando--se em desolação e opróbrio), por ter rasgado as suas roupas e chorado diante de mim, eu também, de minha parte, ouvi' (declaração de *Yahweh*). ²⁰'Portanto, agora, eu reunirei você aos seus ancestrais, e você será reunido ao seu grande túmulo quando as coisas estiverem bem. Os seus olhos não verão toda a aflição que irei trazer sobre este lugar.'"'" Eles levaram a mensagem de volta ao rei.

CAPÍTULO 23

¹O rei mandou reunir a ele todos os anciãos de Judá e de Jerusalém, **²**e o rei subiu à casa de *Yahweh*. Todos em Judá e todos os habitantes de Jerusalém estavam com ele, do mesmo modo que estavam os sacerdotes e os profetas, todo o povo, jovens e velhos. Ele leu, na audiência deles, todas as palavras no rolo da aliança que tinha sido encontrado na casa de *Yahweh*. **³**O rei ficou junto à coluna e selou a aliança diante de *Yahweh*, para seguir *Yahweh* e guardar os seus mandamentos, as suas declarações e leis, de toda a sua mente e alma, confirmando as palavras dessa aliança que estavam escritas naquele rolo. Todo o povo se comprometeu com a aliança. **⁴ᵃ**O rei ordenou a Hilquias, o sumo sacerdote, aos sacerdotes da segunda ordem e aos que guardam a entrada para retirarem do palácio de *Yahweh* todos os utensílios feitos para o Mestre e para Aserá, e para todo o exército celestial, e queimá-los.

[Os versículos 4b-24 detalham a destruição por Josias de todas as formas impróprias de adoração em Jerusalém, em Betel e em outras partes, em Efraim, além de sua proclamação de uma grande celebração da Páscoa.]

O cargo de diretor de seminário ocupou dez anos intermediários de meu período como professor. Jamais senti algum desejo de estar naquela posição, mas, quando ficou claro que era a coisa certa por algum tempo, percebi que isso me deu a oportunidade de impulsionar o seminário em direções que considerava importantes (embora "empurrar" seja diferente de "levar" ou "conduzir", já que estes sugerem certa cooperação ou, pelo menos, pouca resistência. No meu caso, tive que ganhar a disposição do seminário para ir na direção apontada por mim, em lugar de forçá-los a ir aonde eles não queriam ir). Por exemplo, é fácil para a vida acadêmica de um seminário e sua vida de adoração e oração viverem em compartimentos separados. Eu quis encorajar o desenvolvimento de uma maior unidade. Como professor, poderia agir, argumentar e ser exemplo para esse fim, mas ser o diretor me proporcionou mais poder para influenciar.

Josias encontra-se nessa posição, já que Manassés, o seu avô, alcançara fins negativos. Na realidade, a reforma de Josias envolve, principalmente, desfazer as inovações radicais de seu avô; Manassés, à sua maneira, também tinha sido uma espécie de reformador. Ele reafirmou a religião tradicional da terra, aquela que, talvez, a maioria dos israelitas havia praticado por séculos. Como reformador, Josias tinha que ser um grande inovador. Isso envolveu eliminar os **lugares altos**, que tinham feito parte da religião israelita ao longo da história de Israel naquele território. Durante alguns períodos, eles foram lugares de adoração a ***Yahweh***; em outros, foram usados para adorar outros deuses. O mesmo se aplica ao templo de Jerusalém; mas caso fosse um rei que quisesse assegurar que Israel adorasse ***Yahweh***, e o adorasse da forma correta, usaria a sua posição para garantir que isso ocorresse no templo de Jerusalém. Seria praticamente impossível controlar o que ocorria em outros santuários, espalhados pelo país. Assim, Josias fecha todos eles. A história é mais específica quanto à natureza inovadora da celebração da Páscoa que ele proclama, distinta de qualquer outra já celebrada no país, por concentrar-se em Jerusalém. Quando Israel estava prosperando, seria impraticável dizer que o povo poderia adorar a Deus somente no santuário, pois muitos israelitas viviam a centenas de quilômetros de distância. Ao tempo do rei Josias, Israel estava reduzido apenas a Judá, e mesmo este reino sofrera uma grande redução; desse modo, demandar que as pessoas fossem a Jerusalém, pelo menos para os festivais, tornou-se uma possibilidade mais viável.

O rolo da **Torá** que tanto assustou quanto inspirou Josias parece ser alguma forma de Deuteronômio; pelo menos, ao compararmos o que Josias fez com o conteúdo de várias partes da Torá, obtemos mais correspondências com o livro de Deuteronômio. A Torá não é somente uma parte do ensino dado a Israel antes de o povo chegar a **Canaã**; ela reúne inúmeras versões das instruções de Deus a Israel, já que foram transmitidas por meio de pessoas como sacerdotes e profetas ao longo dos séculos, em contextos distintos. Desse modo, podemos aprender um pouco sobre a origem e o cenário das variadas versões daquele ensino comparando-as com a narrativa contínua da história de Israel. A peça fundamental para compreender esse processo tem sido o modo pelo qual a grande reforma de Josias parece ser o momento em que Deuteronômio passa a ser uma força vivente na vida de Israel. Não sabemos por quanto tempo o rolo ficou acumulando poeira num canto do templo, se foi por um ano, uma década ou um século, mas é nesse período que ele se torna vivo.

Não foi simplesmente a descoberta do rolo que estimulou o movimento reformista; a descoberta ocorreu como resultado do trabalho no templo que Josias já havia iniciado. Talvez a união da política com a fé tenha sido feliz para Josias, ao contrário do que ocorreu com Manassés. Embora fosse difícil para Manassés resistir à pressão da **Assíria** e, assim, tentador adequar a sua prática religiosa à pressão política, a Assíria, agora, está em declínio, de modo que uma ação de Josias podia implicar fazer a coisa certa diante de *Yahweh* e, ao mesmo tempo, afirmar a independência de Judá. Ainda assim, comissionar o trabalho no templo traz a Josias mais do que ele almejava (exceto, claro, se ele mesmo tivesse operado para que o rolo estivesse escondido atrás do "sistema de ar condicionado"). Além de conter abundantes instruções sobre lealdade a *Yahweh* e sobre como isso deve funcionar, o livro de Deuteronômio incorpora advertências de arrepiar os cabelos acerca do que irá acontecer a Israel em consequência de fazer o tipo de coisas que a comunidade está fazendo nos dias de Josias. Como primeira providência, Josias consulta um profeta sobre que ações tomar (isso pode parecer um pouco estranho, pois Deuteronômio contém implicações muito claras). O modo casual com que a narrativa se refere a Hulda indica que a atividade de profetisas era algo normal. Ela possui ligações com o templo e, caso estivesse envolvida com o ministério no templo, isso explicaria o fato de Hilquias ir falar com ela em vez de consultar alguém mais conhecido por nós, como Jeremias.

A combinação da leitura de Deuteronômio com a consulta à profetisa estimula o estabelecimento de uma **aliança**; Deuteronômio é o grande livro da aliança dentro da Torá. Estritamente falando, o capítulo registra o restabelecimento da aliança, tal como a aliança com os ancestrais de Israel já tinha sido refeita no Sinai e nas planícies de Moabe (o evento registrado no próprio livro de Deuteronômio) e na terra de Canaã, quando Israel lá chegou. Um pouco similar à aliança incomum em 2Reis 11, ela envolve Deus, o rei e o povo. Normalmente, Deus toma a iniciativa no estabelecimento da aliança, mas, em um contexto como aquele, Josias sabe que eles precisam tomar uma ação. O rei sabe que é necessário assumir esse compromisso e também que o povo precisa tomar parte. O seu privilégio e responsabilidade, como líder, é incorporar uma resposta adequada a Deus em sua própria vida e, então, usar a sua influência sobre as pessoas para que estas, por seu turno, respondam a Deus.

2REIS 23:25—24:16
COMO DESFAZER UMA REFORMA

25Não houve nenhum rei antes [de Josias] que se voltou para *Yahweh* com toda a sua mente, alma e força, de acordo com todo o ensino de Moisés, e, depois dele, nenhum surgiu como ele. **26**No entanto, *Yahweh* não se desviou do grande furor com o qual a sua ira se acendeu contra Judá por causa de todos os atos provocativos com os quais Manassés o tinha provocado. **27**Assim, *Yahweh* disse: "Eu também removerei Judá de diante de minha face, como removi Israel. Rejeitarei esta cidade que escolhi, Jerusalém, e a casa da qual disse: 'Meu nome estará ali.'"

28Os demais atos de Josias e tudo o que ele fez estão, de fato, escritos nos anais dos reis de Judá. **29**Em seus dias, o faraó Neco, rei do Egito, subiu contra o rei da Assíria pelo rio Eufrates. O rei Josias foi abordá-lo, mas [Neco] o matou em Megido, quando ele o viu. **30**Os seus oficiais o transportaram morto, de Megido, e o levaram a Jerusalém, e o enterraram em seu túmulo. O povo do país tomou Jeoacaz, filho de Josias, o ungiu e o fez rei em lugar de seu pai.

[Os versículos 31-37 relatam como Neco substitui Jeoacaz por Jeoaquim, seu irmão; os dois reis são mais parecidos com seus antigos ancestrais do que com o pai deles.]

CAPÍTULO 24

1Em seus dias, Nabucodonosor, rei da Babilônia, subiu, e Jeoaquim se tornou seu servo por três anos; então, voltou atrás e se rebelou contra ele. **2***Yahweh* enviou contra ele invasores caldeus, arameus, moabitas e amonitas. Ele os enviou contra Judá para o destruir, de acordo com a palavra de *Yahweh* que ele tinha falado por meio de seus servos, os profetas. **3**Com efeito, foi pelo comando de *Yahweh* que isso aconteceu a Judá, para removê-los de diante de sua face, por causa das ofensas de Manassés, de acordo com tudo o que ele tinha feito **4**e também o sangue inocente que ele tinha derramado. Ele encheu

Jerusalém com sangue inocente, e *Yahweh* não estava disposto a perdoar. **⁵**Os demais atos de Jeoaquim e tudo o que ele fez estão, de fato, escritos nos anais dos reis de Judá. **⁶**Jeoaquim dormiu com seus ancestrais, e Joaquim, seu filho, tornou-se rei em seu lugar. [...] **⁸**Joaquim tinha dezoito anos quando se tornou rei; ele reinou três meses em Jerusalém. O nome de sua mãe era Neusta, filha de Elnatã, de Jerusalém. **⁹**Ele fez o que era desagradável aos olhos de *Yahweh*, de acordo com tudo o que seu pai fez. **¹⁰**Naquele tempo, os subordinados de Nabucodonosor, rei da Babilônia, subiram a Jerusalém, e a cidade ficou sob cerco. **¹¹**Nabucodonosor, rei da Babilônia, chegou à cidade, enquanto seus subordinados a estavam sitiando, **¹²**e Joaquim, rei de Judá, saiu até o rei da Babilônia, ele, sua mãe, seus servidores, seus comandantes e seus oficiais.

[Os versículos 13-16 descrevem como Nabucodonosor levou o rei e o restante da liderança judaíta ao exílio na Babilônia, transportando também os valores do templo.]

Em minha primeira visita aos Estados Unidos, fui para dar uma série de palestras em um seminário. O pessoal do seminário deve ter apreciado as minhas palestras, pois, então, se mostraram interessados em me oferecer um emprego, mas, naquele momento, eu não estava disposto a fazer tamanha mudança. Todavia, tudo correu bem, porque, alguns anos mais tarde, houve um golpe naquele seminário, e o presidente foi despedido. Os objetivos e princípios nos quais ele havia trabalhado foram abandonados. Ao renunciar ao cargo de diretor do seminário e mudar para os Estados Unidos, senti-me grato e feliz por poder indicar a minha sucessora, pois sabia que ela compartilhava da minha visão.

A experiência de Josias foi similar àquela do presidente do seminário dos Estados Unidos. É estranho, de fato, porque o seu sucessor imediato foi o seu próprio filho, como foi o próximo rei de Judá. Mas, então, a política prosseguiu em constante mudança. Na verdade, os próprios fatores que, a princípio, facilitaram a reforma de Josias estiveram, eventualmente, envolvidos em sua morte. Em 611 a.C., os **babilônios** conquistaram a capital da **Assíria** e decretaram a sentença de morte do Império Assírio, embora isso não tenha estabelecido o que ocorreria a seguir. Um enfraquecido Império Assírio continuou a existir, e os egípcios estavam interessados em tentar garantir que a Babilônia não substituísse, simplesmente, a Assíria como senhor sobre o Egito. Ao que parece, o faraó Neco partiu para intervir nos eventos que se desenrolavam na região nordeste, e Josias, por seu turno, tentou intervir na expedição de Neco, embora não fique claro qual era o seu plano. Seja como for, o plano desmoronou, e Josias perdeu a sua vida (a batalha ocorreu em Megido, na passagem entre o Mediterrâneo e a planície central de Israel, o lugar que dá origem ao nome Armagedom, isto é, "monte Megido"). Segundo Crônicas 35 deixa claro que isso envolveu um ato de desobediência a Deus. Hulda tinha prometido que Josias morreria em paz. Talvez ele tenha perdido a promessa por sua desobediência. Ou pode ser que tenha sido afortunado por não ver o conflito entre Babilônia e Judá e a consequente queda de Judá.

O breve reinado de três meses de Jeoacaz, seu filho, é suficiente para desagradar a Deus; isso pode ser meramente um resumo convencional ou uma indicação de que ele manteve a posição antagônica ao Egito, adotada por seu pai. Por outro lado, pode ser o primeiro sinal de que o "povo do país", que o colocou no trono, fosse menos afetado pelo engajamento religioso de Josias do que se poderia imaginar. Embora 2Reis não seja específico quanto ao povo servir a outros deuses nesses últimos anos do Estado judaíta, Jeremias e Ezequiel o são.

Jeoacaz, certamente, desagrada aos egípcios, que o substituem por seu irmão, a quem eles, talvez, considerem controlar melhor; provavelmente, os egípcios estão certos. Assim, dificilmente pode-se culpar Jeoaquim por submeter-se à autoridade da Babilônia, quando o rei Nabucodonosor bate à porta de Judá (com um aríete). Na realidade, três anos depois, ele se rebela contra a Babilônia. Nessa época, o Egito é, de qualquer forma, uma força exaurida, e apenas três ou quatro séculos depois é que os egípcios se interessarão por Judá novamente. Jeoaquim, por seu turno, é sucedido por Joaquim, seu filho, que, igualmente, desagrada tanto a Deus quanto aos babilônios, sendo deposto pelo poder imperial após três meses no trono e substituído por um dos filhos de Josias.

Segundo Reis sabe que as pessoas que devem pagar pela transgressão são as que transgridem. Não obstante, histórias como a de Jeroboão e Abias (1Reis 13) são um reconhecimento de que nem sempre a vida funciona assim, como bem sabemos. O que se aplica à família, também se aplica à nação. Um artigo que li, algum tempo atrás, observava como, nos vinte anos seguintes à Segunda Guerra Mundial, os Estados Unidos conheceram um grande progresso, pois toda a nação tinha empregos adequados, alimentação, habitação, educação, assistência médica e segurança social, mas as políticas subsequentes (e a Guerra do Vietnã) diminuíram ou reverteram grande parte desse desenvolvimento. As pessoas que vivem hoje, portanto, estão pagando o preço por decisões tomadas há uma ou duas gerações. Na história de Judá, o término da vida da nação (sobre a qual leremos em 2Reis 25) pode parecer um enigma, após a magnífica reforma de Josias. A disparidade entre o entusiasmo da história por Josias e os magros resultados de longo prazo, obtidos por sua ação, tem sido um fator importante na formação das teorias de que houve, pelo menos, duas edições de 2Reis, a primeira ao tempo de Josias, e a segunda após a queda de Jerusalém.

Em reflexão, humana ou sociologicamente falando, a falha de Josias não surpreende tanto. É preciso muito para se mudar uma cultura, particularmente num contexto em que essa mudança ocorre muito lentamente. A Inglaterra, no século XVI, esteve envolvida, inúmeras vezes, entre uma reforma protestante e uma contrarreforma católica; seja qual for a sua identificação religiosa, é possível constatar que uma mudança permanente demora a acontecer.

Segundo Reis coloca o ponto teologicamente. Em relação a isso, igualmente, há limites quanto ao que a reforma de Josias poderia alcançar. Existe uma percepção de que o arrependimento muda todas as coisas; ele restaura a relação entre o povo e Deus. No entanto, existem limitações quanto ao sentido de que tudo é zerado. Um assassino que se arrepende não é, então, perdoado por seu crime e liberto da prisão. Isso diminuiria a ofensa. Tanto teológica quanto socialmente, o arrependimento ao qual Josias leva o povo, simplesmente, não zera os registros. É significativo que 2Reis não fale da indisposição de Deus em perdoar, mas da relutância de Deus em absolver. Quando perdoo alguém, eu "carrego" o mal que a pessoa me fez (a palavra hebraica, normalmente, traduzida por "perdoar" é o termo comum para "carregar"). Quando falamos sobre absolvição, discorremos sobre a remissão do mal que foi feito a outra pessoa, não a ela própria, sobre alguém ignorar padrões objetivos de certo e errado. Manassés havia inundado Jerusalém com sangue inocente que ainda está clamando do solo. Talvez a sua ação ainda não possa ser absolvida.

2REIS 24:17—25:30
ESTE É O FIM OU HÁ ESPERANÇA?

¹⁷O rei da Babilônia fez Matanias, tio de [Joaquim], rei em seu lugar, e mudou o seu nome para Zedequias. **¹⁸**Zedequias tinha vinte e um anos quando se tornou rei. Ele reinou onze anos em Jerusalém. O nome de sua mãe era Hamutal. **¹⁹**Ele fez o que era desagradável aos olhos de *Yahweh*, de acordo com tudo o que Jeoaquim tinha feito, **²⁰**por isso a ira de *Yahweh* estava contra Jerusalém e Judá até ele os lançar para longe de sua presença.

Ora, Zedequias se rebelou contra o rei da Babilônia.

CAPÍTULO 25

¹No nono ano do reinado [de Zedequias], no décimo dia do décimo mês, Nabucodonosor, o rei da Babilônia, veio contra Jerusalém, ele e todas as suas forças. Ele acampou contra ela e construiu obras de cerco ao redor dela. **²**A cidade ficou sob cerco até o décimo primeiro ano do rei Zedequias. **³**No nono dia do mês, a fome tinha se tornado insuportável na cidade. Não havia comida para as pessoas no país. **⁴**A cidade abriu, e todos os homens do exército [saíram], de noite, pelo portão entre o muro duplo, junto ao jardim do rei, enquanto os caldeus estavam todos ao redor da cidade. Então, [o rei] foi pela estrada para a campina, **⁵**mas as forças da Caldeia perseguiram o rei e o alcançaram nas planícies de Jericó, quando todas as suas forças se dispersaram dele. **⁶**Eles capturaram o rei e o levaram ao rei da Babilônia, em Ribla, e pronunciaram uma decisão sobre ele. **⁷**Aos filhos de Zedequias, eles massacraram diante de seus olhos, os olhos de Zedequias foram arrancados, e ele foi aprisionado com algemas de bronze e levado para a Babilônia.

⁸No sétimo dia do quinto mês (era o décimo nono ano de Nabucodonosor, rei da Babilônia), Nebuzaradã, o chefe dos guardas, servo do rei da Babilônia, chegou a Jerusalém **⁹**e incendiou a casa de *Yahweh*, a casa do rei e todas as casas em Jerusalém. Cada casa de uma pessoa importante, ele incendiou.

¹⁰Os muros ao redor de Jerusalém, todas as forças dos caldeus os derrubaram. **¹¹**O restante do povo que foi deixado na cidade e as pessoas que tinham se submetido ao rei da Babilônia (o restante da população), Nebuzaradã, o chefe dos guardas, levou ao exílio, **¹²**mas o chefe dos guardas deixou algumas das pessoas pobres no país como vinicultores e fazendeiros.

[Os versículos 13-26 descrevem como os babilônios destruíram coisas no templo para levar os materiais de valor à Babilônia, e como eles indicaram um homem, chamado Gedalias, como governador, e este, então, foi morto por rebeldes.]

²⁷No trigésimo sétimo ano do exílio de Joaquim, rei de Judá, no vigésimo sétimo dia do décimo segundo mês, Evil-Merodaque, rei da Babilônia, no ano em que se tornou rei, liberou Joaquim da prisão. **²⁸**Falou positivamente com ele e lhe deu um assento acima do assento dos reis que estavam com ele na Babilônia. **²⁹**Ele trocou as suas roupas de prisão e comeu com ele, regularmente, por toda a sua vida. **³⁰**Sua provisão lhe foi dada como uma provisão regular do rei, uma quantidade para cada dia, por toda a sua vida.

Na manhã do dia 11 de setembro de 2001, eu estava sentado em meu quintal, quando um de meus vizinhos passou e me contou que um avião acabara de atingir uma das Torres Gêmeas, em Nova York. Fui para dentro e assisti, paralisado por algum tempo (ainda de pé), enquanto a televisão repetia a cena, várias vezes, incluindo o momento em que outro avião voou em direção à segunda torre. Minha sensação de horror hipnótico, distante quase cinco mil quilômetros, em nada se comparava ao horror das pessoas em Nova York ou Nova Jersey que, como testemunhas oculares, descreviam o ocorrido, algumas delas sabendo que seus entes queridos estavam nos edifícios atingidos.

Pode-se sentir um horror similar ao ler o último capítulo de 2Reis. Paradoxalmente, isso vem pela narrativa extremamente prática da história, como se o narrador ainda estivesse em estado de choque pelo que testemunhou. O relato nada nos revela sobre os horrores do longo cerco, mas conhecemos algo de suas implicações, pelo que lemos em 2Reis 6 (o livro de Lamentações nos conta que as mulheres também comeram os seus bebês, nessa ocasião). Pode-se suspeitar, como de costume, que a liderança tenta salvar a própria pele, mas fracassa nesse intento. Novamente, de modo prático, o narrador descreve como os **babilônios** matam os dois filhos do rei (que está com pouco mais de trinta anos) e como essa é a última visão captada por seus olhos, pois, então, os babilônios o cegam, talvez queimando os seus olhos com metal quente. No tocante a eles, Zedequias é um traidor e deve pagar por sua traição para mostrar ao povo o destino reservado aos traidores. Ainda, ele deve ser incapacitado para tornar improvável que seja colocado no trono novamente; nem os seus filhos. O capítulo prossegue detalhando o que sucedeu às colunas de bronze no templo, ao equipamento usado nos sacrifícios e ao trabalho decorativo no edifício, tudo o que tornava a casa de Deus bela e funcional para a adoração. O texto relata como parece não haver fim para a estupidez da comunidade. Os babilônios instalam uma forma de governo local sobre o que foi deixado no país, após a sua devastação e o transporte de sua liderança ao exílio, mas alguns judaítas matam os governantes por serem colaboradores. Todavia, então, eles percebem que eliminaram qualquer prospecto de futuro no país em si mesmos e fogem para salvar a própria vida.

Tudo isso permanece sob as solenes palavras que iniciam esse derradeiro capítulo: "a ira de ***Yahweh*** estava contra Jerusalém e Judá até ele os lançar para longe de sua presença". É possível que essas palavras até mesmo influenciem as palavras que vêm logo a seguir: "Ora, Zedequias se rebelou contra o rei da Babilônia", implicando que a própria rebelião que Zedequias empreendeu, movido pelo que ele pensou serem bons motivos políticos, na realidade era uma consequência da decisão de Deus de trazer juízo sobre a cidade. A nota sobre a ira de Deus é, na verdade, a última sentença do capítulo 24. O relato da rebelião, do cerco e de suas consequências não contém nenhuma menção a Deus. A narrativa se desenrola como uma série de decisões humanas, tomadas por pessoas como Zedequias, Nabucodonosor, Nebuzaradã e os assassinos de Gedalias. Deus está ausente da história, tendo se afastado da cidade. Não obstante, por trás daquelas cenas, a vontade de Deus está sendo implementada.

Se o capítulo terminasse com a fuga dos assassinos de Gedalias, isso faria a audiência deixar o cinema de forma silenciosa e sombria. Reconhecidamente, há um sentido no qual isso seria uma ação enganosa. O Antigo Testamento sabe que, quando se trai Deus (esqueça a Babilônia), tudo o que pode ser feito é apelar à misericórdia de Deus. Os cristãos, com frequência, pensam que os israelitas acreditavam que acertavam as contas com Deus por meio de sacrifícios; é possível que houvesse israelitas com essa crença, mas não é isso o que a **Torá** lhes dizia. Os sacrifícios podem lidar com tabus como desordens de pele como as que consideramos em 1 e 2Reis, mas eles não podem lidar com a desobediência moral ou religiosa deliberada. Ao cair em si quanto a tais transgressões, tudo o que você pode fazer é suplicar pela misericórdia divina. Um modo de olhar para 1 e 2Reis é vê-los como um relato da história de Israel que convida as pessoas a reconhecer a verdade dos livros e, ao fazer isso, lançarem-se àquela misericórdia. Paradoxalmente, então, se o livro de 2Reis termina em desesperança ou em esperança, depende da reação das pessoas quanto a ele. Caso afirmem a sua verdade, elas não garantem a esperança, mas abrem a sua possibilidade.

O derradeiro parágrafo do livro insinua a esperança de uma forma diferente. Você se lembra de Joaquim, o predecessor de

Zedequias, como rei? Apesar de ser o sobrinho de Zedequias, ele era apenas três anos mais novo que o seu tio. Os babilônios tinham levado Joaquim para a Babilônia, dez anos antes da queda de Jerusalém, de modo que, durante algum tempo, houve dois reis de Judá **exilados** na Babilônia. Avance um quarto de século depois da queda final de Jerusalém, para 562 a.C. Não sabemos se Zedequias ainda está vivo, mas Nabucodonosor está morto. Quando um presidente dos Estados Unidos deixa o cargo, às vezes ele concede indulto a pessoas por seus malfeitos. Os reis do Oriente Médio faziam o mesmo quando chegavam ao poder; era uma forma de mostrar que a administração era nova e quais seriam as suas prioridades e princípios. Assim, Evil-Merodaque concede o perdão a Joaquim e lhe dá uma posição de honra na corte babilônia.

Segundo Reis prossegue em seu silêncio quanto a Deus estar nos bastidores desse evento. Era um ato político do novo rei babilônio; todavia, talvez, apenas talvez, fosse um sinal de esperança. Por diversas vezes, 1 e 2Reis mencionaram a maneira pela qual Deus reservou o domínio de Jerusalém para Davi. Por ter feito a promessa a Davi nesses termos, Deus a mantém. Poderia essa promessa ainda ter vida em si? É possível que essa nova condição de Joaquim seja um sinal de que ainda há vida.

O autor de 2Reis não sabe o que acontecerá a seguir. Esse é o fim da colossal história que percorre Gênesis até 2Reis. Ao fim de cada livro, até aqui, o leitor pôde virar a página e ver o que ocorre a seguir, mas, ao virar a última página do livro de 2Reis, isso não acontece. Não estamos simplesmente no fim de uma temporada dessa série; este é o fim de toda a série. A elevação de Joaquim, por si só, poderia não levar a lugar nenhum, mas a esperança que isso poderia sugerir era real. Há um sentido no qual o livro de Esdras dá seguimento ao relato de 2Reis e mostra como Deus permaneceu fiel.

GLOSSÁRIO

Ajudante. Um agente sobrenatural por meio do qual Deus pode aparecer e operar no mundo. As traduções, em geral, referem-se a eles como "anjos", mas essa designação tende a sugerir figuras etéreas dotadas de asas, ostentando vestes brancas e translúcidas. Os ajudantes são figuras semelhantes aos humanos; por essa razão, é possível agir com hospitalidade sem perceber quem são (Hebreus 13:2). Ainda, eles não possuem asas; por isso, necessitam de uma rampa ou escadaria entre o céu e a terra (Gênesis 28). Eles surgem com a intenção de agir ou falar em nome de Deus e, assim, representá-lo plenamente, falando como se fossem Deus (Juízes 6). Eles, portanto, trazem a realidade da presença, da ação e da voz de Deus, sem trazer aquela presença real que aniquilaria os meros mortais ou danificaria a sua audição. Isso pode ser uma garantia quando Israel é rebelde, e a presença de Deus pode representar, de fato, uma ameaça (Êxodo 32—33), mas eles mesmos podem ser meios de implementar o castigo, da mesma forma que a bênção de Deus (Êxodo 12; 2Samuel 24).

Aliança. A palavra hebraica *berit* abrange alianças, tratados e contratos, mas todas essas são formas pelas quais as pessoas estabelecem um compromisso formal sobre algo, mas tenho utilizado o termo "aliança" para expressar todas as três. Onde há um sistema legal ao qual as pessoas podem apelar, os contratos pressupõem um sistema para resolver disputas e ministrar justiça que pode ser utilizado se uma das partes não cumpre com os seus compromissos. Em contraste, um relacionamento de aliança não pressupõe uma estrutura legal executável dessa espécie, mas a aliança envolve algum procedimento formal que confirme a seriedade do compromisso solene que as partes assumem uma com a outra. Desse modo, o Antigo Testamento frequentemente fala sobre *selar* uma aliança; literalmente, cortá-la (o pano de fundo reside no tipo de procedimento formal descrito em Gênesis 15 e Jeremias 34:18-20, embora esse tipo de procedimento dificilmente viesse a ser exigido toda vez que alguém assumisse um compromisso de aliança). Às vezes, as pessoas selam alianças *para* outras pessoas e, às vezes, *com* outras pessoas. A primeira implica algo mais unilateral; a outra envolve algo mais mútuo.

Altar. Uma estrutura para oferta de sacrifício (o termo vem da palavra para sacrifício), feita de terra ou pedra. Um altar pode ser relativamente pequeno, como uma mesa, e o ofertante deve ficar diante dele. Ou pode ser mais alto e maior, como uma plataforma, e o ofertante tem de subir nele. A palavra também pode ser uma referência a um estande menor, sobre o qual queimava-se incenso em associação com o culto.

Amorreus. O termo é usado de várias maneiras. Pode denotar um dos grupos étnicos originais em **Canaã**, especialmente a leste do Jordão, e também ser usado como referência ao povo daquele território como um todo. Na verdade, fora do Antigo Testamento, "amorreus" se refere a um povo que vive em uma área muito mais extensa da Mesopotâmia. Portanto, "amorreus" é uma palavra semelhante a "América", uma referência comum aos Estados Unidos, mas que pode denotar uma área muito mais ampla do continente do qual os Estados Unidos fazem parte.

Aram, arameus. Em certos contextos, os arameus são um povo espalhado por uma área mais ampla do Oriente Médio, e o aramaico é um idioma internacional largamente usado que, com o passar do tempo, substituiu o hebraico como a língua dos **judaítas**. No entanto, num sentido mais estrito, em 1 e 2Reis, Aram é o país situado a nordeste de Israel, que compreendia, aproximadamente, a região da moderna Síria. Como a própria Síria, era uma nação muito maior do que Israel.

Aserá. A palavra é usada para significar tanto o nome de uma divindade quanto o nome de um acessório para adoração (os dois significados aparecem em 1Reis 14—15). Na religião cananeia e em outros lugares, Aserá era uma deusa particular, mas o nome passou a ser usado no plural como um termo geral para uma deusa. Como um termo para um acessório de culto, denota algo que pode ser "erigido", "plantado" e "queimado", o que sugere uma coluna ou pilar similar a uma árvore que representava e sugeria a presença da divindade.

Assíria, assírios. A primeira grande superpotência do Oriente Médio, os assírios expandiram o seu império rumo ao Ocidente, até a Síria-Palestina, no século VIII a.C., no tempo de Amós e Isaías, e anexaram **Efraim** ao seu império. Quando Efraim persistiu tentando retomar a sua independência, os assírios invadiram Efraim e, em 722 a.C., destruíram a sua capital, Samaria, levando cativo grande parte de seu povo e substituindo-os por pessoas oriundas de outras partes do seu império. Invadiram também **Judá** e devastaram uma extensa área do país, mas não tomaram Jerusalém. Profetas como Amós e Isaías descrevem o modo pelo qual Deus estava, portanto, usando a Assíria como um meio de disciplinar Israel.

Autoridade. Indivíduos como Eli, Samuel, os filhos de Samuel e os reis "exerciam autoridade" sobre Israel e para Israel. A palavra hebraica para alguém que exerce tal autoridade, *shopet*, é tradicionalmente traduzida por "juiz", mas essa liderança é mais ampla que isso. No livro chamado Juízes, esses líderes são pessoas que não possuem posição oficial como os reis posteriores, mas que se levantam e tomam a iniciativa de trazer libertação ao povo do problema no qual ele se meteu. É função do rei exercer autoridade de acordo com a fidelidade a Deus e ao povo.

Babilônia, babilônios. Um poder menor no contexto da história primitiva de Israel, ao tempo de Jeremias, os babilônios assumiram a posição de superpotência da Assíria, mantendo-a por quase um século, até ser conquistada pela **Pérsia**. Profetas como Jeremias descrevem como Deus estava usando os babilônios como um meio de disciplinar **Judá**. Eles tomaram Jerusalém em 587 a.C. e transportaram muitos dentre o povo. Suas histórias sobre a criação, os códigos legais e os textos mais filosóficos nos ajudam a compreender aspectos de escritos equivalentes presentes no Antigo Testamento, embora sua religião astrológica também constitua o cenário para polêmicos aspectos nos Profetas.

Baú. O "baú da **aliança**" é uma caixa com pouco mais de um metro de comprimento e cerca de setenta centímetros de altura e de largura. A Revista e Corrigia Fiel, bem como outras versões, faz referência a uma "arca", mas a palavra significa uma caixa, embora seja apenas usada ocasionalmente para expressar baús usados para outros fins. É chamado de baú da *aliança* porque contém as tábuas de pedra inscritas com os Dez Mandamentos, expectativas-chave que Deus estabeleceu em relação à aliança do Sinai. É mantido, regularmente, no santuário, mas há um sentido no qual o baú simboliza a presença de Deus (considerando que Israel não possui imagens para representar isso). Dado esse simbolismo, os israelitas, algumas vezes, carregam o baú com eles. Às vezes, também é denominado de "baú da declaração", com o mesmo significado: as tábuas "declaram" as expectativas da aliança de Deus.

Canaã, cananeus. Como designação bíblica da terra de Israel como um todo, e referência a todos os povos autóctones daquele território, "cananeus" não constitui, portanto, o nome de um grupo étnico em particular, mas um termo genérico para todos os povos nativos da região. Veja também **Amorreus**.

Devotar, devoção. Devotar algo a Deus significa entregar a Deus de modo irrevogável. As traduções usam verbos como "aniquilar" ou "destruir", e, em geral, essa é a implicação correta, porém isso não expressa o ponto distintivo do ato. É possível devotar uma terra ou um animal, como um jumento, e, com efeito, Ana irá devotar Samuel; o jumento ou o ser humano, então, pertence a Deus e está comprometido a servi-lo. Na verdade, os israelitas devotaram muitos **cananeus** ao serviço de Deus nesse contexto; eles se tornaram pessoas que cortavam madeira e retiravam água para o **altar**, para as ofertas e os rituais do santuário. Devotar pessoas a Deus, matando-as como uma espécie de sacrifício, era uma prática conhecida de outros povos, que Israel adota por sua própria iniciativa, mas que

Deus valida. Israel sabe que é assim que a guerra funciona em seu mundo e passa a operar da mesma forma, com a concordância divina.

Discípulos dos profetas. Literalmente, esses são os "filhos dos profetas". Primeiro e Segundo Reis mencionam comunidades desses profetas em vários lugares de Efraim, ao tempo de Elias e Eliseu. Eles viviam juntos e, aparentemente, disponibilizavam os seus serviços a todos os que necessitavam da orientação de Deus sobre algum assunto. Eram dependentes de doações do povo e buscavam a ajuda das pessoas nesse sentido; as histórias indicam que isso os tornava vulneráveis à pobreza.

Efraim, efraimitas. Após a morte de Saul, os clãs israelitas se dividiram em dois grupos por um período. Politicamente, o maior dos dois grupos, abrangendo os clãs do norte e do leste, manteve o nome de **Israel**, enquanto o grupo menor, concentrado na região sul, passou a ser chamado de **Judá**. Isso é confuso porque Israel ainda é o nome do povo que pertence a Deus. Portanto, o nome Israel pode ser usado em ambas as conexões. Após os reinados de Davi e de Salomão, a nação de Israel se dividiu nesses dois reinos mais permanentemente, e, uma vez mais, o grupo de clãs do norte manteve o nome de **Israel**. O Estado do norte, contudo, pode também ser referido pelo nome de Efraim, por ser um de seus clãs principais. Assim, uso esse termo como referência aos clãs do norte, no período de Davi e no contexto posterior, na tentativa de minimizar a confusão.

Esposa secundária. As traduções usam a palavra "concubina" para descrever mulheres como algumas das esposas de Davi, mas o termo hebraico usado em relação a elas não sugere que não sejam apropriadamente casadas. Ser uma esposa secundária indica possuir uma posição diferente das outras esposas. Talvez implique que seus filhos tenham direitos limitados ou mesmo nenhum direito sobre a herança do pai. É possível a um homem rico ou poderoso ter inúmeras esposas com plenos direitos e muitas esposas secundárias, ou mesmo apenas uma de cada. Pode, ainda, ter apenas a esposa principal ou somente a esposa secundária.

Exílio. No final do século VII a.C., a **Babilônia** se tornou o maior poder no mundo de **Judá**, mas os judaítas estavam determinados a se rebelar contra a sua autoridade. Então, como parte de uma campanha vitoriosa para obter a submissão de Judá, em 597 a.C. e 587 a.C. os babilônios transportaram muitos israelitas de Jerusalém para a Babilônia, particularmente pessoas em posições de liderança, como membros da família real e da corte, sacerdotes e profetas. Essas pessoas foram, portanto, compelidas a viver na Babilônia durante os cinquenta anos seguintes ou mais. Pelo mesmo período, as pessoas deixadas em Judá também viviam sob a autoridade dos babilônios. Assim, não estavam fisicamente no exílio, mas também viveram em exílio por um período de tempo.

Fenícia, fenícios. A Fenícia constitui a área na costa do Mediterrâneo, a nordeste de Israel, com centro na área do Líbano moderno, mas incluindo parte da Síria atual e parte de Israel, antigo e moderno. Não era tanto um Estado, mas uma coleção de cidades-estado, entre as quais Tiro e Sidom. Embora essas cidades-estado pudessem estar em guerra umas com as outras, elas tinham ciência de uma etnia e religião comuns, que também compartilhavam (juntamente com seu idioma) com os **cananeus**. Em outras palavras, os fenícios eram cananeus que viviam mais ao norte de Canaã. Como sua característica principal, os fenícios eram grandes comerciantes.

Filístia, filisteus. Os filisteus eram um povo oriundo do outro lado do Mediterrâneo para se estabelecer em **Canaã**, na mesma época do estabelecimento dos israelitas na região, de maneira que os dois povos formaram um movimento acidental de pressão sobre os habitantes já presentes naquele território, bem como se tornaram rivais mútuos pelo controle da área.

Grécia. Em 336 a.C., forças gregas, sob o comando de Alexandre, o Grande, assumiram o controle do Império Persa, porém após a morte de Alexandre, em 333 a.C., o seu império foi dividido. A maior extensão, ao norte e a leste da Palestina, foi governada por Seleuco, um de seus generais, e seus sucessores. Judá ficou sob o controle grego por grande parte dos dois séculos seguintes, embora estivesse situado na fronteira sudoeste desse império e, às vezes, caísse sob o controle do Império Ptolomaico, no Egito, governado por sucessores de outro dos generais de Alexandre.

Homem de Deus. O uso comum da expressão "homem de Deus" (ou "mulher de Deus") sugere alguém com uma profunda vida de oração e de compromisso moral elevado. A expressão hebraica equivalente possui um significado distinto. Ela sugere alguém com um poder e percepção extraordinários, bem como assustadores. Um homem de Deus sabe de coisas que, talvez, você não gostaria que ele soubesse, além de poder fazer coisas que, talvez, você não gostaria que ele fizesse, embora ele saiba e faça coisas que são boas-novas. Ele sabe e faz essas coisas não por causa de sua profunda espiritualidade (embora possa ser uma pessoa profundamente espiritual), mas porque Deus toma conta dele e lhe dá a capacidade de saber e fazê-las, apenas porque Deus assim decide. Ele é um homem que representa Deus num sentido muito forte. Deus o torna seu representante no mundo, e ele demonstra essa posição pelas capacidades extraordinárias que exerce.

Israel. Originariamente, Israel era o novo nome dado por Deus a Jacó, neto de Abraão. Seus doze filhos foram, então, os patriarcas dos doze clãs que formam o povo de Israel. No tempo de Saul, Davi e Salomão, esses doze clãs passaram a ser uma entidade política. Assim, Israel significava tanto o povo de Deus quanto uma nação ou Estado, como as demais nações e Estados. Após Salomão, esse Estado foi dividido em dois Estados distintos, **Efraim** e **Judá**. Pelo fato de Efraim ser maior, manteve como referência o nome de Israel. Desse modo, se alguém estiver pensando em Israel como povo de Deus, Judá está incluído. Caso pense em Israel politicamente, Judá não faz parte. Uma vez que Efraim não existe mais, então, para todos os efeitos, Judá *é* Israel, assim como *é* o povo de Deus.

Judá, judaítas. Um dos doze filhos de Jacó e, portanto, o clã que traça a sua ancestralidade até ele e que se tornou dominante no sul dos dois Estados, após o reinado de Salomão. Mais tarde, como província ou colônia **persa**, Judá ficou conhecido como Jeúde.

Lugar alto. A religião tradicional nas vilas e cidades de Canaã ocorria em torno de um local de adoração no ponto mais alto da vila, possivelmente elevado por uma plataforma. Ali, membros da comunidade podiam levar as suas ofertas e orar, por exemplo, em relação ao nascimento de filhos e a colheita. Quando a população da vila ou da cidade se tornava israelita, esperava-se uma mudança na natureza de seu culto, de modo que **Yahweh** passasse a ser adorado ali, mas, na prática, continuava a ser usado de acordo com as tradições do passado. Quer ainda envolvesse o culto a outras divindades que não *Yahweh*, quer práticas de adoração dos cananeus, tais como o uso de imagens, quer o sacrifício de crianças, as pessoas viam a si mesmas adorando a *Yahweh*. Alguns reis, fiéis a *Yahweh*, permitiram que os lugares altos continuassem a funcionar sem danos ao seu compromisso com *Yahweh*, mas, à luz do abuso desses locais e da crescente convicção de que os lugares altos deveriam ser simplesmente abolidos, 1 e 2Reis sentem-se ambíguos quanto a eles e manifestam algum desconforto sobre o modo pelo qual alguns reis fiéis permitiram que continuassem em uso.

Mestre. *Baal* é um termo hebraico comum para designar um mestre, senhor ou proprietário, mas também é utilizado para descrever um deus **cananeu**. É, portanto, similar ao termo para *Senhor*, usado para descrever **Yahweh**. Na verdade, "Mestre" pode ser um nome adequado, como "Senhor", como é tratado nas traduções quando transcrevem a palavra como *Baal*. Para deixar essa distinção clara, em geral o Antigo Testamento usa *Mestre* para um deus estrangeiro e *Senhor* para o verdadeiro Deus, *Yahweh*. A exemplo de outros povos antigos, os cananeus cultuavam inúmeros deuses e, nesse sentido, o Mestre era apenas um deles, embora fosse um dos mais proeminentes. O Antigo Testamento também usa o plural, *Mestres* (*Baals*), como referência aos deuses cananeus em geral.

Pano de saco. O pano de saco não sugere algo desconfortável, mas refere-se a um pano de qualidade inferior com o qual as roupas de pessoas comuns eram feitas. Ele contrastava com as vestes impressionantes e luxuosas com as quais as pessoas importantes apareciam em público.

Paz. A palavra *shalom* pode sugerir paz após um conflito, mas, com frequência, indica uma ideia mais rica, ou seja, da plenitude de vida. A King James Version, às vezes, a traduz por "bem-estar", e as traduções modernas usam palavras como "segurança" e "prosperidade". De qualquer modo, a palavra sugere que tudo está indo bem para você.

Pérsia, persas. A terceira superpotência do Oriente Médio, depois da **Assíria** e da **Babilônia**. Sob a liderança de Ciro, o Grande, eles assumiram o controle do Império **Babilônico** em 539 a.C. Isaías 40—55 vê a mão de Deus levantando Ciro como um instrumento para restaurar **Judá** após o **exílio**. Judá e os povos vizinhos, como Samaria, Amom e Asdode, eram províncias ou colônias persas. Os persas permaneceram por dois séculos no poder, até serem derrotados pela **Grécia**.

Querubins. Não se trata de figuras angelicais infantis (como a palavra pode sugerir em seu uso moderno), mas incríveis criaturas aladas que transportam *Yahweh*, assentado em um trono acima delas. Havia estatuetas dessas criaturas no templo, mantendo guarda sobre o **baú da aliança**; portanto, eles indicam a presença de *Yahweh* ali, invisivelmente entronizado acima deles.

Sheol. Um dos nomes hebraicos para o lugar ao qual vamos quando morremos; é também referido como o "Poço". No Novo Testamento, é chamado de "Hades". Não se trata de um lugar de punição ou sofrimento, mas simplesmente de um local de descanso para todos, uma espécie de análogo não físico para a sepultura, como lugar de repouso para o nosso corpo.

Torá. A palavra hebraica para os cinco primeiros livros da Bíblia. Eles, em geral, são referidos como a "Lei", mas esse termo propicia uma impressão equivocada. No próprio livro de Gênesis, não há nada como "lei", bem como Êxodo e Deuteronômio não são livros "jurídicos". A palavra *torah*, em si, significa "ensino", o que fornece uma impressão mais correta da natureza da Torá. Com frequência, a Torá nos fornece mais de um relato do mesmo evento (como a comissão de Deus a Moisés). Desse modo, quando a igreja primitiva contou a história de Jesus de diferentes maneiras, em contextos distintos e de acordo com as percepções dos diferentes autores dos Evangelhos, ela estava apenas seguindo o precedente pelo qual Israel contou suas histórias mais de uma vez, em diferentes contextos. Embora Samuel-Reis e Crônicas mantenham as versões separadas, tal como ocorreria com os Evangelhos, na Torá as versões foram combinadas.

Yahweh. Na maioria das traduções bíblicas, a palavra "Senhor" aparece em letras maiúsculas ou em versalete, como ocorre, às vezes, com a palavra "Deus". Na realidade, ambas representam o nome de Deus, *Yahweh*. Nos tempos do Antigo Testamento, os israelitas deixaram de usar o nome *Yahweh* e começaram a usar "o Senhor". Há dois motivos possíveis. Os israelitas queriam que outros povos reconhecessem que *Yahweh* era o único e verdadeiro Deus, mas esse nome de pronúncia estranha poderia dar a impressão de que *Yahweh* fosse apenas o deus tribal de Israel. Um termo como "o Senhor" era mais facilmente reconhecível. Além disso, eles não queriam incorrer na quebra da advertência presente nos Dez Mandamentos sobre usar o nome de *Yahweh* em vão. Traduções em outros idiomas, então, seguiram o exemplo e substituíram o nome de *Yahweh* por "o Senhor". O lado negativo é que isso obscurece o fato de Deus querer ser conhecido por esse nome. Por essa razão, o texto utiliza *Yahweh*, com frequência, não algum outro nome (assim chamado) deus ou senhor. Essa prática dá a impressão de Deus ser muito mais "senhoril" e patriarcal do que ele o é na realidade. (A forma "Jeová" não é uma palavra real, mas uma mescla das consoantes de *Yahweh* e das vogais da palavra *Adonai* [Senhor, em hebraico], com o intuito de lembrar às pessoas que na leitura da Escritura elas deveriam dizer "o Senhor", não o nome real.)

Yahweh dos Exércitos. Esse título para Deus, em geral, no texto bíblico é traduzido por "Senhor dos Exércitos", todavia é uma expressão mais intrigante do que ela implica. O termo para Senhor é, na realidade, o nome de Deus, **Yahweh**, e a palavra para "Exércitos" é a palavra hebraica regular para as forças militares;

é a palavra que aparece na traseira de qualquer caminhão militar israelense. Assim, mais literalmente, a expressão significa "*Yahweh* [dos] Exércitos", que é apenas tão estranho em hebraico quanto "Goldingay dos Exércitos" seria. Todavia, em termos gerais, a implicação da expressão é decerto clara: ela sugere que *Yahweh* é a personificação do ou o controlador de todo o poderio de guerra, quer no céu, quer na terra.

SOBRE O AUTOR

John Goldingay é pastor, erudito e tradutor do Antigo Testamento. Ele é professor emérito David Allan Hubbard de Antigo Testamento no prestigiado Seminário Teológico Fuller em Pasadena, Califórnia. É um dos acadêmicos de Antigo Testamento mais respeitados do mundo com diversos livros e comentários bíblicos publicados. O autor possui o livro *Teologia bíblica* publicado pela Thomas Nelson Brasil.

Livros da série de comentários

O ANTIGO TESTAMENTO PARA TODOS

JÁ DISPONÍVEIS pela **Thomas Nelson Brasil**

Pentateuco para todos: Gênesis 1—16 • Parte 1
Pentateuco para todos: Gênesis 17—50 • Parte 2
Pentateuco para todos: Êxodo e Levítico
Pentateuco para todos: Números e Deuteronômio
Históricos para todos: Josué, Juízes e Rute
Históricos para todos: 1 e 2 Samuel
Históricos para todos: 1 e 2 Reis
Históricos para todos: 1 e 2 Crônicas
Históricos para todos: Esdras, Neemias e Ester

Livros da série de comentários

O NOVO TESTAMENTO PARA TODOS

JÁ DISPONÍVEIS pela **Thomas Nelson Brasil**

Mateus para todos: Mateus 1—15 • Parte 1
Mateus para todos: Mateus 16—28 • Parte 2
Marcos para todos
Lucas para todos
João para todos: João 1—10 • Parte 1
João para todos: João 11—21 • Parte 2
Atos para todos: Atos 1—12 • Parte 1
Atos para todos: Atos 13—28 • Parte 2
Paulo para todos: Romanos 1—8 • Parte 1
Paulo para todos: Romanos 9—16 • Parte 2
Paulo para todos: 1Coríntios
Paulo para todos: 2Coríntios
Paulo para todos: Gálatas e Tessalonicenses
Paulo para todos: Cartas da prisão
Paulo para todos: Cartas pastorais
Hebreus para todos
Cartas para todos: Cartas cristãs primitivas
Apocalipse para todos

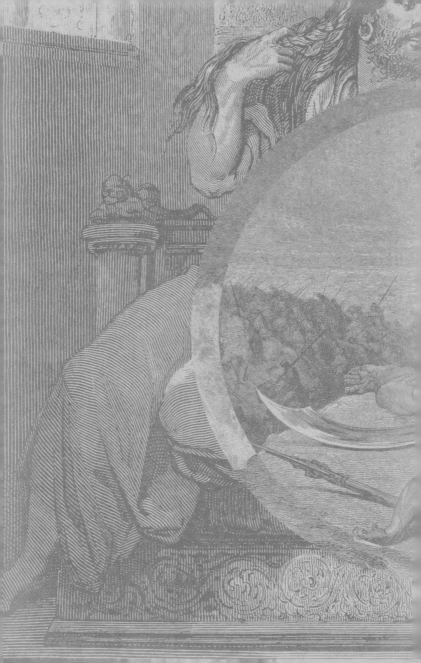